Ausführliche Informationen über
unsere Autoren und Bücher
www.dtv.de

Dora Heldt

Böse Leute

Kriminalroman

dtv

FSC® C083411
MIX
Papier aus verantwortungsvollen Quellen
www.fsc.org

Originalausgabe 2016
© 2016 dtv Verlagsgesellschaft mbH & Co. KG, München
Dieses Werk wurde vermittelt durch die literarische Agentur
Thomas Schlück GmbH, Garbsen.
Umschlagbild: Markus Roost
Satz: pagina GmbH, Tübingen
Gesetzt aus der Sabon 10,5/13,5ʼ
Druck und Bindung: CPI – Ebner & Spiegel, Ulm
Gedruckt auf säurefreiem, chlorfrei gebleichtem Papier
Printed in Germany · ISBN 978-3-423-26087-9

Für Joachim Jessen,
den Mann mit dem großen Herzen
und den Nerven aus Drahtseilen.
Danke.

Prolog

Die alte Dame schloss umständlich die Haustür ab und verstaute den Schlüssel in ihrer Handtasche. Eine Nachbarin, die gerade mit dem Hund vorbeigehen wollte, blieb stehen. Sie sprachen kurz miteinander, dann gingen sie gemeinsam weiter.

Er wartete, bis beide Frauen samt Hund aus seinem Sichtfeld verschwunden waren, dann stieg er über den niedrigen Zaun und umrundete das Haus, bis er vor der Terrassentür stand. Es war ein Leichtes, sie aufzuhebeln, für ihn ein Kinderspiel. Sekunden später stand er im Wohnzimmer. Es sah aus wie in den meisten Wohnzimmern dieser Generation. Eine überdimensionale Schrankwand, natürlich Mahagoni, mit integrierter Bar und Fernseher. Das gute Geschirr war hinter einer Glastür, die Tischdecken und Kerzen waren in den Schubladen verstaut, in den unteren Fächern bewahrte man Papiere und Fotoalben auf. Er riss alles raus und ließ es auf dem Boden liegen. Neben der Couchgarnitur lagen Zeitschriften, auch hier gab es keine Überraschungen, Klatsch und Tratsch aus den Königshäusern und Hochglanzmagazine vom Landleben. Wen interessierte das? Ihn nicht, achtlos ließ er den Stapel fallen.

Er schlenderte durchs Haus, zog hier und da weitere Schubladen und Schränke auf und fragte sich, wie man so spießig leben konnte. Überall standen Fotos, Hochzeitsbilder, Kinderbilder, Aufnahmen, die vor Ewigkeiten gemacht worden waren, damals, als die Welt noch in Ordnung und das Leben unendlich war. Er fegte eine Reihe Bilderrahmen vom Schrank und hörte zufrieden das Glas zerspringen. In der Küche stand die obligatorische Eckbank, auf dem Tisch lag eine gestickte Decke, darauf eine Schale mit Obst. So, wie die Bananen aussahen, war es nur noch eine Frage der Zeit, bis die Fruchtfliegen hier einfallen würden. Auf der benutzten Tasse in der Spüle, weiß mit blauem Muster, prangte vorn der Schriftzug »Gisela«. Er hob sie hoch, sah sie angewidert an und ließ sie auf die Fliesen fallen. Ruhig noch ein paar mehr Scherben.

Als sein Handy klingelte, zuckte er zusammen, wieso hatte er vergessen, es leise zu stellen? Er wurde nachlässig, drückte nach einem Blick aufs Display den Anruf weg und ging zurück ins Wohnzimmer. Er würde gleich zurückrufen, gleich, wenn er wieder draußen war. Hier bekam er vor lauter Spießigkeit kaum Luft. Die Sofakissen hatten eine Brokatbordüre, grauenhaft, er riss sie herunter und feuerte sie in eine Ecke. Er musste hier raus, ganz schnell, es reichte. Sein Blick fiel auf ein paar Geldscheine, die auf der Flurkommode lagen. Die steckte er ein, genauso wie eine teure Sonnenbrille und eine Visitenkarte, die daneben lag. Was wollte die alte Frau mit so einer Brille? Lächerlich. Die Scherben der Bilderrahmen knirschten unter seinen Schuhen, als er durchs Wohnzimmer ging, um das Haus durch die offene Terrassentür zu verlassen. Auf dem Weg durch den Garten zog er die Handschuhe aus. In aller Ruhe, niemand nahm von ihm Notiz.

Ein Freitagmittag Anfang Mai,
bei Sonnenschein

Onno Thiele griff nach einem Bierdeckel und schob ihn unter das Tischbein. Prüfend ruckelte er erneut an der Platte, sah zufrieden zu seinem Freund Karl ihm gegenüber und sagte: »Geht doch.«

»Man kann auch das Bein absägen«, war die Antwort.

»Das ist doch Pfusch.«

»Wackelt aber nicht mehr.« Onno strich über die Tischplatte. »Du sitzt ja nicht unter dem Tisch und guckst den Bierdeckel an. Was gibt's Neues?«

»Nichts. Gar nichts, um genau zu sein. Zumindest nicht, was diese drei Einbrüche angeht. Stell dir mal vor, drei Einbrüche in zwei Wochen, und es gibt immer noch keine Festnahme. Das hältst du doch nicht in der Birne aus. Ich weiß wirklich nicht, was die auf dem Revier machen. Kaffee trinken und Kuchen essen vermutlich, aber von Verbrechensaufklärung haben sie keine Ahnung.«

Onno hebelte den Kronkorken der Bierflasche auf und hielt sie Karl hin. »Haben die eigentlich viel geklaut? Weißt du da was?«

Karl hob die Schultern. »Nach dem, was ich gehört habe, ja, ein bisschen Geld. Wirklich, drei Einbrüche in Folge, und alle fanden tagsüber bei Insulanern statt. Anstatt mal die Fenster einer unbewohnten Ferienvilla aufzuhebeln, nein, da nehmen die Einbrecher sich ganz normale Häuser vor und gehen das Risiko ein, erwischt zu werden.«

»Vielleicht üben die noch.« Onno hielt ihm weiterhin die Flasche hin. »Und außerdem haben die großen Luxusvillen alle Alarmanlagen. Das macht so einen Krach. Willst du jetzt ein Bier oder nicht?«

»Doch, danke.« Tadelnd sah Karl über den Tisch. »Von wegen üben. Du solltest das ernst nehmen. Du hast auch ein Haus. Und wohnst allein. Und schläfst wie ein Bär. Du bekommst doch gar nicht mit, wenn sie hier einsteigen. Und auf die Polizei kannst du dich im Moment ja wohl auch nicht mehr verlassen.«

»Ach was, das würde ich garantiert mitbekommen«, entgegnete Onno. »Und ich denke, die kommen am Tag. Da schlafe ich gar nicht. Mach dir mal keine Sorgen, echte Wertgegenstände stehen hier auch nicht rum.«

»Na ja«, Karl sah sich nachdenklich um. Nach einer kleinen Pause sagte er. »Es ist gut, dass Maren kommt. Hier fehlt wirklich eine weibliche Hand. So richtig gemütlich ist deine Küche nicht.«

»Och«, unbekümmert folgte Onno den Blicken. »Gemütlich. Soll ich hier Blümchen hinstellen oder was? Hier wird gearbeitet, das ist eine Küche. Weibliche Hand, du spinnst.«

»Wann kommt das Kind denn jetzt?« Karl stützte sein Kinn auf die Hand und blickte Onno an. »Morgen, oder?«

Onno nickte knapp. »Du weißt es doch.«

»Und?« Karl beugte sich neugierig nach vorn. »Freust du dich?«

Onno zuckte nur kurz die Schultern. »Keine Ahnung. Mal gucken, was sie hier alles durcheinanderbringt. So viel Zeit habe ich auch nicht für sie.«

»Na, ich bin mal gespannt.« Lächelnd lehnte Karl sich zurück. »Auf jeden Fall hat sie sofort genug zu tun. Und wenn sie so arbeitet, wie ich es vermute, dann wird sich das Revier mitsamt meinem feinen Herrn Nachfolger wundern. Die kommen doch überhaupt nicht aus dem Quark. Wie gesagt, Verbrechensaufklärung gleich null.«

Onno blickte ihn nachdenklich an. »Du redest wirklich Unsinn. Maren ist Polizistin und nicht Columbo. Und dein feiner Herr Nachfolger ist ihr Chef. Nur weil du in Pension bist, bricht doch die Polizei in Westerland nicht zusammen. Auch wenn du das gern hättest. Glaubst du eigentlich, dass sie dich wieder zurückholen werden? Und dich zum Ehrenrevierleiter machen? Oder warum stänkerst du immer gegen deinen Nachfolger? Du machst dich noch lächerlich.«

»Ich mache mich nicht lächerlich, ich bin besorgt um den Frieden und die Sicherheit auf dieser Insel. Und ich stänkere nicht gegen meinen Nachfolger, ich halte diesen aufgeblasenen Peter Runge nur für unfähig und eine Fehlbesetzung. So. Da holen die einen Auswärtigen. Von der Ostsee. Der hat doch überhaupt keine Ahnung.«

»Du regst dich schon wieder auf.« Langsam stand Onno auf und nahm die leeren Flaschen vom Tisch. »Denk an deinen Blutdruck. So, ich habe noch einiges zu tun, kann mich nicht den ganzen Tag mit dir unterhalten. Willst du hier sitzen bleiben? Ich muss in den Garten.«

Karl war sofort auf den Beinen. »Wirklich, Onno, du kriegst niemals die Medaille als Gastgeber des Jahres. Das Alleinleben macht dich schrullig und unhöflich. Ich wollte noch …«

»Ja, ja«, Onno war schon auf dem Weg zur Tür. »Bis morgen.«

An den Tisch gelehnt, beobachtete Karl, wie sein ältester Freund durch den Garten ging. Langsam wurde der wirklich komisch. Onno machte nur noch das, was er wollte, ging einfach, wenn es ihm ihn den Kopf kam, und scherte sich überhaupt nicht darum, was andere von ihm dachten. Karl schüttelte den Kopf. Es wurde wirklich Zeit, dass sich in diesem Haus etwas änderte. Er stieß sich vom Tisch ab, griff nach seiner Mütze und ging. Entgegen seinen alten Gewohnheiten zog er dieses Mal die Tür ins Schloss. Man musste es den Leuten ja nicht zu leicht machen. Und Onno hatte immer einen Schlüssel unter der Fußmatte.

Die Bäckerei mit den wenigen Stehtischen lag in der Nähe des Polizeireviers. Sie war ein beliebter Treffpunkt der Kollegen. Auch jetzt hatte Karl Glück, gleich am Eingang stand Benni, ein junger Polizist, der seit vier Jahren auf der Insel war und zu Karls liebsten Mitarbeitern gehört hatte.

»Benni, mein Junge«, erfreut schlug Karl ihm auf den Rücken und Benni verschluckte sich am Eibrötchen. »Zweites Frühstück?«

Benni brauchte eine ganze Weile, bis er zu seiner normalen Atmung zurückgefunden und sich die Eibrocken vom Ärmel gepult hatte.

»Kannst du nicht warten, bis ich den Mund leer habe?« Er rieb sich eine Träne weg. »Meine Güte, ich wäre fast gestorben.«

»Du musst nicht so schlingen. Das ist nicht gesund. Ich hole mir schnell eine Tasse Kaffee, möchtest du auch noch was? Ich gebe einen aus.«

Als Karl mit zwei Tassen zurückkehrte, musste Benni sich zwischendrin immer noch räuspern. Als er endlich wieder bei Stimme war, fragte er Karl: »Sag mal, fällt dir zu Hause die Decke auf den Kopf? Ist deine Frau noch zur Kur?«

Karl nickte. »Ja. Noch vier Wochen. So eine Hüfte

dauert eben. Aber ihr geht es gut da, sie mag ja Bayern. Und ihre Schwester wohnt in der Gegend, die fährt öfter hin.«

»Und du besuchst sie gar nicht?« Benni musterte ihn erstaunt. »Du bist Rentner, du hast jetzt Zeit. Fahr doch mal hin und mach dir ein paar schöne Tage.«

»Ach, weißt du«, Karl guckte gequält. »Ich fahre ja nicht so gern Zug, mir wird da schnell übel, und Gerda ist ja in einer Klinik, die liegt noch hinter Nürnberg, das ist von hier aus eine Ewigkeit. Wenn sie entlassen wird, fahre ich hin und hole sie ab. Bis Hamburg mit dem Zug, da treffe ich mich dann mit meinem Sohn, und der nimmt mich mit dem Auto mit. Meine Frau findet das in Ordnung. Sie hat gesagt, ich würde sie da nur stören.«

»Aha.« Benni sah ihn an. »Langweilst du dich?«

»Ich?« Karl lachte. »Also bitte. Ich und Langeweile, ich weiß nicht mal, wie man das schreibt. Ich mache dieses und jenes, vorhin war ich schon bei Onno Thiele, apropos, du weißt, dass seine Tochter bei euch anfängt, oder?«

Benni nickte. »Maren Thiele, das weiß ich, das hat Runge uns schon vor ein paar Wochen erzählt. Sie hat sich aus privaten Gründen hierher versetzen lassen. Und der Kollege Schneider wollte ja wegen seiner Freundin nach Münster. Die haben einfach die Dienststellen getauscht. Was sind denn ihre privaten Gründe? Kommt sie auch aus Liebe?«

»Nein«, Karl schüttelte den Kopf. »Oder im Gegenteil. Sie hat sich vor einem Jahr von ihrem Freund getrennt. Und danach hat sie wohl Heimweh bekommen. Sie ist ein Inselkind, hier geboren, hier aufgewachsen, hier zur Schule gegangen, und jetzt kommt sie zurück. Was will sie auch in Münster? Das ist ja so weit weg vom Meer.«

Schulterzuckend griff Benni zu seiner Tasse und trank

den Rest Kaffee aus. »Dafür hat Münster andere Qualitäten. Da ist bestimmt mehr los als hier. So, ich muss los, hab jetzt Dienst. Danke für den Kaffee.«

Bevor er gehen konnte, hielt Karl ihn am Ärmel fest. »Warte mal, Benni. Sag mal: Hier ist doch auch einiges los? Habt ihr schon eine Spur bei den Einbrüchen?«

»Karl«, beruhigend klopfte ihm Benni auf den Arm. »Du bist in Pension, wir kriegen das schon hin.«

»Du kannst doch mal was sagen.«

»Ich darf das gar nicht, Karl, du bist jetzt Zivilist und hast mit den Ermittlungen nichts mehr zu tun.«

»Benni!« Empört ging Karl einen Schritt zurück. »Du beißt gerade in die Hand, die dich gefüttert hat. Ich war dein Chef, und zwar einigermaßen erfolgreich, was hast du nicht alles von mir gelernt? Schon vergessen? Da kann man doch ein kleines bisschen Kooperation erwarten. Ich habe einfach immer noch den viel erfahreneren Blick.«

»Du hast es gerade gesagt: ›Die Hand, die dich gefüttert *hat.*‹ Wir sehen uns, Karl, ich muss jetzt wirklich los.« Mit einem aufmunternden Klaps auf die Schulter machte Benni sich auf den Weg.

Der Seehund aus Plüsch hatte nur noch drei Barthaare. Maren überlegte, bei welchen Gelegenheiten er seine anderen wohl verloren hatte. Sie konnte sich nicht erinnern. Behutsam legte sie ihn auf die in Seidenpapier eingeschlagenen Weingläser und verschloss den Umzugskarton. Hier war der Seehund sicher. Der Edding quietschte, als sie das Wort »Küche« auf die Pappe schrieb, dann legte sie den Stift zur Seite und schob den Karton aufatmend an die Wand. Geschafft. Bis auf wenige Kleidungsstücke, die Kaffeemaschine und ein bisschen Frühstücksgeschirr, das sie gleich noch für die Umzugsleute brauchte, hatte sie ihren gesamten Hausstand in Kartons verpackt. Zweiundvierzig Kartons, in denen ihr ganzes Leben steckte. Es sah gar nicht so viel aus.

Maren stopfte den Rest des Verpackungsmaterials in eine Tüte und warf einen Blick auf die Uhr. In fünfzehn Minuten würde der Umzugswagen ankommen, sie hatte mal wieder ein perfektes Timing hingelegt. Zufrieden ging sie durch die leere Wohnung, um noch einmal alles zu kontrollieren, dann griff sie zum Telefon und wählte die Nummer von Rike. »Musst du die Brötchen selbst backen, oder warum dauert es so lange?«

Rikes Antwort klang ein bisschen atemlos. »Beim Bäcker war es voll, lauter unentschlossene Leute, und dann bin ich aus Versehen an deiner Straße vorbeigelaufen. Aber ich sehe schon die Haustür, bin gleich da.«

Rike war Marens älteste Freundin. Sie kannten sich seit ihrer Einschulung, hatten die ganze Schulzeit hindurch nebeneinander gesessen, von der Konfirmation über die Tanzschule bis zum Abitur alles gemeinsam erledigt und ihre Zweisamkeit erst aufgeben müssen, als Maren nach Hamburg zur Polizeischule ging. Fast zwanzig Jahre lang hatten sie dann an unterschiedlichen Orten gewohnt, und sie hatten es trotzdem geschafft, eng befreundet zu bleiben. Jetzt gab es schon wieder einen Ortswechsel, Maren ging zurück auf die Insel, auf der Rike immer noch lebte. Richtig fassen konnte Maren es allerdings immer noch nicht.

Den Karton mit den Brötchen vor sich balancierend, stieg Rike langsam die Treppen hinauf, Maren wartete schon an der offenen Tür. »Der Umzugswagen muss jeden Moment kommen, wenn du dich beeilst, kannst du noch einen Kaffee im Stehen und in Ruhe trinken. Die Stühle sind schon übereinandergestellt.«

»Super«, ohne den Blick vom Brötchenkarton zu heben, lächelte Rike verkniffen. »Morgens, halb acht in Münster. Um diese Zeit fange ich gerade in der Praxis an. Und hier bin ich schon seit Stunden unterwegs. Hast du den letzten Karton zugeklebt?«

»Und beschriftet«, Maren ließ sie vorbeigehen und schloss hinter ihr die Tür. »Die Packer können kommen, wir sind fertig.« Sie hatte den Satz kaum beendet, als es klingelte. »Da sind sie.« Sie legte den Finger auf den Türöffner und sah Rike über die Schulter an. »Jetzt ist es zu spät für einen Rückzieher. Sag mir bitte, dass ich die richtige Entscheidung getroffen habe.«

Mit festem Blick sah ihre Freundin sie an. »Hast du. Und eigentlich gab es keine Alternative. Oder?«

»Hm«, Maren öffnete die Tür und drückte den Summer. »Ich hoffe es.«

Drei Stunden später saßen sie in Marens Auto und fuhren in Richtung Norden. Der Umzugswagen war vor ihnen losgefahren, Maren und Rike hatten die Wohnung abschließend geputzt, mit den Vermietern die Abnahme gemacht und den Wohnungsschlüssel abgegeben, sich unter weitschweifigen guten Wünschen verabschiedet, eine Träne unterdrückt und sich anschließend erleichtert ins Auto fallen lassen. »Lass mich fahren«, hatte Rike gesagt. »Du bist im Moment abschiedsschwer, und ich will nicht zwischen Münster und Osnabrück an der Leitplanke kleben.«

Maren hatte ihr den Schlüssel überlassen und sich erleichtert auf den Beifahrersitz gesetzt. Es war besser so, sie musste erst einmal ihre Gedanken sortieren.

Polizeiobermeisterin Maren Thiele zog nach zwanzig Jahren zurück zu Papa. Zurück auf die Insel Sylt, zurück ins Elternhaus, zurück zu ihrer alten Freundin Rike, zurück in den Ort, an dem sie Kind gewesen war. Und das mit achtunddreißig. Ohne Mann, ohne Kind, ohne Haustier, dafür mit einem anständigen Beruf, ordentlich angelegten, wenn auch kleinen Ersparnissen, sehr guten Vorsätzen und jeder Menge Bauchweh. Hätte ihr das jemand vor einem Jahr erzählt, sie hätte sich mit dem Finger an die Stirn getippt und gesagt, dass das nie im Leben möglich sei, aber dann hatten sich ihre bislang klaren Pläne und Vorstellungen innerhalb weniger Wochen verabschiedet. Zunächst in Form von Henry, ihrem Lebensgefährten und Kollegen, der mit Kollegin Sonja nicht nur Streife fuhr. Dabei waren sie auch noch dämlich genug, sich erwischen zu lassen, es gab nicht nur jede Menge Tratsch in der Dienststelle, sondern auch eine lautstarke und äußerst unfreundliche Trennung. Henry zog gleich am nächsten Tag aus, vermutlich zu Sonja, das hatte Maren aber gar nicht so genau wissen wollen. Seitdem hasste sie die Dienste, die sie mit einem oder gar beiden machen musste, diese Abneigung hatte sich in den letzten Monaten auch nicht gelegt. Und dann hatte sie ihren Weihnachtsurlaub bei ihrem Vater Onno auf Sylt verbracht. Seit dem Tod ihrer Mutter vor drei Jahren war sie nicht mehr für längere Zeit in ihrem Elternhaus gewesen. Und wenn, dann nur für ein paar Tage und meistens zusammen mit Henry. Ihr Vater war früher auf dem Rettungskreuzer tätig gewesen, jetzt war er in Rente und wirkte eigentlich ganz zufrieden. Zumindest erzählte er das Maren, wenn sie telefonierten, was sehr selten passierte, Onno sprach nicht gern ins Telefon, er hörte angeblich nicht gut. Aber in diesen Weihnachtsferien hatte Maren begonnen, sich Sorgen um ihren Vater zu machen. Er hatte zwar einen großen Freundeskreis, aber er lebte jetzt allein und stammte aus der Generation, die damit Probleme hatte. Er konnte wohl ein bisschen kochen und sich leidlich selbst versorgen, aber Maren sah sehr wohl die abgerissenen Hemdknöpfe, das nicht sehr gründlich geputzte Bad, den verwilderten Garten und sein unrasiertes Gesicht. Sie hatte ein paar Mal versucht, mit ihm zu reden, doch Onno hatte nur abgewinkt und gesagt, dass sie sich bloß keine Gedanken um ihren alten Vater machen solle, er käme wunderbar zurecht, er hätte seinen Chor, der sich einmal in der Woche traf, würde den Sommer auf seinem Boot und den Winter beim Doppelkopfspielen verbringen. Und wenn sie das Bad nicht sauber genug fände, dann könne sie das gern ändern, im Haushaltsraum wären genug Putzmittel, um die ganze Insel einzuseifen. Der Eimer stünde oben links. Danach war er in sein Auto gestiegen und zum Hafen gefahren. Allen weiteren Gesprächen war er genauso ausgewichen, irgendwann hatte Maren die Geduld verloren und war zu Karl gegangen. Karl Sönnigsen war Onnos engster Freund. Er war jahrelang der Revierleiter der Westerländer Polizei gewesen und hatte viel Anteil daran, dass Maren immer schon Polizistin werden wollte. Außerdem war er ihr Patenonkel und musste mit ihr über ihren Vater reden. Ob er wollte oder nicht. Er fand zwar ihre Sorgen um Onno übertrieben, räumte aber ein, dass sein alter Freund manchmal tatsächlich ein bisschen schrullig wirke, was vielleicht doch am Alleinsein läge.

»Ich will ja nichts sagen«, hatte er mit einer abwehrenden Handbewegung gesagt, »aber in letzter Zeit vergisst er ab und zu was. Und behauptet, ich hätte ihm das nie erzählt. Na ja, und dann zieht er sich, wie soll ich das sagen … nicht immer so modebewusst an. Aber das ist ganz normal bei Männern, die jahrelang Uniformen tragen mussten. Die haben das ja nie richtig gelernt. Und beim Segeln ist das ja auch egal, Hauptsache man wird nicht nass und kein Wind kommt durch.«

Als Maren zurückkam, saß Onno in einer braun karierten Anzughose und einem gelben Hemd in der Küche und las die Zeitung. »Ach Greta«, sagte er und lächelte. Greta war der Name ihrer Mutter.

Noch heute, über drei Jahre nach ihrem Tod, löste der Name in Maren eine schmerzhafte Sehnsucht aus. Greta war in ihrem ganzen Leben nie krank gewesen, Maren konnte sich an keine Erkältung, keine Kopfschmerzen, noch nicht einmal an ein Unwohlsein erinnern. Die große, blonde, fröhliche Greta war so lebendig, strahlte eine solche Ruhe aus und war immer schon der Inbegriff der guten Laune gewesen. Und dann war ein Rosendorn in ihrem

Finger schuld, dass das Leben innerhalb von drei Wochen aus den Angeln gehoben wurde. Greta hatte das Pochen in ihrer Hand zu lange ignoriert, an Blutvergiftung hatte sie nicht gedacht, und sie hasste es, zum Arzt zu gehen. Das alles wäre nicht passiert, wenn Maren oder Onno es mitbekommen hätten, aber Maren war in Münster, und Onno segelte mit seinen alten Kollegen vor Dänemark. Als der Anruf der Nachbarin kam, die Greta bewusstlos im Garten gefunden hatte, war Maren sofort losgefahren. Doch zu dem Zeitpunkt war die Vergiftung schon so weit fortgeschritten, dass die Ärzte im Krankenhaus nur noch hoffen konnten. Greta hatte es nicht geschafft. An die Wochen danach konnte Maren sich kaum erinnern. Sie wusste nicht mal mehr genau, wie lange sie noch bei ihrem Vater geblieben war, es war alles in einem Nebel aus Schmerz und Tränen versunken. Am Tag nach der Beerdigung hatte Onno alle Rosen aus dem Garten gerissen und sie in der hintersten Ecke des Gartens verbrannt. »Ich will nicht darüber reden«, hatte er zu Maren gesagt, die Asche zusammengekehrt und war aufs Boot gegangen. Erst seit einem Jahr konnte er wieder über seine Frau sprechen.

Und nun saß er also in der Küche und sagte »Greta« zu ihr. Auch wenn Onno anschließend gemeint hatte, er hätte sich nur versprochen, in diesem Moment hatte Maren den Entschluss gefasst, ein Versetzungsgesuch zu schreiben. Sie musste sich um ihren Vater kümmern. Und die Nordsee zwischen sich und dem dämlichen Henry haben. Und der noch dämlicheren Sonja. Und das alles hatte tatsächlich geklappt.

»Schläfst du?« Rikes Stimme drang durch die Bilder, Maren öffnete sofort die Augen. »Nein. Ich habe nur nachgedacht.«

»Worüber?«

Maren winkte ab. »Über alles Mögliche. Wie das mit meinem Vater läuft, wie wohl die neuen Kollegen sind, wie ich mich einlebe, ob das alles so richtig war, na ja, kleiner Abschiedsblues eben. Fahr doch mal an der nächsten Raststätte raus, ich brauche Schokolade. Und muss aufs Klo.«

»Es ist alles richtig.« Rike warf ihr einen kurzen Blick zu und schüttelte den Kopf. »Jetzt ist es sowieso zu spät, sich Gedanken zu machen. Es ist so, wie es ist, und alles ist gut.«

Die Sonne kam gerade aus den Wolken, als Maren und Rike vor der Autobahnraststätte ausstiegen. Sie holten sich Kaffee in Pappbechern und ein paar Schokoriegel und setzten sich damit auf eine Bank.

»Wenigstens wird das Wetter jetzt schön«, sagte Maren und hielt ihr Gesicht mit geschlossenen Augen in die Sonne. »Das ist doch vielleicht ein gutes Zeichen dafür, dass ich mich richtig entschieden habe.«

»Ich werde dich jetzt nicht alle zehn Minuten bestätigen«, entgegnete Rike und klang, trotz eines kleinen Lächelns, ein bisschen schroff. »Und jetzt nerv mal nicht rum. Ich freue mich sehr, dass du auf die Insel zurückkommst, die Dienststelle ist vielleicht nicht so aufregend wie Münster, dafür aber Henry- und Sonja-frei. Deine Wohnung in Münster war zwar niedlich, aber im vierten Stock und ohne Balkon. Bei deinem Vater hast du eine schöne Einliegerwohnung und einen großen Garten. Dein Liebesleben war in Münster tot, das ist erst mal auf Sylt dasselbe, ich weiß also gar nicht, warum du dir so unsicher bist. Wärst du lieber nach Hamburg oder Köln gegangen? Wo du niemanden kennst? Oder hättest du in

Münster alles so weitermachen können? Was genau ist dein Problem?«

Mit einem Anflug von schlechtem Gewissen sah Maren ihre Freundin an. »Entschuldige, du hast recht. Vielleicht ging das alles nur zu schnell für mein langsames Gehirn. Eine Versetzung klappt normalerweise nie in so kurzer Zeit, damit hatte ich einfach nicht gerechnet. Und ich war immer ein Feigling, das weißt du doch. Jetzt mache ich mir Gedanken, wie das Zusammenwohnen mit meinem Vater wird, welche Kollegen ich bekomme, ob sie mich wohl mögen werden, all solche Dinge.«

»Das ist der Unterschied zwischen uns«, entgegnete Rike. »Ich würde mir Gedanken machen, ob *ich* die neuen Kollegen mögen würde. Mach dich nicht immer so klein. Du bist eine gute Polizistin, und das schon seit einigen Jahren, dein Vater ist ein netter Mensch, du kennst dich auf der Insel aus, deine beste Freundin wohnt quasi um die Ecke, ich weiß nicht, was ich dir sonst noch sagen soll.«

Maren beugte sich vor und küsste Rike auf die Wange. »Danke«, sagte sie. »Hast ja recht. Ich reiße mich jetzt einfach zusammen und denke positiv.«

»Okay«, Rike stand auf und knüllte den Pappbecher zusammen. »Ich werde dich daran erinnern. Lass uns weiterfahren, wir haben noch einiges vor. Und heute Abend kommt Torben noch, um zu helfen.«

Überrascht sah Maren hoch. »Hast du ihn tatsächlich gefragt? Ich habe doch gesagt, dass das noch Zeit hat.«

»Er hat es angeboten.« Rike streckte ihre Hand aus, um Maren den leeren Becher abzunehmen. »Torben ist immer hilfsbereit, er hat darauf bestanden, dir beim Einzug zu helfen. Er kann alles, du wirst sehen, er arbeitet die Nacht durch, wenn es sein muss, und anschließend steht jeder

Schrank, läuft jeder Computer, geht jedes Telefon. Du kannst echt dankbar sein.«

»Ich kenne ihn überhaupt nicht, ich weiß gar nicht, warum er das überhaupt machen will.«

»Weil er nett und gern wichtig ist.« Unbekümmert sah Rike sie an. »Und weil du meine Freundin bist. Und weil er eine furchtbar langweilige und verhuschte Frau hat, der er wohl gern entrinnt. Lass ihn doch. Er ist halt ein eingefleischter Insulaner und kümmert sich gern. Und er mochte mich immer schon, hat er mir sogar mal gesagt. Sei einfach froh, dass er Zeit hat. Er ist ziemlich gefragt auf der Insel. Weil er alles kann. Und nicht nur, wenn ich ihn brauche.«

Maren lachte. Rike war eiserner Single und dabei so attraktiv. Sie war groß und schlank, hatte schulterlange blonde Haare, die sie meistens lässig hochsteckte, hatte ein schönes Gesicht und hielt die Männer, die sich in sie verliebten, auf freundlicher Distanz. Vermutlich gehörte der hilfsbereite Torben einfach zu ihrer Fangemeinde.

Von hinten wie eine Zwanzigjährige«, dachte Inge Müller, die ihren Einkaufswagen durch die Gänge des Supermarktes schob und dabei Jutta Holler am Kühlregal stehen sah. Altersgemäß war anders. Genau in diesem Moment drehte die Holler sich um und grüßte übertrieben laut. »Frau Müller, so trifft man sich. Wie geht's?«

Jutta Holler musste um die sechzig sein. Sie trug eine hautenge Röhrenjeans, eine transparente Bluse, durch die ein hellblaues Spitzentop schimmerte, knallblaue Sneakers und eine knappe weiße Lederjacke. Die kurzen Haare glänzten durch blonde Strähnen, ihr Make-up war perfekt, dazu trug sie teuren Schmuck, trotzdem strahlte sie etwas Billiges aus. Inge schluckte, bevor sie ihr die Hand gab, die von Jutta aber ignoriert wurde. Vermutlich fand sie Händeschütteln uncool, aber Inge war ja ein paar Jahre älter. Sie ließ die Hand wieder auf den Einkaufswagen sinken und bemühte sich um ein mildes Lächeln: »Tag, Frau Holler, na, wird das auch ein Großeinkauf?« Sie ließ ihre Blicke über den Inhalt des Wagens wandern, vier Flaschen Champagner, mehrere Pakete mit Tiefkühlshrimps, ein paar Fertiggerichte, verschiedene Zeitschriften.

»Ja, meine Tochter kommt heute, sie muss mal ein bisschen ausspannen, sie hat ja in Hamburg so wahnsinnig viel zu tun. Das kommt davon, wenn man Karriere machen will«, Jutta Holler lachte gekünstelt und fuhr sich mit den langen und perfekt manikürten Fingern durch die Frisur. »Und da braucht sie natürlich auch mal eine Auszeit. Ein bisschen am Strand feiern, dann in die ›Sansibar‹, einen Shopping-Tag mit Mutter, und danach kann Sina sich wieder in den Großstadtdschungel stürzen. Und sonst? Ist alles in Ordnung bei Ihnen? Ich habe Ihren Mann ja länger nicht gesehen.«

›Das hat ihm bestimmt auch nicht gefehlt‹, dachte Inge. Walter konnte ihre Nachbarin noch nie leiden, er fand sie affig und vermied jede Begegnung.

»Mein Mann ist mit meinem Bruder bei meiner Nichte. Sie baut gerade eine Wohnung um, die sie sich gekauft hat, da helfen die beiden ein bisschen. Und Christine muss arbeiten, da kümmern sich Heinz und Walter um die Handwerker. Und nebenbei besuchen sie noch ein Seminar, bei dem es um Vermögenssicherung im Alter geht.«

»Aha. Interessant«, Jutta Holler legte fettarme Milch in den Wagen. »Dann passen Sie bloß auf, dass bei Ihnen nicht eingebrochen wird. In der Zeitung stand heute, dass mehrere Einbrüche in Häuser älterer Frauen passiert sind.«

Inge hob erstaunt die Augenbrauen. »Wirklich? Haben Sie denn Angst?«

Wieder ein gekünsteltes Lachen. »Frau Müller, die Opfer sind *ältere* Frauen. Ich kann mich ja wehren.«

›Blöde Ziege‹, dachte Inge, während sie ihre Nachbarin anlächelte. »Ja, dann noch einen schönen Tag, Frau Holler, tschüss.« Sie widerstand der Versuchung, den Einkaufswagen beim Drehen über die knallblauen Sneakers zu schieben.

Im Auto sitzend, mit der Hand am Zündschlüssel, überlegte Inge einen Moment, dann beschloss sie, bei Charlotte vorbeizufahren. Sie wollte mal hören, ob ihre Schwägerin auch was von den Einbrüchen mitbekommen hatte. Und ab welchem Alter man zu der Gefahrengruppe »Ältere Frauen« gehörte.

Sie musste dreimal klingeln, bis Charlotte ihr die Tür öffnete. »Hast du geschlafen?«, fragte Inge sie erstaunt, als sie endlich hereingelassen wurde.

»Nein«, entgegnete Charlotte. »Ich habe mit Christine telefoniert. Wollte hören, wie es den Männern geht.«

»Und?« Inge ging an ihr vorbei und nahm den direkten Weg in die Küche.

»Gut«, antwortete Charlotte, während sie die Tür schloss. »Heinz und Walter gehen morgens zu ihrem Seminar, kommen abends zu Christine, fragen anstandshalber, ob sie ihr noch helfen können, und laden sie stattdessen zum Essen ein. Wobei sie gestern Abend tatsächlich Christines Schlafzimmerspiegel angebracht haben. Den musste der Tischler heute Morgen dann wieder abnehmen und neu aufhängen, weil er so schief war. Na ja, das sehen die nicht so gut. Aber von dem Seminar sind sie begeistert, sagt Christine. Sie haben schon eine ganze Menge gelernt.«

»Fein.« Inge ließ sich auf einen Stuhl fallen und sah sich suchend um. »Da bin ich ja gespannt, wie sie jetzt ihre Vermögen sichern wollen, wenn sie zurück sind. Hast du zufällig einen Tee fertig?«

»Ich kann zufällig einen machen.« Während Charlotte mit Wasserkocher und Teekanne hantierte, schlug Inge die Zeitung auf, die auf dem Tisch lag. Nach kurzem Durchblättern hatte sie gefunden, was sie gesucht hatte. »Hör mal eben zu«, sagte sie, strich die Seite glatt und fing an vorzulesen:

»Morsum. Schreck am Morgen. Die 73-jährige Bewohnerin eines Einfamilienhauses am Wattweg erlebte eine böse Überraschung, als sie am frühen Vormittag von einem Arztbesuch zurückkam. Einbrecher waren durch die Terrassentür in das Haus eingedrungen und haben einige Räume verwüstet. Es entstand beträchtlicher Sachschaden. Die Bewohnerin erlitt einen Schock und musste ärztlich betreut werden. Die Polizei sucht nach Zeugen, die am gestrigen frühen Freitagvormittag am Wattweg in Morsum verdächtige Personen gesehen haben. Hinweise an die Polizei Westerland unter der Nummer ...«

Inge ließ die Zeitung sinken und schüttelte den Kopf. »Frühmorgens. Die werden auch immer dreister. Du hast auch mitbekommen, dass es in der Art schon mehrere Einbrüche gab, oder?«

Charlotte stellte Tassen auf den Tisch und die Teekanne auf ein Stövchen. »Ich hab's gehört. Ich habe neulich Karl in der Sparkasse getroffen und ihm erzählt, dass Heinz und Walter bei Christine sind, und da hat er so einen Scherz gemacht, von wegen, dass wir unseren Schmuck mit zum Einkaufen nehmen sollen. Aber du weißt ja, wie er ist. Unser Polizeichef. Und den hättest du fast geheiratet.«

»Geheiratet?« Inge hielt ihrer Schwägerin die Tasse hin. »Ich hatte eine kleine Liebelei mit ihm, das ist hundert Jahre her, ich war gerade mal Anfang zwanzig. Und Karl ist jünger als ich, das wäre nie was geworden.«

»So viel jünger ist er auch nicht«, stellte Charlotte etwas uncharmant fest. »Er ist gerade erst in Pension gegangen, dann ist er fünfundsechzig, das sind drei Jahre. Das ist doch nichts.«

»Heute vielleicht«, Inge war nicht empfindlich. »Aber damals hat man keinen jüngeren Mann geheiratet. Zumindest nicht in meinem Freundinnenkreis, da sind die Männer alle zwei oder drei Jahre älter gewesen.« Sie rührte gedankenverloren in ihrer Tasse. »Albern, oder? Ob wir geglaubt haben, dass die Jungs dann erwachsen genug waren, um uns zu ernähren und Kinder zu zeugen? Na ja, egal, aber ich mochte schon damals Walter lieber. Nicht nur, weil er drei Jahre älter ist, er war auch lustiger als Karl. Ich glaube, ich habe alles richtig gemacht.«

Zufrieden lächelte sie ihre Schwägerin an. Dann tippte sie wieder auf den Zeitungsartikel. »Was hat Karl denn noch erzählt? Über diese Einbrüche? Kennen wir jemanden von den Opfern? Ich wollte dich das neulich schon fragen, habe es aber immer vergessen. Und jetzt hat mir vorhin im Supermarkt die blöde Holler wieder davon erzählt.«

Charlotte hob die Schultern. »Karl hat nur gesagt, dass es sich um alleinstehende Frauen handelte, aber nicht, um wen. Vielleicht weiß er das auch gar nicht, er ist ja nicht mehr zuständig. Aber die Zeitung macht ja gleich alle verrückt. In großen Städten wird alle zehn Minuten eingebrochen, das ist zwar schlimm, aber eine Tatsache. Böse Leute gibt es überall, nicht nur auf dem Festland. Mach die Fenster zu, wenn du das Haus verlässt, und schließ die Tür ab. Und lass dich nicht nervös machen. Das hat Karl übrigens auch gesagt.«

»Gut.« Inge faltete die Zeitung zusammen und schob sie zur Seite. »Dann wollen wir das mal glauben. Du kannst dir nicht vorstellen, wie billig diese Jutta Holler wieder aussah. Steht im Supermarkt in Klamotten, die unsere Töchter nicht mehr anziehen würden, weil die dafür zu alt sind. Von hinten sieht sie aus wie ein Teenager, und wenn sie sich umdreht, dann fällt man vor Schreck fast um. Falten bis zu den Ohren und geschminkt wie eine Bardame. Ich stell mir immer vor, dass ihr mal ein junger Mann nachpfeift und dann ...«, sie kicherte.

»Inge«, missbilligend schüttelte Charlotte den Kopf. »Jutta Holler kann einem auch ein bisschen leidtun. Sie hat Probleme mit dem Älterwerden, sie ist so früh Witwe geworden, ihre Tochter kommt auch nicht oft nach Hause, leicht hat sie es nicht.«

»Ich bitte dich, Charlotte. Arbeitest du an deiner Heiligsprechung? Jutta Holler ist eine der unangenehmsten Frauen auf der Insel. Sie ist so früh Witwe geworden, weil sie einen Mann geheiratet hat, der viel älter war als sie. Und den hat sie nicht aus Liebe geheiratet, sondern weil er vermögend war. Und der arme Wilhelm hat mit Ende fünfzig einen Herzinfarkt bekommen, das hätte ich an seiner Stelle auch. Und ihre Tochter Sina ist schon genauso affig wie ihre Mutter. Der geht es doch auch nur ums Geldausgeben und darum, dass sie zeigen kann, was sie alles hat. Diese Angeberin.«

Charlotte sah ihre Schwägerin nur stumm an. Inge regte sich schon seit ein paar Jahren über ihre Nachbarin auf, Charlotte fand das übertrieben. Man konnte sich doch aus dem Weg gehen. Aber wenn Inge sich aufregen wollte, dann regte sie sich auf. Das war eben ihr Naturell. Jedes weitere Gespräch über Jutta Holler war sinnlos. Deshalb probierte sie nur ihr heiligstes Lächeln und fragte: »Noch eine Tasse Tee, Inge?«

»Ja«, Inge hielt ihr die Tasse hin, ohne Charlotte anzusehen. »Wattweg in Morsum? Wohnt da nicht Gisela Karlson? Die ist dreiundsiebzig. Nicht, dass sie bei ihr eingebrochen haben! Das wäre ja furchtbar.«

»Ruf sie doch an«, Charlotte stellte die Kanne zurück

aufs Stövchen. »Oder warte bis heute Abend. Du gehst doch zur Chorprobe, oder? Dann sehen wir Gisela doch.«

»Vorausgesetzt, sie kommt.« Inge machte jetzt ein besorgtes Gesicht. »Und das tut sie sicher nur, wenn der Einbruch nicht bei ihr war. Ansonsten stünde sie ja noch unter Schock.«

»Falls sie das Opfer war«, sagte ihre Schwägerin. »Ich rufe sie jetzt mal an.«

Gisela Karlson hatte gerade die Haustür hinter dem jungen Mann von der Versicherung geschlossen, als das Telefon klingelte. Sie überlegte kurz, ob sie überhaupt rangehen sollte, aber es konnte auch die Polizei sein, die Neuigkeiten hatte. Es war nicht die Polizei.

»Gisela? Hallo, meine Liebe, hier ist Charlotte. Sag mal, ist bei dir alles in Ordnung? Wir haben gerade in der Zeitung gelesen, dass in deiner Straße eingebrochen wurde, das war doch wohl nicht bei dir, oder?«

»Doch«, Gisela bekam schon wieder wackelige Beine und ließ sich mit dem Hörer am Ohr auf die Bank neben der Garderobe sinken. »Doch, Charlotte, das war bei mir. Es ist so furchtbar.« Ihr stiegen sofort wieder Tränen in die Augen. »Ich … ich …« Sie konnte nicht weitersprechen.

Alarmiert drehte Charlotte sich zu Inge um und nickte ihr zu. Dann sagte sie schnell: »Inge sitzt gerade bei mir, wir kommen schnell rüber. Brauchst du noch irgend etwas?«

Gisela räusperte sich und sagte dann: »Nein, danke. Aber es wäre schön, wenn ihr kämt. Es fühlt sich alles so komisch an.«

»Beruhige dich, Gisela, wir sind gleich da.«

30

Sina Holler blieb vor dem Haus stehen und sah sich um. Niemand war zu sehen, beide Autos, der Mini und der Porsche, standen im Carport. Alle Fenster waren geschlossen, so, wie es sich gehörte, wenn man für drei Wochen nach Korsika flog. Verächtlich schüttelte Sina den Kopf und kletterte über die niedrige Hecke. Sie wunderte sich sowieso, dass die Eigentümer keine Sicherheitsvorkehrungen trafen. Jeder Kleinkriminelle konnte sich Zugang zum Haus verschaffen, die niedrige Stelle in der Hecke fand man nach wenigen Minuten. Dr. Uwe Faust und seine liebende Ehefrau Manuela waren unvorsichtig. Oder einfach nur blöde. Sina schob die Hände in die Jackentasche und schlenderte erst mal über das Grundstück. Eine weiße Jugendstilvilla, umgeben von Hortensien und Rosen. Hier ein Türmchen, da eine Säule, dazu eine Terrasse, die nach Sommerfesten in lauen Nächten schrie. Und Manuela Faust mit ihrem faltigen Gesicht und dem hängenden Busen im Abendkleid mittendrin. Widerlich. Sina schüttelte das Bild ab, ging über die Terrasse und blieb an der Terrassentür stehen. Sie legte ihre Hände an die Scheibe und beugte sich vor, um ins Innere zu sehen. Es sah aus wie immer, nichts hatte sich verändert. Wenige Antiquitäten neben schlichtem Design. Sie war lange nicht hier gewesen, Uwe hatte sie nur selten mitgenommen, höchstens dann, wenn seine Frau mal mit einer Freundin im Urlaub war. Meist hatten sie sich bei Sina getroffen – nachdem Uwe ihr die schicke Wohnung in der Hafencity gemietet und eingerichtet hatte.

Wütend knallte Sina jetzt ihre flache Hand auf die Scheibe. Dieser Arsch mit seiner ätzenden Frau. Die saßen hier in Protz und Prunk, während Sina aus der Wohnung ausziehen musste und ohne sein Geld vor dem Nichts stand. Dabei hatte sie – nach sieben Jahren als Geliebte – ein gewisses Recht auf angemessenen Luxus. Aber der feige Sack hatte sie einfach aus seinem Leben geschmissen, weil er Angst bekommen hatte, dass seine Frau ihm auf die Spur kam. Jetzt plötzlich, nachdem sie, aus welchen Gründen auch immer, misstrauisch geworden war. Es war wirklich das Letzte.

Sie wandte sich ab und ging an den zahlreichen Kübeln zurück zum Carport. Bei jedem zweiten Topf riss sie die Pflanzen raus und ließ sie fallen. Scheiß Hortensien. Immerhin war Dr. Faust bislang feige genug gewesen, Sina den Zweitschlüssel vom Porsche abzunehmen. Das war Pech. Sein Pech. Für Sina konnte das nur bedeuten, dass der Wagen ihr noch zustand. Oder glaubte etwa irgend jemand, dass sie mit dem Zug nach Sylt fahren würde?

Der Porsche sprang sofort an, beim Ausparken gab sie sich Mühe, den knallroten Mini Cooper leicht zu touchieren. Nur ein kleiner, ärgerlicher Lackschaden, die dämliche Manuela würde glauben, dass Uwe schlecht geparkt hatte. Und der würde sich hüten, seinen Verdacht laut zu äußern. Und schon gäbe es wieder Streit. Sina grinste und stellte das Autoradio lauter. Mit Dr. Uwe Faust war sie noch lange nicht fertig.

Am nächsten Vormittag, kurz nach ihrer Ankunft auf Sylt, musste Sina plötzlich mit aller Kraft auf die Bremse treten.

Sie drückte wütend auf die Hupe. Der rote Kleinwagen hatte ihr einfach die Vorfahrt genommen, fast wäre sie mit ihrem Porsche in ihn reingerauscht. Die beiden alten Frauen reagierten überhaupt nicht, erst im letzten Moment erkannte Sina noch die Frau auf dem Fahrersitz: Inge Müller, die Nachbarin ihrer Mutter.

»Senile alte Kuh«, fauchte sie und zeigte den beiden einen Vogel, völlig vergebens allerdings, weil keine in ihre Richtung sah. Man sollte wirklich nicht mehr jeden Rentner Auto fahren lassen. Sina hatte den Wagen bei diesem Bremsmanöver auch noch abgewürgt, und als ihr Hintermann hupte, startete sie den Porsche wieder und fuhr mit quietschenden Reifen los. Alles Idioten auf der Insel, dachte sie und merkte, dass ihre Hände zitterten. Von dem roten Kleinwagen war nichts mehr zu sehen.

Als Sina in die Straße einbog, in der ihr Elternhaus stand, spürte sie sofort wieder einen Anflug schlechter Laune. Das ging ihr immer so. Sie hasste diese Straße, dieses Haus, die Nachbarn. Sie konnte nur lachen, wenn sie an die Reaktion von Leuten dachte, denen sie gesagt hatte, dass sie von der Insel Sylt kam. Die Königin der Inseln, die Perle des Nordens, die Schönen und Reichen, sie sei ja so zu beneiden. Keiner von denen konnte sich vorstellen, wie eng und wie spießig die Insel an einigen Ecken war. Es war ein Dorf, aus dem sie kam, da nützte auch das ganze blöde Gerede nichts. Ein Dorf, in dem jeder jeden kannte und jeder über jeden tratschte. Natürlich gab es auch die Zweitwohnungsbesitzer, die frischen Wind reingebracht hatten, aber die waren nur ein paar Wochen im Jahr da und machten Ferien. Anschließend fuhren sie wieder in ihre schicken Stadtwohnungen und tauchten ins Großstadtleben ein. Und die Einheimischen blieben in den dunklen, regnerischen und kalten Monaten zurück auf der Insel, hockten in ihren alten, zugigen Häusern und träumten vom Urlaub auf den Kanaren, falls sie sich den leisten konnten. Oder sich in ihrer Engstirnigkeit überhaupt trauten, ins Ausland zu fahren. Sie war froh, dieser Provinzhölle entronnen zu sein, der Provinz und auch ihrer Kindheit: Sie müsste eigentlich jeden Tag Champagner aufmachen, um das zu feiern.

Sina verlangsamte das Tempo und betrachtete die Neuerungen in der Straße. Bergmann und Michaelsen hatten ihre Häuser verkauft, das hatte sie schon von ihrer Mutter gehört. Die neuen Besitzer hatten nicht lange gebraucht, um alles Alte zu entsorgen. Statt Jägerzaun ein Friesenwall, Wintergarten statt Wellblechgarage, Buchsbaum statt Blumen, die alten Fenster raus, die neuen Sprossenfenster rein, nach zwei Monaten erkannte man das Haus nicht wieder. Die alten Häuser der Insulaner wirkten dadurch nur noch schäbiger. Sina wandte ihren Blick ab und richtete ihn nach links. Da stand es. Ihr Elternhaus. Eingerahmt von einem wuchtigen Zaun, links und rechts neben der Auffahrt wachten zwei steinerne Löwen, vor denen sie schon als Kind Angst gehabt hatte. Ihre Mutter hatte sie in Italien gekauft und auf die Insel liefern lassen. In Venedig passten sie vielleicht ins Bild, hier sahen sie einfach nur protzig und lächerlich aus. Die Rosen im Vorgarten brauchten dringend Wasser, der Rasen war an einigen Stellen braun, einen grünen Daumen konnte man ihrer Mutter wirklich nicht andichten. Der Wagen ihrer Mutter stand nicht in der Auffahrt, wahrscheinlich war sie wieder shoppen, das lag Jutta mehr als irgendwelche banalen Haus- oder Gartenarbeiten. Mit einem leisen Seufzer lenkte Sina den Porsche auf die Auffahrt und stieg aus. Ihre Mutter könnte ihren Wagen an der Straße parken, Sina hatte keine Lust, dass ihr irgendein Idiot den Außenspiegel abfuhr.

Sie schloss die Haustür auf und betrat das Haus. Das Erste, was ihr ins Auge fiel, war ein knallroter Ledermantel, der an der Garderobe hing. Mit einem abschätzenden Blick fühlte sie die Qualität des Leders. Er war echt. Ihre Mutter kaufte selten Schnäppchen, sie hatte nur leider keinen Geschmack. Nicht nur bei Kleidung, auch bei dem, was alles in diesem Haus herumstand. Während ihr Vater Wilhelm Antiquitäten, ruhige Farben und Bilder geliebt hatte, blätterte Jutta sich durch eine Wohnzeitschrift nach der anderen und tauschte nach und nach die alten Möbel Wilhelms gegen designte und völlig unbequeme Einzelstücke aus. Nichts passte zusammen, das Wohnzimmer sah inzwischen aus wie der Messestand eines italienischen Möbeldesigners. Aber sie kannte jede Firma, jeden Preis, jedes Material und war auch noch stolz darauf. Dieser grausame Ledermantel passte da voll ins Bild.

Kopfschüttelnd stieg Sina die Treppe zu ihrem alten Zimmer hoch. Zimmer war untertrieben, ihre Schulfreundinnen hatten sie früher glühend beneidet. Sina hatte nie ein normales Kinderzimmer, sondern ein Schlaf-, ein Wohn- und ein Spielzimmer gehabt. Jutta hatte alles gegeben, was die Einrichtung betraf. Schließlich sollten nicht nur die anderen Kinder, sondern vor allen Dingen deren Mütter vor Bewunderung und Neid platzen. Dass sie ihrer Tochter damit keinen Gefallen getan hatte, das war Jutta nie bewusst geworden. Die wenigsten Schulfreundinnen kamen wieder, nicht zuletzt, weil deren Mütter nie so ganz begeistert über den Umgang waren. Jutta fand sie spießig und ging dann eben selbst mit Sina ins Kino oder zum Strand. »Was willst du auch mit diesen Hühnern«, hatte sie Sina gefragt. »Sie sind dumm,

pummelig und schlecht angezogen. Du wirst sie alle über-
flügeln, Prinzessin.«

Sina hatte es ihr sogar geglaubt.

Oben angekommen, ging sie den Flur entlang und sah
in alle Zimmer. Sie hatte vor ein paar Jahren ihre Jung-
mädchenmöbel rausgeschmissen und alles schlicht und
zurückhaltend möbliert. Zumindest die beiden Zimmer,
die sie bei ihren wenigen Besuchen bewohnte. Seit Sinas
letztem Besuch vor einem halben Jahr war hier anscheinend weder geputzt noch gelüftet worden. Sina riss das
Fenster in ihrem Wohnzimmer auf, lehnte sich weit raus
und schnappte nach Luft. Es roch nach Frühling und He-
ckenrosen, Sina ließ das Fenster weit offen, diese muffige
Bude brauchte viel frische Luft. Sie streckte ihren Rücken
durch und öffnete die Reisetasche. Sie hatte sich hier einiges vorgenommen und deshalb auch nur schicke Klamotten eingepackt, die jetzt alle aufgehängt werden mussten.
In ihrem Schrank gab es nicht genug Bügel, also ging sie
über den Flur in Juttas Schlafzimmer und stieß die Tür
auf. Sofort hatte sie den Parfümgeruch in der Nase, zu
blumig, zu schwülstig, zu viel. Sina atmete flach weiter,
warf einen kurzen Blick auf das ungemachte, zerwühlte
Bett, die Kleiderhaufen, die zerknittert auf einem Stuhl
lagen, die benutzten Gläser auf dem Boden, den vollen
Aschenbecher und schüttelte angewidert den Kopf. Ihre
Mutter wurde immer schlampiger, es war grauenhaft. Sie
öffnete schnell den übervollen Kleiderschrank, in dem
sie tatsächlich ein paar ungenutzte Bügel fand, und ging
zurück. Dieses Parfüm war kaum auszuhalten. Als sie
die letzten Blusen in ihren Schrank gehängt hatte, kam
ihr der Gedanke, Torben anzurufen. Dann hätte sie wenigstens für heute Abend eine Verabredung und musste
nicht mit Jutta in deren vollgestopftem Wohnzimmer

sitzen – das genauso schlimm wie das Schlafzimmer war. Bevor sie die Nummer eintippen konnte, hörte sie die Haustür.

»Sina«, Juttas Stimme war immer noch mädchenhaft, auch wenn sie laut wurde. »Du bist schon da? Du musst ja in aller Herrgottsfrühe losgefahren sein.«

Sina atmete tief durch, schob das Handy in ihre Jackentasche und machte sich auf den Weg nach unten. Ihre Mutter sah ihr vom Treppenaufgang entgegen. »Das ist ja wunderbar. Und, du, sag mal, der Porsche ist schon wieder neu, oder? War der letzte nicht weiß?«

»Hallo, Jutta«, Sina war unten angelangt, beugte sich zu ihrer Mutter und küsste sie flüchtig auf die Wange. Jutta hatte sich das Wort »Mama« verbeten, Sina konnte sich gar nicht mehr daran erinnern, wann genau das gewesen war, es musste Ewigkeiten her sein. »Wie geht es dir? Du siehst gut aus.«

Jutta kicherte mädchenhaft und drehte sich im Kreis. »Vier Kilo, meine Liebe. Ich habe wieder sechsunddreißig. Das soll mir mal jemand nachmachen. Was ist denn jetzt mit dem Porsche? Neu? Du könntest mir den Wagen mal leihen, ich habe heute Abend eine Verabredung in Kampen. Oder du fährst mich hin, dann könnte ich ein Glas Champagner mehr trinken.« Sie stutzte, als sie Sinas Gesichtsausdruck sah, und deutete ihn falsch. »Schätzchen, ich konnte mein Date keinesfalls absagen, das ging einfach nicht. Und du kannst dich doch auch wunderbar allein beschäftigen.« Sie strich sich die Bluse glatt und ging ins Wohnzimmer. Sina folgte ihr. »Und? Wie heißt er?«

Entweder hatte Jutta den spöttischen Ton nicht bemerkt oder sie ignorierte ihn. »Karsten. Er sieht überragend aus, kommt aus Berlin, ist Architekt und hat eine Wohnung in Kampen. Vom Feinsten, ich sage es dir.« Sie kickte ihre

Schuhe von den Füßen und ließ sich in einen Sessel fallen. Sina blieb stehen.

»Aha. Und wie alt? Verheiratet?«

Jutta streckte ihre Beine aus und schloss kurz die Augen. »Keine Ahnung. Mitte fünfzig? Das ist doch völlig egal. Sei nicht so spießig, ich will nur ein bisschen Spaß mit ihm. Und das auf einem eleganten Niveau, mehr nicht.« Sie setzte sich gerade hin und musterte ihre Tochter. »Du siehst schlimm aus. Was ist los? Hast du zu viel zu tun, um zur Kosmetik und zum Friseur zu gehen? Was ist mit deinen Haaren passiert? Die sind ja total strohig. Mach die Tage bloß einen Termin mit Daniela. Was nützt dir dein Promifriseur in Hamburg, wenn du keine Zeit hast, hinzugehen.«

»Ich hatte viel zu tun.« Sina ließ sich auf die Lehne des gelben Ledersofas sinken und sah sich um. »Im Gegensatz zu dir arbeite ich rund um die Uhr. Sag mal, Jutta, kannst du dir nicht mal einen Gärtner suchen? Der Garten sieht ungefähr so schlimm aus wie meine Haare.«

»Der Garten? Seit wann interessierst du dich denn für die Botanik? Ich hatte einen Gärtner, der hatte aber so einen unmöglichen Ton am Hals, da hab ich ihn gefeuert. Ich bin noch nicht dazu gekommen, einen neuen zu suchen, das mache ich schon noch. Aber du kannst dich auch gern selbst darum kümmern, wenn es dich so stört.« Etwas provozierend sah Jutta sie an. »Ich sehe dich schon Rasen mähen. In High Heels.«

Sie lachte, dann beugte sie sich vor und nahm eine Zigarette aus einem silbernen Etui. »Reich mir mal den Aschenbecher hinter dir. Willst du was trinken?«

Sina schüttelte den Kopf und wedelte den Rauch zur Seite, den Jutta in ihre Richtung blies. »Musst du eigentlich immer hier drin rauchen? Ich kann das nicht mehr ab. Wir können uns doch raussetzen.«

»Sina, bitte«, Jutta schloss genervt die Augen. »Es ist mein Haus, ich kann rauchen, wo ich will. Und wieso willst du dich raussetzen? Ich denke, dich stört der Zustand des Gartens. Ich muss übrigens auch mal wieder zu dir kommen, ich könnte ein paar Tage Großstadtluft brauchen.«

Jutta hatte ihre Tochter in den letzten zehn Jahren genau einmal besucht. Sie schnupperte Großstadtluft lieber in männlicher Begleitung. Sowohl die Großstädte als auch die Männer wechselten regelmäßig, Sina fragte sich, wo ihre Mutter diese Männer dauernd fand. Sie ging einfach über Juttas Ankündigung hinweg. Das war besser so, Jutta kannte nur die Wohnung in der Hafencity, von der sie glaubte, Sina hätte sie gekauft. Es wäre schwierig, Jutta eine Begründung zu liefern, warum ihre so gut verdienende Tochter mittlerweile in einem Eineinhalb-Zimmer-Loch in Barmbek wohnte. Aber die Gefahr bestand nicht ernsthaft. Jutta kam sowieso nie.

»Ich weiß überhaupt nicht, was du noch mit diesem großen Haus willst. Du nutzt doch nur drei Zimmer, wieso suchst du dir keine Wohnung, so eine kleine, schicke, ganz modern, da hast du doch viel mehr davon.«

»Warum?«, mit einer wegwerfenden Handbewegung stand Jutta auf. »Damit die Leute denken, ich kann mir das Haus nicht mehr leisten? Vergiss es. Ich verkaufe nur über meine Leiche. Ich kenne einen Haufen Leute, die sich nach diesem Haus die Finger lecken würden. Meinst du, ich gönne es ihnen? So, und jetzt gehe ich mich umziehen, ich habe noch was vor. Bis später, Schatz.«

Als sie die Dusche rauschen hörte, zog Sina das Handy aus der Tasche und tippte eine Nummer ein. Nach nur einem Freizeichen meldete sich eine überraschte Stimme:

»Sina? Das ist ja eine Überraschung. Bist du auf der Insel?«

»Ja, heute angekommen. Hast du Lust auf ein Bier?«

Am anderen Ende entstand eine kleine Pause. »Heute? Das ist ganz blöd, ich habe Rike Brandt versprochen, ihr, oder besser, ihrer Freundin heute beim Umzug zu helfen. Ich warte auf den Anruf, dass sie auf dem Autozug sind. Und anschließend wird es dir wahrscheinlich zu spät. Oder?«

»Das kommt drauf an, wie spät ›anschließend‹ ist«, antwortete Sina und bemühte sich um einen neutralen Ton. »Ich habe ziemlich viel Stress gehabt, die halbe Nacht kann ich nicht aufbleiben. Na ja, dann eben nicht. Vielleicht ein anderes Mal.«

»Lass mich überlegen.« Torben dachte kurz nach. »Du kennst doch Rike und Maren, oder? Maren Thiele? Die kennen sich noch aus der Schule, dann kennst du die doch sicher auch. Jedenfalls zieht Maren heute zurück auf die Insel. Du kannst doch dazukommen, ich ruf dich an, wenn wir einigermaßen durch sind. Du kannst einfach dabeisitzen, und dann gehen wir anschließend was trinken. Ich lade nur mit aus, die Technik und den Kleinkram kann ich auch morgen machen. Wenn du Lust hast.«

Sein Ton war betont cool, Sina unterdrückte ein Lächeln. Sie war Torben wichtig, seit Jahren. Das war so sicher wie Ebbe und Flut. Auf einer Party hatte sie mal etwas mit ihm angefangen, damals war sie Mitte zwanzig und auf dem Weg in ein neues Leben in Hamburg. Die Nacht mit Torben war sozusagen ihr Sylter Abschiedsgeschenk gewesen. Seitdem hielten sie losen Kontakt. Wenn sie auf der Insel war, sahen sie sich. An manchen Abenden landeten sie auch im Bett. Sina hatte schon schlechtere Liebhaber gehabt, und für Torben war sie die Göttin schlechthin.

Dass daraus mehr würde, war für Sina ausgeschlossen. Ob Torben das auch so sah, wusste sie nicht. Es war ihr auch egal. Sie wusste genau, welche Knöpfe sie bei ihm drücken musste, damit er bei der Stange blieb. Sie konnte sich auf ihn verlassen, er würde sie niemals abweisen. Und genau das brauchte sie gerade jetzt, in diesem großen Haus, mit dieser Mutter, die sich gerade für ihre neueste Affäre auftakelte, und nach den letzten stressigen Wochen in Hamburg. Sie nickte knapp, bevor sie sagte: »Okay, dann sims mir doch bitte die Adresse, ich komme später nach. Bis dann.«

Maren blinkte und zeigte auf die Auffahrt, damit der Fahrer des Möbelwagens wusste, wo er hinsollte. Kurz vor der Verladestation in Niebüll hatten sie die Jungs überholt, Maren hatte die gelbe Plane mit der Münsteraner Aufschrift schon von Weitem gesehen und sich, ohne genau zu wissen, warum, gefreut. Es hatte sie beruhigt, dass jetzt alles seinen Gang ging. Am Autozug hatten sie sich wiedergetroffen, so hatte sie selbst ihre Sachen in das neue Leben begleitet, es war alles gelaufen wie am Schnürchen. Sie parkte ihr Auto ein Stück weiter an der Straße und sah Rike an. »War das ein Ritt.«

»Wir sind sechs Stunden gefahren«, entgegnete Rike und öffnete ihren Gurt. »Und nur ein kleiner Stau, das war doch nicht schlecht. Jetzt laden wir ruckzuck aus und dann machen wir den Sekt auf.«

»Ruckzuck?«, Maren wurde schon beim Gedanken an den beladenen Lkw müde. »Dann ... Oh, hallo, Papa!«

Onno war unbemerkt zum Auto gekommen und hatte sich zum Fenster gebeugt, das Maren jetzt runterkurbelte. »Moin. Da seid ihr ja. Ich wollte euch eigentlich helfen, aber jetzt habe ich gleich Chorprobe. Da muss ich hin, wegen der Aufführung im August. Ihr könnt ja schon mal ohne mich anfangen, du kennst dich ja aus. Also bis später dann.« Er knöchelte dreimal aufs Autodach, stieg auf sein Mofa und fuhr los.

»Dann ... viel ... Spaß«, Maren hatte den Türgriff immer noch in der Hand und starrte ihrem Vater mit offenem Mund hinterher. »Ja, ich freue mich auch, dass ich wieder da bin.«

Rike lachte. »So ist er«, sagte sie grinsend und stieg aus. »Dein Papa. Jetzt geht er eben singen, weil er immer singen geht. Na, komm, die Begrüßungsfeier machen wir hinterher. Irgendwann hat es sich ja ausgesungen.«

»Tja«, Maren saß immer noch kopfschüttelnd im Wagen. »Wenn ich Glück habe, hat er den Hausschlüssel stecken lassen. Ich habe nämlich keinen.«

Der Hausschlüssel steckte, Maren schloss auf und betrat das Haus, gefolgt von Rike und einem Umzugshelfer. »So, dann wollen wir mal sehen«, sagte er. »Wo soll was hin?«

»Alles in die Einliegerwohnung«, antwortete Maren. »Der Eingang ist an der Seite, ich mache auf, muss nur den Schlüssel holen.«

Während der Mann zu seinen Kollegen zurückging, um die ersten Möbel auszuladen, blieb Maren vor der Tür der kleinen Wohnung stehen, die ihre Eltern früher an Feriengäste vermietet hatten. Mit der Hand auf der Klinke schloss sie kurz die Augen und dachte an ihre Mutter. Greta hatte sich um die Vermietung gekümmert, die Wohnung damals eingerichtet, für die Gäste Blumen auf den Tisch gestellt und sich auf jeden Gast gefreut. Die Vermietung war mit Greta gestorben. Onno hatte keine Lust auf fremde Leute. »Weißt du«, hatte er damals traurig gesagt, »deine Mutter mochte das gern. Sie hat sich immer mit den Gästen unterhalten und ihnen manchmal die Insel gezeigt. Das hat ihr gelegen, sie fand das schön, wenn Trubel im Haus war. Aber ich ... ich kann das nicht. Ich mag nicht dauernd mit Fremden reden. Und wenn man sich an sie gewöhnt hat, dann ist ihr Urlaub vorbei und sie reisen ab. Und dann diese Abrechnungen und Kurkarten, nee, das ist nichts für mich.«

Maren hatte ihm vorgeschlagen, die Wohnung zumindest dauerhaft zu vermieten. Das hatte Onno auch gemacht. Die junge Frau, die zwei Sommer lang hier gewohnt hatte, war Kellnerin in Westerland und kam nur für die Saison. Onno war froh über die Lösung gewesen. »Sie bleibt nur über den Sommer, und wenn sie anfängt, mir auf die Nerven zu gehen, ist sie im Herbst wieder weg.«

Für diese Saison musste sich die junge Frau eine andere Bleibe suchen. Oder einen anderen Job in einem anderen Ort. An dem es leichter war, eine Wohnung zu finden, die man von einem kleinen Gehalt bezahlen konnte.

Für die Renovierung hatte Maren ihren Urlaub im Januar genutzt. Sie hatte zwei Wochen gebraucht, auch weil Onno sich komplett rausgehalten hatte. Er mochte keine Farben riechen, hatte er gesagt, und er wüsste auch nicht, wie sie es genau haben wolle. Und das abschließende Putzen wäre auch eher was für sie als für einen alten Seemann. Aber er hatte jeden Abend ihre Ergebnisse begutachtet. Und sich dabei immer stolz umgesehen. Entschlossen drückte sie die Tür auf und traute ihren Augen nicht. Mitten im Wohnzimmer stand ein Wäscheständer, auf dem Onnos gesammelte Hemden hingen. Daneben standen zwei Fahrräder und ein Rasenmäher. Aber was Maren aus der Fassung brachte, war der Blumenstrauß auf der Fensterbank. Ein ganzer Arm voller Blumen aus dem Garten, etwas schief drapiert in einem gläsernen Sektkühler. Ohne Wasser zwar, aber man konnte nicht alles haben. Maren hatte das Gefühl, dass Greta ihr zuzwinkerte.

»Also, vielen Dank und noch einen schönen Feierabend«, sagte Maren und schüttelte den Umzugsleuten nacheinander die Hand. »Das war alles prima, und: Grüßt mir Münster!« Sie blieb auf der Auffahrt stehen, bis der Lkw das Grundstück verlassen hatte, hob ein letztes Mal die Hand und wandte sich wieder zurück zum Haus. Sina saß neben Torben, der eine Zigarette rauchte, auf einer Stufe zur Terrasse. Maren lächelte sie an und ließ sich neben sie sinken. »Danke für die Hilfe«, sagte sie. »Ich habe ein ganz schlechtes Gewissen, dass wir dich so eingespannt haben. Das war gar nicht so gemeint. Rike hat doch nur einen Witz gemacht.«

»Geschenkt«, winkte Sina ab. »Die drei Kartons, die ich getragen habe ... Und du bleibst jetzt für immer auf der Insel? Ich glaube, ich würde wahnsinnig werden. Gerade, wenn man das Großstadtleben kennt.«

»Och«, Maren hob die Schultern. »Münster ist ja nun auch nicht gerade eine Weltstadt. Und irgendwie freue ich mich jetzt, wieder hier zu sein.«

Torben sah sie zustimmend an. »Und du hast hier weniger Stress im Dienst«, sagte er. »Auf Sylt gibt es höchstens mal ein paar besoffene Urlauber oder Jugendliche, die einer Oma das Portemonnaie klauen. Da ist in Münster bestimmt mehr los.«

»Wieso?« Sina wickelte sich eine Haarsträhne um den Finger und sah Maren neugierig an. »Was machst du denn? Ich dachte, du seist Arzthelferin.«

»Ich bin Polizistin«, antwortete Maren freundlich. »Rike arbeitet bei Dr. Hansen. Wo ist sie eigentlich?«

»Hier«, kam die Antwort postwendend. Rike kam aus dem Haus und schwenkte einen Korb, in dem Flaschen lagen. »Möchte jemand jetzt ein Bier?«

»Ich ... ähm ...«, Torben sah Sina an, die nur leicht

den Kopf schüttelte und schnell antwortete: »Ich wollte noch was mit Torben besprechen, eigentlich müssten wir deshalb so langsam mal los.« Sie wandte sich an Torben. »Ich meine: Sonst können wir das auch morgen bereden?«

»Nein, nein«, sofort erhob er sich und wandte sich entschuldigend an Maren. »Also, wenn das wirklich okay ist, dann würde ich morgen Nachmittag kommen und dir den Rechner, die Anlage, den Fernseher und den ganzen anderen Kram anschließen und jetzt auch fahren, ja?«

»Natürlich. Schönen Dank für die Hilfe, das war super, dass ihr da wart. Allein hätten wir das nicht so schnell geschafft. Das Bett steht, der Schrank und die Kommoden auch, alles andere hat wirklich Zeit bis morgen. Und bitte nur, wenn es dir passt, du sollst dich nicht gezwungen fühlen.«

Torben grinste schief. »Du, ich mache solche Sachen auch beruflich, alles in Ordnung. Ja, dann bis morgen.«

Auch Sina stand langsam auf, lächelte kurz und schloss sich Torben an. »Schönen Abend«, sagte sie noch, dann verschwanden beide aus Marens Sichtfeld. Rike öffnete zwei Bierflaschen und setzte sich neben sie. »Prost. Da ziehen die beiden von dannen.«

»Ich dachte, er wäre ein Fan von dir.«

»Zeitweise«, erwiderte Rike und setzte die Flasche an die Lippen. »Nur wenn Königin Sina sich lange nicht blicken lässt. Sobald sie auftaucht, verblassen alle anderen Prinzessinnen um sie herum. Tja, damit muss ich leben.« Rike lachte.

Maren rieb nachdenklich über das Etikett. »War sie früher auch schon so? Ich kann mich gar nicht mehr so genau erinnern. Waren die damals schon befreundet? Und ist Sina nicht vorzeitig von der Schule gegangen?«

Rike nickte. »Ja, nach der zehnten Klasse. Ich weiß gar

nicht genau, warum. Irgendwie hatte sie wohl keine Lust mehr und die ganz große Leuchte war sie ja auch nie. Aber ob sie Torben damals schon gekannt hat, weiß ich gar nicht. Er ist ja älter als wir. Ich schätze, so vier oder fünf Jahre. Ich kannte ihn früher nur vom Sehen, aber in den letzten Jahren hatte ich öfter mit ihm zu tun. Er hat eine eigene Firma, macht alles, was man im Haus braucht, von Technik bis Winterdienst, er kann einfach alles.«

»Sind die denn ein Paar?«

Rike zuckte mit den Achseln und drehte die Flasche zwischen den Händen. »Keine Ahnung. Torben ist eigentlich verheiratet, seine Frau taucht zwar nie mit ihm irgendwo auf, aber es gibt sie – Heike. Torben hätte wohl gern was mit Sina, so, wie das hier eben aussah. Und Sina? Sie spielt schon in einer anderen Liga als Torben. Sie ist zwar nicht so oft hier, aber immer, wenn ich sie sehe, ist sie teuer angezogen, fährt dicke Autos, trägt viel Schmuck, sie muss einen Haufen Geld verdienen. Wobei sie früher schon viel Kohle hatte. Allerdings hat Torben auch jede Menge geerbt. Aber er lässt das nicht so raushängen.«

»Vielleicht hat Sina einen reichen Mann«, überlegte Maren. »Und ihre Eltern waren doch auch wohlhabend, oder? In meiner Erinnerung hatten die immer schon viel Geld.«

Rike nickte. »Stimmt. Aber ich habe Sina noch nie mit einem Mann gesehen. Weder im Sommer auf dem Strandfest, wo sie war, noch auf dem Weihnachtsmarkt, sie war immer allein hier. Na ja, ist ja auch egal, ach guck mal, da kommt unser alter Chorknabe.«

Das Mofa gab seltsame Geräusche von sich, als Onno es behutsam ausrollen ließ. Er parkte es vor dem Schuppen, nahm seinen Helm ab, fuhr sich mit den Fingern

47

durch die Frisur und schlenderte langsam auf Maren und Rike zu. »Na? Fertig?«

Onno blieb vor ihnen stehen, seine Haare standen in alle Richtungen, auf der Stirn zeichnete sich der Abdruck des Helms ab. Er warf einen kurzen Blick hinter sich, bevor er sagte: »Karl kommt auch gleich, war mit dem Rad beim Singen, ich habe ihn natürlich abgehängt. Er will dir unbedingt Hallo sagen, als ob er das morgen nicht auch noch könnte. Aber so ist er. Ich hole mal zwei Flaschen Bier für uns.«

»Ich mach schon«, sagte Rike schnell, sprang auf und gab Onno einen kleinen Klaps auf die Schulter. »Sag du mal deiner Tochter richtig Hallo, das hast du bisher ja noch nicht geschafft.« Pfeifend verschwand sie in der Küche, Onno sah ihr hinterher. »Die Rike ist manchmal ...«

Unbeholfen strich er sich die Haare glatt und sah seine Tochter an. »Ich habe doch Hallo gesagt«, meinte er. »Bevor ich losgefahren bin. Aber zur Chorprobe muss man pünktlich sein, sonst warten alle anderen. Tja, was soll ich sagen? Dann wollen wir mal gucken, ob wir das Wohnen hier zusammen so hinkriegen.«

Onno Thiele hatte sicherlich viele Talente. Das Halten einer emotionalen Begrüßungsrede, weil sein einziges Kind nach vielen Jahren ins Elternhaus zurückkehrte, gehörte nicht dazu. Noch nicht mal im Ansatz. Damit hatte Maren auch nicht eine Sekunde lang gerechnet, aber dass er sich nun so schwertat, überraschte sie doch. Ein Außenstehender könnte das Gefühl bekommen, es wäre Onno überhaupt nicht recht, dass er sein Leben ab heute wieder mit seiner Tochter teilen sollte. Bestenfalls sei es ihm egal. Und das, obwohl Maren diese Versetzung auch für ihn angeleiert hatte. Aber das wusste Onno ja nicht, er hatte es nicht von Maren verlangt, und sie hatte es ihm nicht gesagt. Trotzdem hätte er sich freuen können, dachte sie, bis ihr die Blumen einfielen. Etwas zögernd stand sie auf, stieg die drei Terrassenstufen hinab und ging auf ihn zu.

»Das werden wir, Papa«, sagte sie leise und umarmte ihn fest. »Danke für die Blumen«, flüsterte sie ihm ins Ohr, bevor sie ihn wieder losließ. »Ich habe noch ein bisschen Wasser in den Sektkühler getan.«

Er drückte sie kurz an sich, dann löste er sich schnell und trat einen Schritt zurück. »Dann solltest du mal schnell einen Lappen holen. Der Kühler ist gesprungen, der ist nicht mehr dicht, da saust du jetzt die ganze Fensterbank mit ein.«

Maren starrte ihn an, dann fing sie plötzlich an zu lachen. »Du machst es mir nicht leicht, Papa«, sagte sie. »Und ich ... ach, da kommt Karl.«

Unter vollem Einsatz seiner Fahrradklingel bog Karl schwungvoll aufs Grundstück ein. »Herzlich willkommen«, rief er, ließ das Fahrrad einfach seitlich auf den Rasen fallen und stürmte auf Maren zu. »Ist das schön, dass du wieder hier bist!« Er umschloss sie mit seinen langen Armen und küsste sie schmatzend auf den Scheitel, bevor er sie von sich schob, um sie besser mustern zu können. »Und gut siehst du aus, Maren, richtig hübsch und erfolgreich.«

»Jetzt mach mal halblang«, mischte sich Onno aus sicherer Entfernung ein. »Die Schleimspur bleibt sonst tagelang auf dem Rasen. Willst du was trinken?«

»Natürlich«, antwortete Karl mit einem verständnislosen Blick auf Onno. »Ich dachte, es gäbe hier Schampus, Kapelle und Tanz.«

Onno sah ihn mitleidig an, dann drehte er sich um und schlurfte zum Haus. »Ich glaube, dir bekommt das Singen nicht«, grummelte er. »Du wirst ja immer bekloppter.«

Karl wartete, bis Onno außer Hörweite war, dann fragte er: »Und? Ist er wieder schrullig?«

»Er kann nichts dafür«, entgegnete Maren und zog Karl am Arm zur Terrasse. »Er konnte früher schon nicht gut mit Gefühlen umgehen, und das ist nach Mamas Tod auch nicht besser geworden. Aber er hat mir Blumen in die Wohnung gestellt, das hat mich echt gerührt. Dass er vor Freude ausrastet, hatte ich ja nicht erwartet.«

Sie war zwar ein kleines bisschen enttäuscht über den eher nüchternen Empfang, aber das musste sie ja nicht Karl auf die Nase binden. Es würde alles gut werden, sie musste Onno etwas Zeit geben, damit er sich an die neue Situation gewöhnen konnte. Und irgendwann würde er sich vielleicht auch freuen, dass seine Tochter wieder da war und er nicht allein bleiben musste.

»Danke, meine Süße«, Maren drückte Rike, die schon seit zehn Minuten von einem schweren Schluckauf gequält wurde, dankbar an sich. »Ohne dich hätte ich das alles gar nicht geschafft.«

»Siehst...te mal«, versuchte Rike eine Antwort und probierte dabei, Marens Fahrrad durchs Gartentor zu bugsieren. »Ich ... bringe dir dein Rad morgen wieder, aber ich muss ra...deln ..., um den Sekt abzubau...en. Diese Scheißkohlen...säure macht mich fertig. Bis ... morgen, träum was Schönes, das geht in Erfüllung.«

Sie winkte kurz, schwang sich aufs Fahrrad und entschwand aus Marens Blickfeld. Sie blieb gleich am Tor stehen und wartete auf ihren Vater, der Karl noch ein Stückchen zum Fahrrad begleitet hatte. Als er zurück war, blieb er vor ihr stehen, strich ihr über die Wange und sagte: »Dann schlaf gut, Maren, und träum was Schönes, das geht in Erfüllung.«

»Ich weiß«, antwortete sie. »Das habe ich heute schon mal gehört. Danke und gute Nacht.«

»Ja«, Karl stellte sein Fahrrad in die richtige Richtung und sah sich suchend um. »Wo ist denn Rike?«, rief er noch mal rüber.

»Schon los.« Maren deutete auf den Weg. »Sie hat Schluckauf.«

»Deshalb kann sie doch auf mich warten.« Karl schwang sein Bein auf die Pedale. »Dann muss ich sie wohl einholen. Also, tschüss, ihr beide und einen guten Dienststart morgen. Und lass dir nichts von diesem Trottel Runge erzählen.«

»Karl«, Onno schüttelte den Kopf. »Er ist ihr Chef.«

»Ja, ja«, leicht schwankend machte Karl sich auf den Weg. »Nacht.«

Sie sahen ihm nach, wie er in leichten Schlangenlinien Tempo aufnahm.

»Die haben beide einen sitzen«, sagte Onno nach einem kleinen Moment. »Und dann aufs Rad. Als Polizist.«

»Als Pensionär«, korrigierte ihn Maren. »So, komm, Papa, jetzt trinken wir beide noch einen Schnaps auf der Terrasse. Auf die besseren Zeiten.«

»Das ist doch zu kalt.«

»Zieh dir eine Jacke über, es ist schöne Luft, wir haben Mai. Also, komm.«

Maren hatte eine Kerze ins Windlicht gestellt, das sie ganz hinten im Küchenschrank gefunden und jetzt auf den Gartentisch gestellt hatte. Sie saßen nebeneinander, jeder ein Glas mit Kräuterschnaps in der Hand, und sahen in die Kerze.

»Nicht, dass jetzt die Mücken kommen«, warnte Onno. »Bei dem Licht.«

»Mama hatte das Windlicht immer auf dem Tisch stehen. Und sie hatte extra Kerzen gekauft, die Mücken vertreiben sollten.«

»Das hat sie nur gesagt. Weil du immer so hysterisch warst, wenn du das Mückensummen gehört hast. Das waren ganz normale Kerzen. Und du hast ihr geglaubt und die Mücken gar nicht mehr beachtet.« Er lächelte und Maren nahm seine Hand. »Sie fehlt mir auch«, sagte sie leise. »Wir müssen mehr über sie reden. Oder mit ihr.«

Onno nickte leicht. »Ich mache das«, sagte er. »Jeden Tag. Sie weiß alles, was hier passiert.«

»Echt?« Maren sah ihn erstaunt an. »Gehst du auf den Friedhof?«

»Manchmal«, Onno zuckte mit den Schultern. »Wenn es sein muss. Das Grab soll ja ordentlich aussehen. Ich pflanze immer pflegeleicht. Bodendecker und so, dann muss man nicht so oft hin.« Einen Moment lang sah er in das flackernde Windlicht. Dann grinste er schief. »Mir sind auf dem Friedhof immer zu viele alte Frauen. Und alle wollen mit mir reden. Über Pflanzen, über Leute, die gestorben sind, über Krankheiten, und dann plötzlich laden sie mich zum Abendbrot ein. Ich glaube, die suchen einen neuen Mann. Aber das fehlt mir gerade noch. Ich möchte meine Ruhe. Und um mit deiner Mutter zu reden, muss ich nicht zum Friedhof. Sie ist doch noch überall im Haus.«

Maren betrachtete ihn nachdenklich, anscheinend verstand er ihren Blick falsch. »Nein, ich höre keine Stimmen und ich bin auch nicht verrückt. Ich habe sie im Gedächtnis und außerdem das große schöne Foto auf dem Schrank. Mach dir keine Gedanken um meinen Verstand, ich will nur nicht meine Pension mit einer langweiligen, alten Witwe teilen.«

»Das musst du ja auch nicht«, Maren strich ihm über den Arm. »Und jetzt hast du ja auch erst mal Gesellschaft.«

Onnos Hand schnellte nach vorn und erschlug eine Mücke, die sich gerade auf sein Bein gesetzt hatte. »Kind, jetzt erwarte aber bitte nicht von mir, dass ich jeden Abend neben dir auf dem Sofa sitze, Cola trinke, Chips esse und Fernsehshows angucke. Aus dem Alter sind wir raus. Das fangen wir nicht wieder an.«

»Ich mag keine Chips. Aber wir können doch ab und zu mal zusammen essen. Oder was unternehmen. Es muss ja keine Fernsehshow sein.«

»Das sehen wir dann.« Onnos Stimme klang neutral. Seine Hand schloss sich um ihre, sie legte ihren Kopf an seine Schulter und war sich sicher, dass Greta sich gerade vorbeugte und ihnen eine Kusshand zuwarf.

Samstagabend in Morsum,
in beginnender Abendkühle

So«, sagte Inge zufrieden, wischte sich die Hände an ihrer Hose ab und brachte den leeren Putzeimer zurück in die Abstellkammer. »Alles tippitoppi. Als wenn hier nie etwas gewesen wäre.«

Gisela band den letzten Müllbeutel zu und hob kurz den Kopf. »Danke«, sagte sie leise. »Wo ist Charlotte denn?«

»Die wischt noch einmal den Flur durch. Ach, da kommt sie schon. Fertig?«

Ihre Schwägerin nickte, nahm Gisela den Müllbeutel aus der Hand und schob sie zur Seite. »Ich bring den Müll nach draußen, kümmere du dich mal um Getränke. Das haben wir uns jetzt verdient.«

Eine halbe Stunde später saßen die drei um Giselas polierten Esstisch und tranken Kakao mit Rum und Schlagsahne. »Für die Nerven«, hatte Inge gesagt, und Charlotte fand, dass besondere Ereignisse auch besondere Getränke erforderten.

Als Inge und Charlotte geklingelt hatten, hatte Gisela ihnen ganz verheult geöffnet. Im ganzen Haus hatte man die Spuren des Einbruchs oder die der Polizei gesehen. Schmutzige Fußabdrücke auf dem hellen Teppichboden, weißes Pulver an den Fensterrahmen und der Wand, durchwühlte Zeitungen, die neben der Altpapiertüte lagen, zerbrochene Bilderrahmen, Porzellanscherben, aufgezogene Schubladen, umgekippte Blumentöpfe und die Sofakissen, die jemand auf den Boden geworfen hatte.

»Gott, sieht das hier aus«, waren Inges erste Worte gewesen. »Wie lange darf man denn hier nichts anfassen?«

»Hier ist ja niemand ermordet worden«, war Charlottes Antwort gewesen, sie hatte dabei Gisela tadelnd angesehen, die schon wieder in Tränen ausgebrochen war. »Die Polizei war doch schon da, dann kann man das auch aufräumen. Oder? Gisela, reiß dich mal zusammen, kann man aufräumen oder nicht?«

Gisela hatte schluchzend genickt. »Ich war noch gar nicht in der Lage …«

»Jetzt sind wir ja da. Los, Inge, zieh die Jacke aus. Wo ist dein Putzzeug? Gisela?«

Die letzte Frage hatte sie sehr laut gestellt, es hatte scheinbar geholfen. Gisela hatte sich die Nase geputzt und war in die Abstellkammer gegangen, dicht gefolgt von Inge und Charlotte.

»Na bitte«, hatte Charlotte gesagt. »Geht doch.«

Bedauernd legte Inge jetzt die Hand auf die Tasse. »Ich darf keinen Rum trinken, ich muss ja noch fahren.«

Gisela sah sie mitleidig an, dann zuckte sie plötzlich, nach einem Blick auf die Uhr, zusammen. »Ach, du meine Güte, ich habe gar kein Zeitgefühl. Wir hatten doch Chorprobe.«

»Viel zu spät«, Charlotte setzte vorsichtig einen Löffel Schlagsahne auf ihren Kakao. »Ich habe vorhin bei Elisabeth angerufen und uns entschuldigt. Sie weiß Bescheid. Aber das hier ging ja wirklich vor. Das hat sie auch eingesehen. Und zum Konzert sind es ja noch ein paar Wochen, das kriegen wir schon hin.«

»Ich bin euch so dankbar, ihr habt mir sehr geholfen, wirklich.« Gisela legte beiden Frauen eine Hand auf den Arm. »Ich stand so neben mir, ich wusste gar nicht, was ich zuerst machen sollte. So ein Schock! Wisst ihr, ich war höchstens eine halbe Stunde beim Arzt, ich musste doch nur ein Rezept abholen. Und dann komme ich hier rein und sehe dieses Durcheinander. Ich war völlig starr vor Schreck. Und als die Polizei kam, haben die mich gefragt, ob die Einbrecher schon weg waren, als ich kam. Stellt euch mal vor, die wären hier noch gewesen! Ich wäre ja gestorben.«

»So schnell stirbt man nicht«, entgegnete Charlotte. »Aber wann war das jetzt genau? Gestern Morgen?«

Gisela nickte. »Zwischen neun und neun Uhr dreißig. Am helllichten Tag!«

»Und keiner hat was gesehen?«, fragte Inge neugierig. »Hier wohnen doch Leute. Das muss man doch mitkriegen, wenn eine Terrassentür aufgehebelt wird. Das fällt doch auf, oder nicht?«

»Mein Nachbar hat um halb neun mit dem Rasenmähen losgelegt. Da war der so konzentriert, dass er wohl gar nicht hochgeguckt hat.«

»Hm«, Charlotte guckte skeptisch. »was ist denn das für ein Nachbar? Und wie lange war die Polizei dann da?«

»Eine Stunde vielleicht?« Gisela überlegte. »Vielleicht auch länger, ich war so durcheinander, ich habe nicht auf die Zeit geachtet. Sie haben alles mit diesem weißen Pulver eingepinselt und gefragt, ob was fehlt.«

Charlotte sah sich um. »Und, was fehlt?«

»Ach, nichts weiter«, antwortete Gisela. »Vierzig Euro und meine Sonnenbrille, lag alles auf der Flurgarderobe. Ich nehme an, dass die Einbrecher gestört wurden. In der Küchenschublade liegen einhundert Euro, mein Schmuck, das ist nicht viel, aber immerhin, liegt oben im Schlafzimmer, das Silberbesteck hier im Schrank, aber alles ist noch da. Sie haben gar nicht richtig angefangen.«

Inge stützte nachdenklich ihr Kinn auf die Faust. »Aber wieso werfen die die ganzen Kissen vom Sofa, ziehen die Schubladen auf, ohne etwas rauszunehmen, und durchwühlen dein Altpapier? Warum gehen die nicht gleich ins Schlafzimmer, die meisten bewahren doch ihren Schmuck und ihre Wertsachen oben auf.«

»Vielleicht haben sie das nicht geschafft«, Charlotte überlegte mit. »Aber wenn jemand sie gestört hätte, dann gäbe es ja einen Zeugen. Oder? Vielleicht meldet sich noch jemand.«

Gisela wurde wieder blass. »Stellt euch mal vor, die kämen wieder. Weil sie nicht fertig geworden sind.« Sie goss sich sofort Rum nach. »Die steigen noch mal ein. Ich weiß gar nicht, ob ich hier noch wohnen kann. Ich habe letzte Nacht kein Auge zugemacht, achte ständig auf Geräusche, ich weiß nicht, ob das wieder besser wird.« Sie seufzte und schloss die Augen, Inge legte ihr tröstend die Hand auf den Arm.

»Das glaube ich nicht, Gisela. Ich will dir nicht zu nahe treten, aber Einbrecher sehen nach zehn Minuten, ob es sich lohnt oder nicht. Und mit Verlaub, für ein bisschen altes Silberbesteck und zwei Perlenketten macht es keinen Sinn, den ganzen Aufwand noch mal zu betreiben. Wenn du jetzt so eine Millionenimmobilie hättest, in der Antiquitäten, teure Bilder, Schmuck hinter Glas und solche Dinge wären, dann könnte ich es mir vorstellen, aber hier …?«

Alle drei sahen sich in dem wieder aufgeräumten Wohnzimmer um.

»Nicht mal eine Musikanlage«, ergänzte Charlotte. »Die kommen nicht wieder.«

»Ich habe ein Radio in der Küche«, widersprach Gisela. »Aber trotzdem ... Das war so ein Eingriff in mein Zuhause, ich weiß wirklich nicht, ob ich mich hier allein noch wohlfühle.«

»Was willst du denn machen?« Inge hob den Kopf und sah sie an. »Willst du einen Untermieter reinnehmen? Ich meine, Wohnungsinteressenten gibt es auf der Insel genug. Du wirst sofort jemanden finden. Mit Kusshand.«

»Soll ich mir in meinem Alter noch mit jemandem das Bad und die Küche teilen?« Gisela tippte sich mit dem Finger an die Stirn. »Wie in einer Studentenwohngemeinschaft? Das fehlt mir gerade noch. Nein, danke. Und ich kann aus diesem Haus keine zwei Wohneinheiten machen, dafür müsste man alles umbauen, und dafür fehlt mir das Geld. Nein, nein, vielleicht sollte ich doch verkaufen und nach Oldenburg ziehen. Zu den Kindern. Die wohnen beide da. Das ist eigentlich ganz nett.«

»Und deine Freunde? Und der Chor?« Charlotte war entsetzt. »Das hier ist dein Zuhause. Du kennst alle Wege und alle Leute, und jetzt willst du alter Baum dich verpflanzen lassen? Nur, weil ein paar Halbstarke deine Terrassentür aufgehebelt haben? Gisela, du bist durcheinander, das ist doch ganz klar. Aber überleg dir das lieber erst noch mal genau.«

Gisela schwieg einen Moment, dann sagte sie langsam: »Vor zwei Wochen war ein junger Mann hier, einer von der Bank. Ganz sympathisch, gar nicht aufdringlich, sehr höflich und bescheiden. Er hat mir erzählt, dass seine Bank auch im Immobiliengeschäft tätig ist. Er bietet Eigentümern von Immobilien seine Hilfe an, wenn sie verkaufen wollen. Er kümmert sich dann um alles: um die Gutachten, Grundrisse, Interessenten. Man hat als Verkäufer gar keinen Ärger. Kassiert das Geld und gut.«

»Du willst aber nicht verkaufen«, mischte Inge sich ein. »Das kann doch nicht sein, dass du dich von so einem Vorfall so verunsichern lässt! Verkaufen! Wenn du hier nicht mehr die Treppe hochkommst und zu klapprig bist, um den Garten zu machen, dann kannst du verkaufen, aber erst dann. Und jetzt machst du noch eine Kanne Kakao und dann reden wir über das Konzert im August. Verkaufen! Ich glaube es ja nicht!«

Gisela nahm die Kanne und ging in die Küche. Als sie außer Sichtweite war, beugte Charlotte sich zu ihrer Schwägerin und flüsterte: »Vielleicht sollte eine von uns ihr anbieten, heute Nacht hier zu schlafen. Damit sie sich beruhigt. Stell dir mal vor, dieser junge Mann kommt morgen wieder, in dieser Verfassung verkauft Gisela das Haus schneller, als alle gucken können. Das wäre doch fatal.«

Inge nickte. »Stimmt. Ich hole gleich mein Nachtzeug. Dann rede ich ihr diesen Unsinn schon noch aus.«

Maren blieb einen Moment im Auto sitzen, atmete tief ein und aus und stieß dann entschlossen die Autotür auf. Sie hasste erste Tage, das war schon seit ihrer Einschulung so, aber auch dieser erste Arbeitstag würde vorbeigehen, und morgen war dann schon der zweite. Sie stieg aus, verriegelte ihren Wagen und ging mit schnellen Schritten auf das Westerländer Polizeirevier zu. ›Du hast es so gewollt‹, sagte sie sich im Stillen. ›Polizistin ist Polizistin, egal, ob in Münster oder auf Sylt.‹

Sie stieß die Tür zur Wache auf, lief die Stufen hinauf und blieb kurz am Eingang stehen. Zwei Polizisten saßen an ihren Tischen, einer von ihnen telefonierte, der andere hob den Kopf und sah sie freundlich an. »Kann ich Ihnen helfen?« Er stand auf, ging um den Tisch herum und kam auf sie zu. Er war jung, noch keine dreißig, mit gebräuntem Gesicht, hellblonden Haaren und einem breiten Lächeln. Maren lächelte zurück. »Guten Morgen, Polizeiobermeisterin Maren Thiele. Ich bin die Neue.«

»Hallo, das ist ja schön, ich bin …«, bevor der nette Kollege die Hand gehoben hatte, wurden sie schon unterbrochen.

»Einen wunderschönen guten Morgen«, tönte es plötzlich aus dem Flur. »Schröder, gehen Sie mal zur Seite, ich mach das schon.« Ein Hüne hatte sich plötzlich vor Maren aufgebaut, knapp zwei Meter groß, mit nach hinten

gegelten dunklen Haaren, einer kleinen, blauen Horn-
brille, lauter Stimme und einem etwas zu festen Händedruck. »Polizeihauptkommissar Peter Runge, ich bin der
Revierleiter und damit Ihr Chef. Ihr Ruf eilt Ihnen voraus,
Kollegin, lauter Bestbenotungen, genügend Erfahrung,
da werden Sie die Jungs hier ordentlich aufmischen. Los,
kommen Sie, ich zeige Ihnen mal die Gegebenheiten und
stelle Ihnen die Kollegen vor. Also, hier haben wir …«

Maren konnte ihn vom ersten Moment an nicht leiden.
Runge stürmte wie ein Stier durch die Räume, sie kam
kaum hinterher. Er riss, ohne auch nur einmal zu klopfen,
die Türen auf, bellte die Vorstellung kurz hinein, zeigte
dabei mit dem Daumen auf sie, verzichtete auf jede Geste der Höflichkeit, ganze Sätze schienen auch nicht in
seinem Repertoire zu sein, er fragte sie nichts, gab ihr
keine Gelegenheit, selbst Fragen zu stellen, zählte Namen,
Dienstgrade und Abteilungen auf, die sie sich selbstverständlich in gar keinem Fall merken konnte. Nach fünfzehn Minuten hatte sie Seitenstechen und ein rotierendes
Gehirn.

»Im Winter gibt es hier vierzig Kollegen«, dozierte er
weiter, während sie atemlos versuchte, mit ihm Schritt zu
halten. »Im Zuge des Bäderersatzdienstes wird dieser Bestand im Sommer, also von April bis September, auf sechzig aufgestockt, dazu kommen zehn Kollegen der Kripo,
die sitzen im ersten Stock, da gehen wir jetzt mal hoch.«
Na, das war ja jetzt doch mal ein erster vollständiger Satz.

Er sah kurz zu ihr hinunter, während er zwei Stufen auf
einmal nahm. »Irgendwelche Fragen?«

Maren schüttelte den Kopf und bemühte sich, ihre Atmung flach zu halten. Oben angekommen, behielt Runge
den Stechschritt bei, rannte wieder in jedes Zimmer, bellte
weiter Namen und Vorstellungsphrasen, ließ ihr aber vor-

sichtshalber keine Zeit, auch nur irgendjemanden flüchtig zu begrüßen. Kurz bevor sie das Gefühl hatte, leicht überzukochen, kam eine junge Frau auf sie zugelaufen. »Chef, Kiel ist am Telefon, ich habe es in Ihr Büro gestellt.«

»Alles klar«, antwortete er und tippte Maren kurz auf die Schulter. »Das ist wichtig. Bringen Sie Polizeiobermeisterin Thiele doch schon mal nach unten und zeigen Sie ihr, wo sie sich umziehen kann. Also, bis später, guten Start.«

Er verschwand in Sekundenschnelle, und Maren wunderte sich, dass es keine Staubwolke gab. Aufatmend wandte sie sich an die junge Frau und streckte ihr die Hand hin. »Maren Thiele«, sagte sie. »Heute ist mein erster Tag.«

»Katja Lehmann«, war die Antwort. »Ich weiß, herzlich willkommen. Hat Ihnen der Chef schon alles gezeigt oder wollen Sie noch etwas wissen?« Sie sah sie etwas gestresst an, und Maren hatte den Eindruck, dass sie nicht die Einzige war, die Runge anstrengend fand. »Ach, danke«, antwortete sie deshalb in leichtem Ton. »Ich werde mich im Lauf des Tages schon zurechtfinden. Vielleicht können Sie mir nur sagen, wo ich meine Tasche lassen kann. Das wäre sehr nett.«

Katja machte sofort auf dem Absatz kehrt und eilte die Treppe nach unten, Maren folgte ihr und fragte sich, warum um alles in der Welt in diesem Revier dieses Tempo herrschte. Auf der Insel gab es doch sicher keine Straftaten im Sekundentakt, die eine solche Hektik erklären würden.

»Hier vorne rechts«, wies Katja sie an, öffnete eine Tür und zeigte auf metallene Schränke. »Ihr Name müsste schon draufstehen, bis gleich.«

Sofort war sie verschwunden, Maren verharrte noch einen Moment irritiert an der Tür, sah der verschwundenen Katja nach und wartete mit der Klinke in der Hand auf eine Art Eingebung. Sie kam nicht, dafür fand sie auf Anhieb ihren Spind und zog sich schnell um. Als sie in Uniform aus dem Umkleideraum kam und sich langsam zur Treppe wandte, hörte sie etwas, das sie sofort stehen bleiben ließ.

»Hey, wie geht's?« Die tiefe ruhige Stimme kam Maren bekannt vor, was aber nicht sein konnte, weil das, was sie mit dieser Stimme in Verbindung brachte, überhaupt nicht hierhergehörte. Ganz und gar nicht. Langsam drehte sie sich um und blickte der Stimme entgegen. In ihrem Kopf formte sich ein großes, rotes, fett gedrucktes und kursiv geschriebenes: *NEIN, NEIN, NEIN.*

»Robert«, zwang sie sich zu sagen und fragte sich, warum sie plötzlich so eine verschrammte Stimme hatte. »Was machst du denn hier?«

Er blieb lässig an den Türrahmen gelehnt, ohne den Blick von ihr zu wenden. Ein kleines Lächeln zuckte um seinen linken Mundwinkel. Langsam schob er eine Hand in die Hosentasche und zuckte leicht mit den Achseln. »Bäderersatzdienst«, sagte er. »Ich habe mich von April bis September hierher versetzen lassen. Ich dachte, ein Sommer auf Sylt bringt mich auf andere Gedanken, aber letzte Woche habe ich auf der Besprechung gehört, dass eine neue Kollegin kommt. Das ist jetzt natürlich blöd gelaufen.«

Sein Gesichtsausdruck drückte allerdings ganz und gar nicht aus, dass er das Ganze für »blöd gelaufen« hielt. Für Maren aber *war* es eine einzige Katastrophe.

»Bäderersatzdienst«, wiederholte sie tonlos, das hatte sie doch gerade eben von ihrem angeknipsten Chef gehört. Die Verstärkung der Kollegen auf der Insel während der Saison. »Aha. Und das machst du jetzt? Hier?«

Das war doch nahezu brillant formuliert, dachte sie, zumindest fast in ganzen Sätzen. Sie konzentrierte sich, ihre Beine zu stabilisieren, was bei dem aktuellen Puls nicht ganz einfach war. Was für eine absurde Situation! Robert sah sie indes entspannt und abwartend an, in seinem linken Mundwinkel zuckte immer noch dieses blöde Grinsen, am liebsten hätte Maren ihn angebrüllt. Im Tonfall eines beleidigten Kindes, das schreit: »Hau ab, du sollst weggehen, sonst …«

Aber was wäre sonst? Polizeiobermeisterin Maren Thiele hatte heute ihren ersten Diensttag auf Sylt, sie durfte sich nicht blamieren, sie konnte weder abhauen noch mit den Füßen stampfen, sie musste sich einfach zusammennehmen. Und alles, was sie dachte, runterschlucken. Langsam bis zehn zählen, bei ihrer Gemütslage besser bis zwölfhundert, dann lächelnd auf ihn zugehen, ihm freundschaftlich die Wange tätscheln und mit souveräner Stimme sagen: »Du, nichts für ungut, dann wollen wir mal versuchen, ob wir hier miteinander auskommen.« Aber das ging im Moment alles überhaupt nicht, sie suchte nach Worten, nach einer Ordnung im Kopf, und sie und war noch mittendrin, als sein Funkgerät ansprang. »Einsatz, Wagen einundzwanzig, Verkehrsunfall in Westerland, Süderstraße, Ecke Meisenweg.«

»Wir übernehmen«, antwortete Robert, ohne Maren aus den Augen zu lassen. »Ich nehme Kollegin Thiele gleich mit.«

»Alles klar.«

»Hast du gehört?« Robert stieß sich vom Türrahmen ab. »Wir haben einen Einsatz. Den Rest besprechen wir privat.«

Maren folgte ihm stumm. Sie hasste erste Tage. Einmal mehr.

Als sie am Unfallort eintrafen, rettete sich Maren in ihre Routine. Robert war anscheinend genauso geschockt von ihrem Wiedersehen, zumindest fuhr er gelinde gesagt unkonzentriert, trotzdem waren sie irgendwie heil angekommen.

Unfälle wie diese hatte sie schon Hunderte gesehen, sie wusste, was sie zu tun hatte. Während sie mit dem Jugendlichen sprach, den ein SUV schwungvoll vom Fahrrad geholt hatte, beobachtete sie im Seitenblick, wie gelassen Robert den wütenden Autofahrer in den Griff bekam. Erst als der Sanitäter sich um den jungen Mann kümmerte, der noch sichtbar unter Schock stand, ging Maren zu Robert und dem Unfallfahrer. »Was fährt der Idiot auch auf der Straße?«, japste der etwas übergewichtige Mann in Jeans und gelbem Polohemd. »Hier, überall Schrammen auf der Seite, das ist eine Metalliclackierung, haben Sie eine Ahnung, was das kostet? Wenn ich diese jungen Kerle auf ihren Rädern schon sehe ... Eiern da durch die Gegend ...« Er fuchtelte erregt mit den Armen, sein Gesicht sah aus wie eine wütende Tomate. Seine sehr viel jüngere Begleiterin schien es nicht für nötig zu halten, auszusteigen. Sie saß, verschanzt hinter ihrer überdimensionalen Sonnenbrille, im Auto und sah dem Treiben demonstrativ gelangweilt zu. Maren fand diesen arroganten Fahrer unerträglich, schaute zu dem Jugendlichen, der jetzt vom Sanitäter zum Rettungswagen begleitet wurde, ging zu dem SUV und beugte sich zum Seitenfenster, um dagegen zu klopfen. »Steigen Sie bitte mal aus.«

Schneckengleich kam die Blondine aus dem Wagen, sofort stellte der Fahrer sich neben sie. Maren wechselte einen kurzen Blick mit Robert, dann sagte sie: »Ich brauche dann mal Ihre Zeugenaussage, kommen Sie bitte mit mir zum Wagen.« Sie ließ ihr den Vortritt, während sie Robert sagen hörte: »Wie hätte der junge Mann denn

Ihrer Meinung nach Fahrradfahren sollen? Sie stehen doch auf dem Fahrradweg, er konnte gar nicht ausweichen. Haben Sie etwas getrunken? Nein? Dann sind Sie bestimmt mit einem Test einverstanden.«

Maren wartete die wütende Tirade des Fahrers nicht ab, sondern dirigierte seine Begleiterin zum Auto.

»Das sind doch immer dieselben Typen«, knurrte Robert, während er sich anschnallte und den Wagen startete. »Große Fresse, dickes Auto, junge Frau. Und immer im Recht und sofort den Anwalt am Telefon.« Er würgte den Motor ab und startete neu.

»Aber sag mal: Hatte er denn eine Fahne?«, Maren vermied es, ihn anzusehen. »Oder warum hast du den Test gemacht?«

»Damit er sich beruhigt«, antwortete Robert und hielt an der roten Ampel. Er sah sie kurz an, dann wandte er den Blick wieder nach vorn. »Beim Pusten kann man wenigstens nicht labern. Der war ja nicht auszuhalten. Aber die Sachlage war eindeutig. Zu schnell, zu dicht am Radweg und zu beschäftigt, um nach rechts zu gucken. Um den Rest kann sich dann sein Anwalt kümmern. Auch wenn er keine Promille hatte. Na ja, der Urlaub ist ihm aber trotzdem versaut.«

»Der von dem Jungen auch«, ergänzte Maren und zeigte auf die Ampel. »Grüner wird's nicht.«

Robert legte krachend den Gang ein, gab Gas und grüßte einen entgegenkommenden Kollegen. »Der Junge macht hier keine Ferien, der war gerade auf dem Weg zur Schule. Wir können gleich mal in der Klinik anrufen und fragen, wie es ihm geht. Der war ja richtig durch den Wind. Armer Kerl.«

Maren war etwas erstaunt, wie fürsorglich Robert

mit Blick auf den Jungen war. Sie sah ihn kurz an, dann wieder weg und überlegte, ob sie einfach einen blöden Witz erzählen könnte, der die Stimmung entspannte, ihr fiel nur keiner ein. Sie hatte so ein miserables Gedächtnis. Und wunderte sich, wie grottenschlecht Robert Auto fuhr. Er zuckelte mit vierzig Stundenkilometern die Straße lang und kam jedes Mal, wenn er sie von der Seite ansah, gefährlich nah an den Mittelstreifen.

»Wolltest du was sagen?«, fragte Robert, dessen Empathie sich offenbar nicht nur auf angefahrene Jungs beschränkte.

›Kommt ein Mann zum Arzt …‹, dachte Maren, schüttelte den Kopf und sagte nur: »Nein, ich habe nur an das Protokoll gedacht, das ich gleich schreiben werde. Und du kommst gerade auf die Gegenspur.«

»Ach ja«, Robert warf ihr einen forschenden Blick zu, bevor er sich wieder auf die Straße konzentrierte. »Die Lenkung ist so weich. Und sonst?«

»Was meinst du?« Maren bemühte sich, einen harmlosen Ton zu treffen. »Alles gut, wieso?«

»Ich habe ein paar Monate darauf gewartet, dass du mich mal zurückrufst. Oder wenigstens auf eine Mail oder SMS reagieren würdest. Hast du aber nicht.«

»Stimmt.« Maren starrte konzentriert auf den Wagen, der vor ihnen fuhr. Ein schwarzes Cabrio mit Hamburger Kennzeichen. Ein teures Auto und ein sehr junger blonder Mann am Steuer, einen Arm auf der Fahrertür, teure Uhr, Sonnenbrille auf die Stirn geschoben, laute Musik. Unangenehmer Schnösel. Jetzt zog er sein Handy aus der Tasche und fing an zu telefonieren.

»Siehst du das?«, Maren griff nach der Kelle und setzte sich gerade hin. »Der hat noch nicht mal begriffen, wer hinter ihm fährt. Pech, mein Süßer.«

Robert setzte den Blinker und überholte das Cabrio. Dafür musste er Gas geben, vergaß dabei zu schalten, der Motor röhrte mit hoher Drehzahl. Maren warf einen fragenden Blick auf Robert, der sich aber ganz auf das Einscheren konzentrierte. Der junge Mann hatte das Handy cool neben sich fallen lassen und ein gleichgültiges Gesicht aufgesetzt. Es würde ihm nichts helfen. Obwohl er seinen Verkehrsverstoß genau im richtigen Moment begangen hatte. Zufrieden hielt Maren die Kelle aus ihrem Fenster. Um den Rest würde sie sich später kümmern. Auch um die Frage, wie schlecht ein Polizist Auto fahren durfte.

Karl versuchte mühsam, die Tür aufzudrücken, ohne die Brötchentüten fallen zu lassen. Er bekam es nicht hin, blickte erleichtert auf, als eine junge Polizistin plötzlich neben ihm stand. »Kann ich Ihnen helfen?«, fragte sie freundlich, während sie ihm die Tür aufhielt. »Wo möchten Sie denn hin?«

»Danke sehr«, mit einem fröhlichen Lächeln schob Karl sich an ihr vorbei. »Ich will zu Ihnen, also natürlich nicht persönlich zu Ihnen, aber in meine alte Wirkungsstätte. Polizeihauptkommissar Sönnigsen, sehr angenehm.«

»Ach, Sie sind der Vorgänger von PHK Runge?«, stellte sie mehr fest, als dass sie fragte. »Angenehm, Lehmann, Polizeianwärterin. Aber der Chef ist gar nicht da.«

»Fein«, Karl nickte. »Ich meine, das macht nichts, ich wollte meinen alten Kollegen nur ein paar Rosinenbrötchen bringen, ich war gerade in der Gegend. Ach, hallo, Benni, na, mein Jung, alles unter Kontrolle?«

Benni hob den Blick von den Akten, die er gerade durchblätterte, und grinste. »Der Meister. Komm rum, möchtest du einen Kaffee?«

Gespielt bescheiden winkte Karl ab. »Nur, wenn ich nicht störe. Ich war gerade in der Gegend und dachte, ich schau mal rein.«

»Sicher«, mit einer Kopfbewegung deutete Benni auf die Brötchentüten. »Und aus Versehen hast du zu viele

Brötchen gekauft und hast jetzt welche über, die du uns bringst?«

»So ungefähr«, nickte Karl, »Rosinenbrötchen und Croissants.«

Die junge Polizistin, die ihm die Tür aufgehalten hatte, stellte sich neben Karl. »Soll ich Ihnen einen Kaffee bringen? Vielleicht in den Besprechungsraum? Der ist leer.«

Benni nickte und sah Karl an. »Oder?«

»Du, gern«, sofort schlug Karl den Weg zum Besprechungsraum ein. »Nimm dir ein paar Akten mit, Benni, sonst sieht das so aus, als würde ich dich von der Arbeit abhalten. Und das wollen wir ja nicht.« Er verharrte an der Tür, nahm ein Croissant für Benni aus der Tüte, ging noch mal zurück und drückte der jungen Polizistin die Brötchentüten in die Hand. »Die können Sie mal in die Teeküche stellen. Mit Gruß vom alten Chef. Kommst du, Benni?«

»So«, Karl hatte gewartet, bis die hübsche Lehmann die Tür des Besprechungsraumes geschlossen hatte. »Jetzt mal Butter bei die Fische. Eine Chorschwester von mir war das vierte Opfer der Einbruchsserie. Das musste ich von zwei anderen Chorschwestern hören. Der Einbruch von Freitag. Gisela ist völlig verzweifelt und hat das Gefühl, dass die Polizei überhaupt nichts unternimmt. Sie fühlt sich ihres Lebens nicht mehr sicher, kann nicht mehr schlafen, das Haus ist völlig über Kopf, es ist keiner da, der ihr hilft, sie steht immer noch unter Schock. Da zahlt sie ihr Leben lang Steuern und hält sich an alle Gesetze und muss dann erleben, dass man nichts für ihre Sicherheit macht. Als ob es kein Interesse seitens der Polizei gäbe, diese Einbruchsserie aufzuklären. Sie kann das einfach nicht verstehen.«

Natürlich übertrieb Karl, er hatte ja gar nicht mit

Gisela gesprochen, sondern seine Informationen von Inge bekommen. Etwa so müsste sie sich fühlen, glaubte er jedenfalls. Aber das war seinen ehemaligen Kollegen ja anscheinend völlig egal. Hier musste mal ein bisschen Druck aufgebaut werden. Und wer könnte das besser als er?

Benni hörte ihm aufmerksam zu und schüttelte dann langsam den Kopf. »Du, ich habe heute Morgen noch mit ihr telefoniert, da machte sie einen ganz stabilen Eindruck.«

»Schauspielerin«, winkte Karl ab. »Sie ist eine stolze Frau. Und du könntest fast ihr Enkel sein. Meinst du, dass sie dir sagt, wie es ihr geht? Nein, nein, sie hat kein Vertrauen mehr in euch, es tut sich ja überhaupt nichts in dieser Einbruchsserie. Also, ich möchte doch gern mal wissen, was ihr alles habt. Und komm mir nicht mit Zivilperson, ich bin persönlich betroffen, da kannst du mir auch mal eine Auskunft geben.«

»Wurde bei dir auch eingebrochen? Oder woher kommt deine persönliche Betroffenheit?«

Karl fragte sich, warum Benni so stur war. Trotz der guten Jahre, die sie zusammen gehabt hatten. »Sie ist meine Chorschwester. Hab ich doch gesagt. Wenn das nicht persönlich ist, dann weiß ich es auch nicht.«

Er dachte einen Moment nach, dann versuchte er einen anderen Weg. »Benni, das ist doch ein Muster, das sieht man doch auf den ersten Blick. Alleinstehende Frauen, keine Zweitwohnungseigentümer, keine Luxusdomizile. Die Ermittlungen müssen doch von Kollegen gemacht werden, die sich auf der Insel auskennen. An der Ostsee macht man ganz andere Erfahrungen, die nützen einem doch hier nichts.«

Benni zerkrümelte den Rest seines Croissants. »Jetzt

schieß dich doch nicht so auf Runge ein«, sagte er. »Der ermittelt auch nicht allein, wir anderen sind doch alle von hier, und wir sind doch genauso mit den Ermittlungen befasst. Was genau willst du denn jetzt von mir hören?«

»Die Akten«, Karls Antwort kam sofort. »Wo ist noch eingebrochen worden? Was wurde da gestohlen? Und was habt ihr schon?«

Abrupt stand Benni auf und ging langsam zur Tür. »Ich muss mal aufs Klo«, sagte er und starrte an Karl vorbei auf den Tisch. »Kann ich dich hier so lange allein lassen?«

Karl folgte seinem Blick und lächelte. »Natürlich«, sagte er fröhlich und tastete in der Brusttasche nach seiner Brille. »Lass dir Zeit. Händewaschen nicht vergessen.«

Der Erste, der Maren entgegenkam, als sie, gefolgt von Robert, zurück aufs Revier kam, war Karl. Er blieb sofort stehen und hielt sie am Arm fest. »Welch Glanz in dieser Hütte!«, rief er und sah sie stolz an. »Und? Wie ist der erste Dienst? Dein Chef ist ja gar nicht da, wie ich gehört habe. Das ist ja nicht gerade die feine englische Art, wenn neue Kollegen kommen.«

»Nicht so laut, Karl«, Maren sah ihn tadelnd an. »Außerdem *war* er heute Morgen bei meinem Dienstantritt da und hat mich rumgeführt. Wie es sich gehört. Was machst du eigentlich hier?«

»Ich war zufällig in der Gegend«, antwortete er und betrachtete Robert neugierig. »Noch ein neuer Kollege? Einen schönen guten Tag, mein Name ist Karl Sönnigsen, ich war hier mal der Chef.«

Er schüttelte Robert begeistert die Hand und warf Maren einen anerkennenden Blick zu. »Na, das ist ja mal ein Händedruck. Sie sind neu hier, wo kommen Sie denn her? Und seit wann sind Sie hier?«

Robert lächelte ihn freundlich an. »Robert Jensen. Ich komme aus Bremen. Bäderersatzdienst. Freut mich, ich habe schon viel von Ihnen gehört.«

»Das wundert mich nicht«, ohne Bescheidenheit warf Karl sich in die Brust. »Dann mal auf gute Zusammenarbeit, Kollege. Und wenn Sie ein Problem …«

»Karl«, Maren griff ihn am Arm und schob ihn ein Stück zur Seite. »Im Moment ist es echt ein bisschen schlecht, ich muss noch meinen Bericht schreiben. Wir sehen uns später, okay?« Ihr Blick fiel auf Karls Hand. »Was hast du denn da?« Mit einem schnellen Griff umfasste sie sein Handgelenk. »Hast du dich verletzt? Oh nein, das ist …«

»Nichts«, sofort befreite er sich aus ihrem Griff und schob die Hand in die Jackentasche. »Es ist nichts, ich muss dann mal los. Tschüss dann.« Er drehte sich auf dem Absatz um und eilte die Treppen runter. Maren sah verdutzt hinterher. Karls Handinnenfläche war bis zum Unterarm mit blauem Kugelschreiber vollgeschrieben. Das hatte sie zum letzten Mal in der Schule gesehen. Bei Hauke Nielsen, der in Mathe der Volldepp gewesen war und sich dann auch noch beim Schummeln erwischen ließ. Maren hoffte nur, dass Karl in seinem Alter nicht noch irgendeine Prüfung bestehen musste.

Als sie nach Dienstschluss erleichtert in ihrem Auto saß, schloss sie einen Moment lang die Augen. Was für ein erster Tag. Kollegen, deren Namen sie sich noch nicht merken konnte, Abläufe, die sie erst mal rausfinden musste, Straßennamen, die ihr entfallen waren, arrogante Schnösel, schlechte Autofahrer, jugendliche Ladendiebe und ein völlig betrunkener Mann, den man nach seinem feuchtfröhlichen Junggesellenabschied auf der Insel einfach vergessen hatte. Und zu all dem auch noch Robert. Robert Jensen. Kollege aus Bremen, den sie vor einem knappen Jahr bei einer Weiterbildung in Hamburg kennengelernt hatte. Man sollte auf Weiterbildungen abends einfach keinen Alkohol trinken. Schon gar nicht kurz nach einer schlimmen Trennung.

Maren öffnete die Augen, weil sie sich selbst stöhnen hörte. Es war definitiv nicht der beste aller ersten Tage gewesen. Sie griff zum Zündschlüssel, als ihr Handy klingelte. Nach einem Blick aufs Display ging sie dran. »Hallo, Rike.«

»Hey, wie war dein erster Tag? Ich habe an dich gedacht. Kommst du gut an bei deinen neuen Kollegen?«

»Bei einem ganz besonders«, antwortete Maren. »Du ahnst nicht, wen ich heute wiedergetroffen habe.«

»Keine Ahnung. Karl?«

»Ja, den sowieso. Nein. Robert Jensen. Das ist die Strafe für Alkoholmissbrauch bei Seminaren.«

Am anderen Ende fing Rike nach einer kurzen Pause an zu lachen. »*Der* Robert Jensen? Die Nacht in Hamburg? Nein, das ist nicht wahr! Aber kam der nicht aus Bremen?«

»Bäderersatzdienst.« Maren fand den Begriff immer blöder. »Er hat sich für den Sommer hierher versetzen lassen. Das Gute ist, dass er wieder nach Bremen zurückgeht, das Schlechte, dass die Saison bis September dauert. So ein Scheiß.«

»Wovor hast du denn eigentlich Angst: dass er es rumerzählt? Dass er dich nicht mehr leiden kann? Oder eher, dass du dich in ihn verknallst? Also: Woher weht der Wind?«

»Keine Ahnung«, Maren ließ die Hand aufs Lenkrad fallen und haute sich die Knöchel an. »Aua! Ist doch egal.

Ich sitze das aus. So was Blödes. So, Themawechsel, gehen wir heute Abend noch was trinken? Auf diesen ersten Tag?«

»Das ist schlecht, ich bin mit meinen Kolleginnen zum Essen verabredet. Lass uns das morgen machen, ja? Dann feiern wir den zweiten Tag. Holst du mich ab? Um halb acht?«

»Okay, bis morgen, viel Spaß dann heute Abend.«

Als sie vom Parkplatz fuhr, sah sie Robert in Zivil aus dem Wohntrakt kommen.

Die Saisonpolizisten konnten dort Zimmer mieten, was die meisten aufgrund der schlechten Wohnungssituation auf der Insel auch taten. Sie schliefen zwar in Zweibettzimmern und hatten dadurch relativ wenig Privatsphäre, dafür war es billig und praktisch. Und wenn einem die Decke auf den Kopf fiel, konnte man an freien Tagen ohnehin nach Hause fahren.

Jetzt erkannte Robert sie und hob grüßend die Hand. Halbherzig grüßte sie zurück, gab Gas und stellte erleichtert fest, dass ja gar keine Gefahr bestand, diesen Ausrutscher mit Robert zu wiederholen: Schließlich wohnte er im Zweibettzimmer und sie bei Papa. So hatte das doch alles etwas Gutes.

Inge ließ den Lappen in die Spüle fallen und ging dem ungeduldigen Klingeln nach zur Haustür. Als sie durch den Flur kam, sah sie hinter dem Glaseinsatz der Tür Karl stehen. Er presste das Gesicht an die Scheibe und hielt den Klingelknopf gedrückt.

»Ist jemand gestorben?« Inge hatte die Tür aufgerissen und starrte Karl neugierig an. »Oder warum machst du hier so einen Alarm?«

»Guten Morgen, Inge«, Karl schüttelte ihr ausgiebig die Hand und wartete, bis sie ihm Platz machte. »Hättest du ein Tässchen Kaffee für mich?«

Ungläubig sah sie ihn an. »Es ist noch nicht einmal halb neun. Das ist doch keine Zeit für Kaffeebesuche. Was ist denn passiert?«

»Lass mich rein, dann erzähle ich es dir. Ich wollte dich ein paar Sachen fragen. Es geht um Gisela.«

Inge öffnete die Tür jetzt ganz und ließ ihn rein. »Komm in die Küche.«

Karl ließ sich sofort auf Walters Platz auf die Eckbank sinken, sah sich neugierig um und dann Inge an. »Es ist schon komisch, so als Strohwitwe und Strohwitwer, oder? Da könnte man ja schnell auf komische Gedanken kommen. Also, wenn uns jetzt jemand sieht.«

»Karl, ich bitte dich«, mit der Kaffeekanne in der Hand drehte Inge sich um und sah ihn milde lächelnd an.

»Rechne mal nach, wie alt wir sind. Da kommt niemand mehr auf komische Gedanken. Also, was willst du mich fragen. Und was ist mit Gisela?«

Karl wartete, bis sie die Kaffeemaschine vorbereitet und sich an den Tisch gesetzt hatte. »Inge, ich mache mir ernsthafte Sorgen. Ich weiß nicht, wie es dir geht, aber dadurch, dass unsere Gisela ebenfalls ein Einbruchsopfer geworden ist, habe ich das Gefühl, dass das Böse immer näher kommt. Weißt du, da bricht jemand unbekümmert viermal ein, wird nicht gefasst, also, warum soll er denn damit aufhören? Wissen wir denn, wer von uns der Nächste ist?«

Er machte eine wirkungsvolle Pause, in der Inge ihn mit großen Augen ansah. Dann nickte er beruhigend und fuhr fort: »Ich war gestern mal bei meinen Jungs auf dem Revier. Ich habe den Runge wegfahren sehen, also konnte ich in Ruhe hin. Mein Nachfolger reagiert ja immer ein bisschen verschnupft, wenn ich komme.«

»Das kann man ja auch verstehen«, bemerkte Inge. »Du hättest es auch nicht gern gehabt, wenn dein Vorgänger damals andauernd angekommen wäre, um sich überall einzumischen.«

»Andauernd.« Karl griff in die Dose mit den Keksen, die Inge auf den Tisch gestellt hatte. »Ich gehe so selten hin, ich kenne schon nicht mal mehr alle Kollegen. Na, egal. Ich hätte damals übrigens nichts dagegen gehabt. Als junger Revierleiter ist man doch selten mit allen Gegebenheiten vertraut. Manchmal braucht man bei den Ermittlungen auch alte Hasen, die nicht blind in der Gegend rumlaufen, sondern sich auf Erfahrung und Fachkenntnisse berufen. Aber das hat Runge ja nicht nötig, das glaubt er zumindest. Typisch für jemanden von der Ostsee. Deshalb kommen sie ja auch nicht bei der Einbruchsserie weiter. Das macht mir wirklich große Sorgen.«

»Das weißt du doch gar nicht. Oder erzählen dir deine ehemaligen Kollegen, was sie schon alles herausgefunden haben?«

»Eben nicht«, trotz der Antwort holte Karl triumphierend ein Notizbuch aus der Tasche. »Selbst Benni wird langsam komisch, weil er Angst hat, Ärger zu bekommen. Die Kollegen sind alle überfordert, ich sage es dir. Ich kann mir das gar nicht angucken. Aber es gibt ja auch noch andere Möglichkeiten. Man kann beispielsweise mal eine Akte auf dem Tisch liegen lassen, wenn man plötzlich muss.«

»Das hat jemand getan?« Neugierig musterte Inge das abgewetzte Buch, das Karl in der Hand hielt. »Ist das so eine Akte?«

»Nein, natürlich nicht.« Karl legte es auf den Tisch und setzte seine Brille auf. »Das sind diese Gratisnotizbücher von der Sparkasse, die verschenken die immer zum Jahresanfang. Ich hole mir immer mehrere.«

Inge beugte sich nach vorn. »Und das hattest du dabei, als jemand die Akte liegen gelassen hat? Und hast einfach alles abgeschrieben? Im Krimi fotografieren die alles mit dem Handy. Musst du dir auch mal anschaffen.«

»Ich hatte noch nicht einmal ein Notizbuch dabei. Ich musste mir anders behelfen. Aber ich habe alle wichtigen Fakten anschließend hier aufgeschrieben. Also, zunächst mal die Namen der bisherigen Opfer.« Er drehte das Notizbuch um, damit Inge es lesen konnte. »Sagt dir einer der Namen was?«

»Johanna Roth, Eva Geschke, Helga Simon …«, Inge kaute auf ihrer Unterlippe und dachte nach. »Hat Johanna Roth nicht früher hier auf der Gemeinde gearbeitet?

Da gab es eine Frau Roth, ich glaube, die hieß Johanna mit Vornamen. Die wohnte in Archsum. Hast du keine Adresse dabei? Die anderen beiden Namen habe ich noch nie gehört.«

Sofort drehte Karl das Buch zurück und blätterte weiter. »Ja«, er tippte begeistert auf eine Stelle. »Archsum. Nur die Straße konnte ich nicht mehr rekonstruieren, an der Stelle war meine ... waren meine Aufzeichnungen verschmiert. Aber sie wohnt in Archsum. Kannst du sie nicht mal fragen, ob sie eine Tasse Kaffee mit dir trinkt?«

»Wozu?«

Karl lehnte sich zurück. »Inge. Ich habe mir wirklich Gedanken gemacht. Sieh mal, ich beobachte die Arbeit der Westerländer Polizei natürlich unter ganz anderen Gesichtspunkten. Ich bin sehr unzufrieden mit der Lässigkeit, die bei den Ermittlungen unter der neuen Führung dort eingezogen ist. Unter meiner Ägide hätte es diese Lücken bei den Befragungen nicht gegeben. Und jetzt kommen wir ins Spiel. Ich habe dir nur drei Namen genannt, und du konntest sofort mit dem Namen Roth etwas anfangen. Wir haben da einen ungeheuren Wissensvorsprung, und ich denke, wir sollten den nutzen.«

Inge sah ihn verständnislos an. »Nur, weil ich weiß, dass eine Frau Roth mal auf der Gemeinde gearbeitet hat?«

»Unter anderem. Aber ich wette, dass sowohl wir beide als auch Onno und Charlotte garantiert sensibler und zielorientierter Befragungen hinbekommen als dieser Ostseesheriff. Und deshalb habe ich mir überlegt, dass wir unseren Teil zur Verbrechensaufklärung auf dieser Insel beitragen müssen. Also, ich frage dich jetzt, Inge Müller, bist du dabei?«

Sie zuckte mit den Achseln. »Von mir aus. Was soll ich tun?«

Er zeigte mit dem Kugelschreiber auf das aufgeschlagene Notizbuch. »Du warst doch bei Gisela und hast auch bei ihr übernachtet. Hat sie denn gar nichts erzählt? Hat sie zum Beispiel irgendwelche auffälligen Personen beobachtet, irgendwas Ungewöhnliches bemerkt? Und gibt es vielleicht eine Parallele zu dem Einbruch bei Johanna Roth? Die Ermittlungsergebnisse sind ja noch so wahnsinnig dünn, das kannst du dir gar nicht vorstellen. Lediglich ein bisschen was von der Spurensicherung, kaum Befragungen von Nachbarn, keine Zeugen – also unter meiner Führung wäre da mehr Zug drin gewesen. Mich ärgert das richtig. Wir müssen da nachhaken.«

»Du meinst, *wir* sollen jetzt die Arbeit der Polizei machen?« Langsam stand Inge auf, um den Kaffee zu holen. »Ist das nicht ein bisschen übertrieben? Wir sind doch nicht im ›Tatort‹. Und du kriegst vielleicht richtig Ärger.«

Karl folgte ihr in die Küche, wo sie vor der Kaffeemaschine stehen blieb und wartete, bis die ganz durchgelaufen war. Ein lautes Hupen ließ Karl und sie aus dem Fenster sehen. Sina Holler fuhr gerade mit ihrem schwarzen Porsche auf die Auffahrt des Nachbargrundstücks. »Dass die immer hupen muss, um ihre Ankunft anzukündigen«, sagte Inge missbilligend. »Jeder normale Mensch klingelt.«

Karl beugte sich neugierig nach vorn, um zu sehen, wer der Täter war. »Schickes Auto«, sagte er anerkennend. »Ist das die kleine Holler?«

»Na ja, klein?« Inge zog die Kaffeekanne von der Wärmeplatte. »Die ist auch schon Mitte, Ende dreißig. Wohnt in Hamburg, kommt nur manchmal zu Besuch. Eine Angeberin. Wie ihre Mutter.«

»Inge, du wirst ja auch eine von diesen tratschigen Nachbarsfrauen«, Karl grinste. »Was geht dich die Tochter der Nachbarin an? Apropos Tochter, weißt du schon, dass Maren wieder da ist? Und sogar für immer bleibt?«

»Ach, stimmt, das habe ich auch gehört.« Sie gingen zurück ins Esszimmer, Inge schenkte Kaffee ein, brachte die Kanne zurück und nahm wieder Platz. »Das ist sehr schön für Onno. Ich hoffe, dass es für seine Tochter auch die richtige Entscheidung ist. Jung und Alt unter einem Dach geht ja nicht immer gut.«

»Das wird schon«, erwiderte Karl zuversichtlich. »Maren hat ja ihre eigene Wohnung bei Onno. Und der ist zwar manchmal drollig, aber dabei ganz verträglich. Und was hast du jetzt gegen die kleine Holler?«

»Nichts«, Inge winkte unwirsch ab. »Das geht mich ja auch nichts an, da hast du völlig recht. Aber ich kann ihre Mutter nicht leiden, das ist keine nette Frau. Und Sina trägt die Nase auch ganz schön weit oben. Du musst dir mal die Autos angucken, mit denen sie fährt. Jedes Jahr ein neuer Porsche, das ist doch nicht normal. Und dann die Klamotten, mit hohen Hacken geht die zum Strand, ich bitte dich. Als wenn sie etwas Besseres wäre. Die grüßt noch nicht mal, wenn ich sie in der Stadt treffe. Kein Benehmen, ich sage es dir. Und ihre Mutter hat doch die Kaufsucht. Ständig bestellt sie neue Möbel und schrecklichen Krimskrams, ich möchte nicht wissen, wie das da drüben im Haus aussieht.«

»Dabei war es früher so ein schönes Haus«, sagte Karl. »Ganz fein und so schöne Möbel.«

»Wann warst du denn da mal drin?«

»Als Wilhelm Holler noch lebte.« Karl überlegte. »Das ist ewig her, da war ich noch jung und habe ein paar Möbel aus dem Nachlass meiner Großeltern verkauft. Wilhelm war ein netter Kerl, er hatte diesen großen Antiquitätenladen in Westerland. Möbel, Schmuck, Münzen, der hat alles verkauft, was schön und teuer war. Und er hat mich nach Hause eingeladen, nachdem wir uns einig geworden waren. Ich war schwer beeindruckt, weil alles so vornehm war. Und ich habe den ersten Brandy meines Lebens getrunken. War sehr elegant.«

»Tja, davon ist nicht viel geblieben.« Inge warf einen nachdenklichen Blick durchs Fenster. »Jutta Holler hat etwas furchtbar Gewöhnliches. Das denkt man nicht, wenn man ihren Mann kannte. Warum er sich die wohl ausgesucht hat?«

»Warum sucht man sich jemanden aus? Das sind die Hormone, glaube ich, irgendetwas Biologisches. Alles andere macht ja keinen Sinn.«

Inge lachte. »Vermutlich. So, und jetzt zurück zu deinen Ermittlungen. Was sollen wir jetzt tun?«

»Wir fangen von vorn an«, Karl griff zu seinem Bleistift und sah sie entschlossen an. »Die Hälfte der Opfer singt im Chor. Und wir haben auch Verbindungen zu den zwei anderen Opfern. Du zu Johanna Roth – und Onno müsste Helga Simon kennen, also zumindest flüchtig. Ihr Mann Hein war nämlich auch auf dem Rettungskreuzer. Wir sitzen sozusagen an der Quelle. Wir haben zu allen einen leichten Zugang. Das müssen wir nutzen. Es braucht natürlich eine professionelle Organisation, aber dafür bin ja ich da.«

Inge hatte noch gar nichts gesagt, wartete aber gespannt ab. Karl fuhr triumphierend fort: »Bis Peter Runge aus dem Quark kommt, haben wir schon die ersten Ermittlungsergebnisse. Damit die Bedrohung auf der Insel endlich mal ein Ende hat. Also noch mal: Bist du jetzt dabei?«

Inge sah ihn mit großen Augen an.

Begeistert streckte Karl ihr seine Hand hin. »Großartig, ich wusste, dass ich mich auf dich verlassen kann. Schlag ein, du bist im Team. Ich fahre jetzt bei Onno vorbei, du sprichst mit Charlotte, und dann zeigen wir dem Runge, wo der Hammer hängt.«

Inge schluckte. Bei dieser Entschlossenheit fanden ihre Bedenken keinen Platz. Sie hoffte nur, dass Karl wusste, was er tat, und Walter und Heinz nicht früher als nötig zurückkamen.

Sina schloss die Haustür auf, nachdem sie noch einmal geklingelt hatte. Das Erste, was sie sah, war ein Mann, der mit einem Handtuch um die Hüften aus der Küche kam. Er sah sie erst irritiert, dann anerkennend an, bevor er ein lässiges »Guten Morgen« ausstieß und die Treppe hinaufstieg. Mit einem Augenrollen kickte Sina sich ihre Joggingschuhe von den Füßen und beeilte sich, nach oben zu kommen. Sie hatte überhaupt keine Lust, ständig auf die wechselnden Liebhaber ihrer Mutter zu treffen, schon gar nicht, wenn sie – wie jetzt – verschwitzt vom Joggen kam. Als sie sich gegen halb acht aufgemacht hatte, war im Haus noch alles ruhig gewesen. Sina hatte sich entschlossen, mit dem Wagen bis zum Kliff zu fahren und dort zu laufen. Durch Wohnstraßen konnte sie auch zu Hause joggen. Dass ihre Mutter am Vorabend wieder jemanden abgeschleppt hatte, war an den Weingläsern und den überquellenden Aschenbechern im Wohnzimmer zu sehen gewesen. Sina fand das richtig abstoßend. Sie hatte keine Ahnung, wie Jutta es anfing, aber sie sah oft genug, wie es endete. Die meisten der Typen waren Vollidioten, jünger als Jutta, aber schon einigermaßen abgehalftert. Sie hatten teure Scheidungen oder Pleiten hinter sich, fühlten sich immer noch großartig und waren einfach nur erbärmlich. Und Jutta war es noch nicht einmal peinlich, dass diese Knalltüten sich auch noch halb nackt ihrer Tochter zeigten. Und sie dabei blöde anstarrten. Dabei musste Jutta die Autohupe gehört haben, der Porsche stand direkt unter ihrem Schlafzimmer. Vielleicht schickte sie die Typen auch extra raus, damit Sina sich angucken konnte, mit welchen Supermännern ihre Mutter gerade in der Kiste lag. Widerlich.

Als sie geduscht und umgezogen in die Küche kam, war niemand mehr zu sehen. Von oben klangen Gelächter und Musik, es war nicht auszuhalten. Über einem der Designerstühle hing Juttas Tasche. Sie klaffte auseinander, vollgestopft mit Taschentüchern, Zigaretten, Kosmetika und allem möglichen Krimskrams. Mit geübten Griffen durchforschte Sina den Inhalt und fand sofort, was sie suchte. Jutta stopfte das Bargeld einfach in die Tasche, der Griff zum Portemonnaie war ihr zu lästig. Sina zählte die Banknoten durch, es waren über achthundert Euro, sie nahm nur einen Teil, Jutta würde es überhaupt nicht merken.

Mit einem Teebecher in der Hand ging sie wieder in ihr Zimmer. Sie hatte am späten Nachmittag einen Termin bei Juttas Friseurin und konnte nur hoffen, dass das Liebesleben ihrer Mutter sich nicht so lange hinzog. Sie hatte keine Lust, diesem halb nackten Typen noch mal über den Weg zu laufen. Und dann vielleicht auch noch mit ihm reden zu müssen.

Sie hockte sich mit angezogenen Beinen auf die Fensterbank, stellte den Tee vorsichtig ab und rief Torben an, der schon nach dem ersten Klingelzeichen abnahm.

»Hey«, man hörte schon an seiner Stimme, dass er lächelte. »Wo bist du?«

»Zu Hause«, Sina rieb mit dem Zeigefinger an der Fensterscheibe, die sich durch den Dampf des heißen Tees beschlagen hatte. »Was machst du heute Abend? Ich hätte Lust auf die ›Sansibar‹.«

»Okay.« Er überlegte einen Moment. »Ich muss allerdings noch ein paar Dinge erledigen, also vor neunzehn Uhr schaffe ich es nicht. Ich bestelle uns einen Tisch. Soll ich dich abholen? Oder fährst du selbst?«

»Ich fahre selbst«, Sina sah kurz auf den kleinen Wecker, der auf ihrem Nachttisch stand. »Ich habe vorher noch einen Friseurtermin in Westerland, dann fahre ich gleich weiter. Wir treffen uns da. Bis später.«

Sie drehte das Telefon zwischen den Händen und starrte nach draußen. Ihr Blick fiel auf den Porsche. Wenn Uwe das wüsste. Vermutlich saß er jetzt gerade in einem korsischen Café, ließ sich von seiner Frau nerven und dachte an den Sex mit Sina. Den er nicht mehr hatte. Wahrscheinlich hatte er gar keinen mehr. Weil seine Alte ihn früher auch nie rangelassen hatte, zumindest hatte Uwe das so erzählt. Deshalb war Sina für ihn wie ein Geschenk. Und trotzdem hatte er sie abserviert. Und dann auch noch mit einer Anzeige gedroht, falls sie die Anrufe, Mails und Briefe nicht abstellte. Idiot. Aus lauter Angst vor dieser bescheuerten Frau. Und nur, weil *sie* die Kohle hatte.

Sie stand auf und ging zum Spiegel, um sich zu betrachten. Uwe hatte doch keine Ahnung, was ihm entging. Sina zog das T-Shirt weiter nach unten, um mehr Dekolleté zu zeigen. Perfekter Busen, Sina lächelte sich zu und ging zum Schrank.

Die »Sansibar« war eines ihrer Lieblingslokale auf der Insel, schön, teuer, gutes Essen und eine hohe Promidichte. Torben war ein guter Begleiter, er kannte Gott und die Welt, bekam in jedem Restaurant auf der Insel einen Tisch, was nicht jedem gelang, und war immer großzügig. Stellte sich also nur noch die Frage, was sie anziehen sollte. Um in der besagten Promidichte wahrgenommen zu werden.

So, und jetzt erzähl«, Rike setzte ihr Glas auf dem Holztisch ab und sah Maren gespannt an. »Sieht er noch genauso aus? Was hat er denn gesagt? Hat er sich gefreut oder gleich einen Anfall bekommen? Und wie ging es dir damit?«

Maren starrte sie an, dann in ihr Bierglas, hob wieder den Kopf und stützte ihr Kinn resigniert auf ihre Hand. »Tja«, sagte sie. »Wenn ich dir das alles beantworten könnte, wäre ich gut. Ich habe keine Ahnung, wie es mir damit geht. Irgendwie ist es … unpassend, also, ich meine, ich hätte das jetzt nicht gebraucht. Ich habe nach diesem Seminar wochenlang den Gedanken an Robert und dieses Fiasko verdrängt, und ausgerechnet jetzt, wo ich den Schnitt gemacht habe, holt es mich hier ein. Es ist völlig bescheuert.«

»Fiasko?« Spöttisch sah Rike sie an. »Ich dachte, es wäre so gut gewesen.«

Maren ließ ihre Blicke über das Dünental wandern. Das Lokal, vor dem sie saßen, war eines ihrer Lieblingslokale, aber heute Abend mal wieder völlig ausgebucht. So waren nur noch draußen Plätze frei, etwas enttäuscht hatten sie sich an den langen Holztischen zwei Plätze auf den Bänken gesucht. In diesem Moment trafen lautstark drei fröhliche Paare ein, die fragten, ob sie sich dazusetzen könnten. Maren nickte und deutete auf die Bank. Sie

machten hier alle Urlaub und seien das erste Mal in der
»Sansibar«, allerdings ohne Reservierung, und drinnen
sei alles voll. Zwei der Frauen tuschelten noch aufgeregt
über einen Schauspieler, den sie gerade erkannt hatten,
während einer der Männer jetzt auf einen Sportmoderator
zeigte, der sich einen Weg ins Lokal bahnte. »Guck doch
mal, das ist doch der Wagner vom Fußball, hat der echt
eine Reservierung oder lassen sie die Promis alle so rein?«

»Promis schon«, sagte Rike und grinste etwas schief.
»Aber deswegen kommen die Leute ja auch. Um die zu
sehen.«

»Aber auch, weil das Essen gut ist«, ergänzte Maren
schnell und schickte Rike einen tadelnden Blick. »Meine
Freundin ist nur neidisch, weil sie vergessen hat, einen
Tisch zu bestellen.«

»Sicher«, antwortete Rike, die viel lieber die Geschichte
von Robert gehört hätte und genau wusste, dass Maren
auf keinen Fall vor Publikum die Fragen beantworten
würde. »Ich bin nur neidisch. Und überhaupt nicht pro-
minent.«

Ihre Tischgenossen vertieften sich jetzt in die Speisekarte, während Rike sich umsah. Als ihr Blick zum Eingang
wanderte, entdeckte sie plötzlich jemanden und schob
sich ein Stück zur Seite, um hinter dem breiten Rücken
ihres Nachbarn in Deckung zu gehen. Auf Marens fragenden Blick wisperte sie: »Da steht Torben. Duck dich
mal, wenn er uns sieht, kommt er und quatscht uns voll.«

Maren sah an ihrem Nebenmann vorbei. »Er bleibt am
Eingang und spricht mit einem Kellner. Jetzt gibt er ihm
die Hand. Und jetzt geht er rein. Er hat reserviert. Vielleicht hättest du dich nicht ducken sollen, dann könnten
wir auch drin essen.«

Rike kam aus ihrer Deckung. »Ich kann mir gut vorstellen, dass Torben nicht reservieren muss. Der hat überall auf der Insel Beziehungen. Und, aha, da kommt Sina. Guck mal an.«

Neugierig drehten sich zwei der Frauen in die Richtung, in die Rike guckte, erkannten aber niemanden und vertieften sich wieder in ihre Karten.

Maren hatte es beobachtet und beschlossen, die Lokalität zu wechseln. Sie hatte keine Lust, die Ereignisse ihrer ersten beiden Diensttage in Gesellschaft wildfremder Leute zu erzählen. »Lass uns zahlen«, sagte sie deshalb. »Wir können uns auch bei mir in den Garten setzen.«

»Okay«, nickte Rike und kramte ihr Portemonnaie aus der Jackentasche. »Ich bin sehr gespannt. Zahlen, bitte!«

»Wieso hat Torben eigentlich so viele Beziehungen?« Maren setzte den Blinker und fuhr vom Parkplatz. »Und was macht er eigentlich genau, außer alleinstehenden Frauen den Rechner anzuschließen und die Schränke zusammenzuschrauben?«

»Er hat sich vor ein paar Jahren selbstständig gemacht. Mit so einer Rundum-Sorglos-Firma, egal, ob du einen neuen Fernseher brauchst, dein Telefon ummelden willst, das Handy nicht programmieren kannst, deine Waschmaschine nicht mehr schleudert oder der Rasenmäher spinnt, Torben repariert und kümmert sich um alles, was mit Technik zu tun hat. Und das wohl ziemlich erfolgreich. Jedenfalls kennt er Gott und die Welt. Wir haben letztes Jahr dringend eine neue Putzfrau für die Praxis gesucht, das hat Torben mitbekommen, weil er einen Termin bei uns hatte, und eine Stunde später hat sich die erste Bewerberin vorgestellt. Als mir letztes Jahr mein Auto verreckt ist, habe ich Torben getroffen, als ich gerade wütend aus der Autowerkstatt kam. Da hatte ich erfahren, was die für die Reparatur haben wollten. Abends bekam ich einen Anruf, dass Torben einen Bekannten hat, der seinen Wagen verkaufen will. Das war ein echter Glücksgriff, der Wagen war ein Schnäppchen, bisher keine Mucken. Ein Superauto. Jeder braucht so einen Torben, den muss man sich echt warmhalten.«

»Er ist ja auch ganz nett«, Maren sah kurz in den Rückspiegel. »Der Idiot fährt dicht genug auf, um für zwei Monate den Führerschein abzugeben. Schreib mal die Nummer auf.«

»Du hast Feierabend«, Rike drehte sich kurz um. »Den kennen wir nicht. Lass uns über Robert sprechen.«

Maren warf einen abschließenden Blick in den Spiegel und schüttelte den Kopf. »So ein Idiot.«

»Robert?«

»Nein«, Maren wartete ab, bis der ungeduldige Hintermann sie überholt hatte. »Dieser Trottel hier. Ich hoffe, dass die Kollegen hier regelmäßig blitzen. Der wird hoffentlich noch erwischt.«

Natürlich war Robert kein Idiot, ganz und gar nicht. Das war es ja gewesen. Sonst hätte er sie auf der Weiterbildung überhaupt nicht durcheinandergebracht. Maren hatte sofort wieder die Bilder dieses Abends vor Augen.

Er war ihr sofort aufgefallen, schon an der Rezeption des Hotels. Sie waren gleichzeitig angekommen, hatten nebeneinander eingecheckt und im selben Moment gesagt, zu welcher Seminargruppe sie gehörten.

»Ach?« Interessiert hatte Robert sie angesehen. »Kollegin?«

Maren hatte überhaupt nicht verstanden, was sie in dieser Sekunde getroffen hatte. Ob es seine Stimme, der intensive Blick aus diesen blauen Augen oder die anschließende kurze Berührung an ihrem Ellenbogen gewesen war: Maren hatte jedenfalls ihren Verstand an der Rezeption gelassen. Von der Weiterbildung hatte sie in den nächsten Tagen so gut wie nichts mitbekommen. Stattdessen beobachtete sie Robert so unauffällig es ging, dachte das erste Mal seit Monaten nicht eine Sekunde mehr an Henry, bekam bei jedem Blick, den er ihr zuwarf, mehr Selbstvertrauen und fand ihn von Minute zu Minute interessanter. Er war einfach unglaublich sexy: breite Schultern, lange Beine, schöne Hände – und selbst der Vollbart wirkte an ihm atemberaubend. Maren hatte sich dabei ertappt, sich mitten in einem Vortrag über Vernehmungstechniken vorzustellen, wie es sich anfühlte, einen Vollbartträger zu küssen. Henry war immer perfekt rasiert gewesen, er war auch kleiner, hatte einen Bauchansatz und sie verlassen, allein schon deshalb hatte Maren plötzlich eine unbändige Lust überfallen, mit Robert Jensen ins Bett zu gehen. Und zwar auf der Stelle. Genau an diesem Punkt musste sie den Seminarraum verlassen, um sich kaltes Wasser über die Handgelenke laufen zu lassen, was ihren Blutdruck zwar senkte, die Gedanken aber keinesfalls abstellte.

Am letzten Abend des Seminars war es dann passiert. Robert und sie hatten nach einem gemeinsamen Abendessen mit anderen Kollegen noch einen Absacker an der Bar genommen, der nach dem Weißwein beim Essen einfach das Aus für Marens Hemmschwelle gewesen war. Kurz vor halb drei hatte sie ihm fest in die Augen gesehen und ihm schlichtweg mitgeteilt, dass sie ausgesprochen gern mit ihm schlafen würde, und statt einer Antwort hatte er nur am Tresen bezahlt und sie am Handgelenk zu seinem Zimmer geführt.

Über die nächsten Stunden hatte Maren fast erfolgreich den Mantel des Vergessens gestülpt. Sie wollte nicht mehr daran erinnert werden, dass es eine wunderbare Nacht gewesen war, abgesehen vielleicht von dem kleinen Schwindelgefühl vom Alkohol. Robert war ein höchst einfühlsamer Liebhaber, und Maren beschloss, sich künftig nur noch in Männer mit Vollbärten zu verlieben. In der Erinnerung verblassten Henrys glatt rasiertes Gesicht und sein Null-acht-fünfzehn-Körper zu einem fahlen Nichts.

Am nächsten Morgen hatte sie sich einigermaßen verkatert, aber doch sehr entspannt die Teilnehmerlisten angesehen. Eigentlich nur, um noch einmal Roberts Namen zu lesen und sich seine Adresse einzuprägen, aber dabei fiel ihr Blick auf sein Geburtsdatum und damit auch ihre Laune – und zwar auf den Nullpunkt. Vollbart macht echt älter, hatte sie gedacht: Robert war knapp zehn Jahre jünger als sie. Zehn Jahre. Sie hatte mit dem jüngsten Teilnehmer des Seminars geschlafen, ohne es auch nur zu ahnen. Als sie Führerschein gemacht hatte, war er noch zur Grundschule gegangen, als sie konfirmiert wurde, war er gerade mal im Kindergarten. Mit einem Schlag war ihr Hochgefühl verflogen. Das konnte sie nicht. Egal, wie sexy, wie klug, wie charmant, wie freundlich er war, zehn Jahre Altersunterschied waren definitiv zu viel. Sie wirkte keine zehn Jahre jünger, wollte es auch gar nicht sein, aber genau das würde auch das Problem werden. Irgendwann würde sie beim Sex den Bauch einziehen müssen, irgendwann auf freundliche Beleuchtung hoffen, die ihre Cellulitis kaschierte, irgendwann würde sie seine gleichaltrigen Freunde meiden, weil deren Freundinnen so viel jünger waren, und irgendwann würde er sie für eines dieser Mädchen verlassen. Das brauchte sie alles nicht, das wollte sie nicht und das würde sie auf gar keinen Fall zulassen. Und genau deshalb reiste sie am Tag nach dieser wunderbaren Nacht auch sehr früh und ohne Abschied ab. Die Einzige, die bislang von diesem fatalen Irrtum wusste, war Rike. Die hatte damals daran glauben müssen und in noch verschlafenem Zustand der wirren Schilderung einer verwirrten Freundin folgen müssen. Aber genau dafür waren Freundinnen ja schließlich da.

»Du fährst auch zu schnell, meine Liebe«, Rike beugte sich zu ihr, um den Tacho besser sehen zu können. »Hoffe lieber, dass deine Kollegen nicht blitzen, sonst bist *du* nämlich dran. Dreißig zu schnell, nimm mal den Fuß vom Gas.«

Maren trat erschrocken auf die Bremse. »Oh, Gott. Ich war gerade in Gedanken.«

»Ich weiß«, Rike grinste. »Ich warte ja die ganze Zeit auf die Geschichte. Wird das heute noch was?«

»Wir hatten im Dienst gar nicht viel Zeit, uns zu unterhalten, wir hatten sofort einen Einsatz. Er hat nur gleich am Anfang gesagt, dass er sich doch sehr gewundert hat, dass ich mich nicht gemeldet und nicht auf seine Mails und SMS reagiert habe.«

»Und …?«

»Nichts«, Maren blieb vor einer roten Ampel stehen und sah Rike an. »Genau an der Stelle telefonierte so ein Jungdynamischer im Auto. Genau vor uns. Der musste dann eben dran glauben.«

»Irgendwann wirst du ihm die Frage vermutlich beantworten müssen.« Rike kurbelte das Fenster ein Stück runter und atmete tief ein. »Aber das ist ja gar kein Problem: Du kannst ihm einfach sagen, dass du nichts mit jüngeren Männern anfängst, weil du spießig bist. Weil du irgendwelche Komplexe und Vorurteile hast, die nichts mit ihm zu tun haben. Weil Frauen das im Gegensatz zu Männern nämlich nie machen dürfen, also sich mit einem jüngeren Partner zusammenzutun. Es sei denn, die Frau heißt Madonna oder Jennifer Lopez, dann sind die Kerle aber auch keine Kollegen, sondern Toyboys. Oder?«

»Ach, Rike«, Maren gab wieder zu viel Gas, merkte es aber diesmal selbst und bremste ab. »Du tust so, als hättest du damit kein Problem. Hey, der ist zehn Jahre jünger als wir. Wenn ich mit ihm nach Hause komme, denkt mein Vater, ich habe einen Nachhilfeschüler. Vergiss es einfach. Es ist Pech, dass er da ist, es war Pech, dass ich an dem Abend zu viel Alkohol getrunken habe, es ist Pech, dass es eigentlich eine schöne Nacht war, aber, Herrgott, manchmal läuft es eben schief. So. Und ich glaube, wir müssen das Thema auch nicht mehr vertiefen. Außerdem sind wir schon da.«

Maren setzte den Blinker und fuhr auf die Auffahrt. Onnos Moped stand neben seinem alten Käfer im Carport, Maren parkte ihren Wagen davor und stellte den Motor ab. »Und jetzt reden wir nicht mehr über mein Privatleben, sonst werden die Ohren meines Vaters immer größer.«

»Ich glaube, Onno ist das ganz egal«, antwortete Rike leichthin und schnallte sich ab. »Du willst nicht mehr darüber reden, aber eins sag ich dir: Ich gucke mir diesen Robert erst mal an. Und dann erzähle ich dir, was ich über ihn denke. Über ihn und dich. Und jetzt möchte ich den besten Wein, den ihr im Haus habt. Wenn ich schon keine aufregenden Geschichten zu hören bekomme.«

»Maren?« Der Ruf kam von der Tür. »Bist du das?«

»Nein, hier ist Angela Merkel«, rief Maren zurück, stieg aus und schloss den Wagen ab. Sie wartete, bis Rike neben ihr stand. »Dabei erkennt er mein Auto am Motorengeräusch. Hat er neulich Karl erzählt. Egal, wie tief er schläft.«

Sie gingen langsam auf Onno zu, der in der Haustür stand und ihnen entgegensah. »Na?«, fragte er. »Kleinen Abendtrunk?«

Überrascht sah Maren ihren Vater an. Er trug eine rote Trainingshose, ein weißes Hemd und hatte sich eine Schürze vor den Bauch gebunden. Er bemerkte ihren Blick und band sich schnell die Schürze ab. »Habt ihr schon gegessen? Ach, ihr wart ja in der ›Sansibar‹, dann habt ihr schon, oder?«

»Nein«, Rike klopfte ihm anerkennend auf den Bauch, als sie an ihm vorbei ins Haus ging. »Du Schürzenjäger. Es war zu voll, und wir hatten nur draußen einen Tisch mit einem Haufen Feriengästen. Es war zu laut, um zu essen. Ich wäre also einer Stulle nicht abgeneigt.«

»Stulle«, Onno schüttelte lächelnd den Kopf. »Ich kann euch eine französische Fischsuppe anbieten.«

»Fein«, war Rikes Antwort. »Zweimal bitte. Und zwei Gläser trockenen Weißwein.«

In der »Sansibar« stellte die gut gelaunte Bedienung eine Flasche Weißwein in einen Eiskühler und lächelte Sina und Torben an. »So, und was möchtet ihr essen?«

Torben nickte und bestellte für beide Seezunge, Sina sah sich währenddessen um. Alle Tische waren wie immer besetzt, am Eingang stand schon wieder eine Schlange, die darauf wartete, dass jemand seinen Platz räumte. Und alle sahen aus, als hätten sie Geld.

»Was denkst du?«, Torbens Frage kam unerwartet, Sina hatte gar nicht mitbekommen, dass die Bedienung schon wieder verschwunden war. Sina griff nach ihrem Glas und sah ihn an. »Das fragen doch sonst nur Frauen. Prost.«

Er lächelte und trank, bevor er sein Glas abstellte. »Das interessiert mich aber.«

Sie hob die Augenbrauen. »Das willst du gar nicht wissen. Lauter uninteressantes Zeug.«

Er beugte sich vor und griff nach ihrer Hand. »Ich habe mich tierisch über deinen Anruf gefreut. Und darüber, dass wir jetzt zusammen hier sitzen. Du siehst übrigens toll aus.«

»Danke«, Sina lächelte ihn an. »Und wie geht es dir so?«

»Gut«, unverwandt blieb sein Blick auf ihr haften. »Jetzt im Moment sehr gut. Wie lange bleibst du eigentlich? Wenn du Lust hast, könnten wir auch einen Tag mit dem Boot raus.«

Sina strich sich langsam eine Haarsträhne aus dem Gesicht. »Warum nicht?« Sie streckte unter dem Tisch ihr Bein aus, bis ihr Fuß seinen berührte. »Ich muss mal sehen, wie lange ich es dieses Mal bei meiner Mutter aushalte.«

Es ging bei dem Bootsausflug natürlich nicht um einen Segelturn, es ging um die Koje. Sina hasste Segeln, Torben wusste das.

»Habt ihr euch wieder gestritten?«

Er drückte seine Wade an ihre und lächelte. Sina erwiderte den Druck. »Wir streiten dauernd. Jutta wird immer schlimmer. Ich verstehe überhaupt nicht, was sie da eigentlich macht.«

Sie nippte an ihrem Weinglas, bevor sie weitersprach. »Ihre ganzen Männergeschichten sind mittlerweile echt abstoßend. Und dann lässt sie das Haus verkommen, das kannst du dir nicht vorstellen. Der Garten sieht aus wie bei Hempels, das Haus ist total verdreckt, weil sie jede Putzfrau wieder feuert, es ist alles runtergekommen. Ich verstehe überhaupt nicht, warum sie die Hütte nicht verkauft und in eine schicke Wohnung zieht. Im Moment werden doch so hohe Preise für Häuser auf der Insel bezahlt, sie kriegt das doch mit Kusshand weg.«

Torben nickte. »Das stimmt. In der Lage und bei der Größe bekommt ihr locker über eine Million.«

Sina beugte sich wieder vor. »Eben. Aber sie will nicht.« Sie machte eine Pause, dann legte sie wieder die Hand auf seine. »Hast du auch von diesen Einbrüchen gehört? So was müsste mal bei meiner Mutter passieren. Damit sie sich nicht mehr so verdammt sicher fühlt. Und zu der Einsicht käme, dass die Idee, das Haus zu verkaufen, gar nicht so schlecht ist …«

»Sina«, Torben sah sie irritiert an. »Du wünschst dir einen Einbruch, damit deine Mutter verkaufen will? Das ist doch nicht dein Ernst. Das kannst du nicht wirklich wollen.«

»Warum nicht?« Sie zog ihr Bein wieder an. »Das ist mein Ernst. Ich wünsche es mir. Damit dieser alte Kasten wegkommt. Mit dem Geld könnte ich mehr anfangen.«

Torbens Gesichtsausdruck war unschlüssig, Sina musste aufpassen, dass sie hier keine Sympathiepunkte verschenkte. Sie warf ihr Haar zurück und lachte leise. »Jetzt guck nicht so. Ich werde keinen Einbrecher organisieren. Man kann sich doch mal was wünschen.«

Er schwieg, Sina hatte keine Ahnung, was er dachte. Vermutlich ans Boot. Und an den Sex mit ihr. Das war ihre leichteste Übung. Sie schlüpfte aus ihrem Schuh und strich jetzt mit dem nackten Fuß an seinem Bein entlang. Torben öffnete den Mund, Sina war schneller. »Meine Mutter hat sich so wahnsinnig verändert. Ich weiß nicht, ob sie ein Alkoholproblem hat, ich halte das für durchaus möglich, sie sieht schon ein bisschen so aus. Abgehalftert, wenn du weißt, was ich meine. Und so billig. Was mich wahnsinnig macht, ist der Gedanke, dass sie im Suff irgendwelche Typen aufreißt und mit denen mein Erbe durchbringt. Außerdem kauft sie ja auch ein wie eine Geisteskranke. Egal, was, Klamotten, Möbel, Schmuck, Hauptsache teuer und geschmacklos. Alles ist vollgestopft mit diesem Scheiß, ich kann das gar nicht mehr sehen. Und ich kann sie nicht mehr sehen.« Sina hatte sich in Rage geredet, Torben griff beruhigend nach ihrer Hand und drückte sie.

»Kann ich dir irgendwie helfen?«

Sie lächelte zynisch. »Ob du mir helfen kannst? Ja, sicher. Vertreib sie aus dem Haus. Überfall sie, mach ihr Angst, raub sie aus, bring sie um. Was immer du willst, Hauptsache, sie verkauft die Hütte und säuft für den Rest ihres Lebens in einer Zweizimmerwohnung, weit weg von mir.«

Torben zog seine Hand langsam weg. »Puh«, sagte er leise. »Das ist ja mal eine Ansage. Ich wusste gar nicht, dass euer Verhältnis *so* schlecht ist. Es tut mir leid. Aber du ...«

»Hey, komm«, Sina holte sich die Hand zurück. »Mach nicht so ein Gesicht. Ich bin schon groß und werde mit meiner Mutter fertig. Lass uns das Thema wechseln. Schenk mir noch ein Glas Wein ein, und dann reden wir über unsere Bootsausflüge.«

Rike und Maren hatten sich auf Onnos Anweisung hin schon an den Terrassentisch gesetzt. »Das Essen bringe ich euch. Aber um den Wein muss sich Maren kümmern, ich habe nur Bier. Und nehmt Löffel und Servietten mit raus.« Dann verschwand er in seiner Küche.

»Er muss bei Feinkost Jessen ein Vermögen ausgeben«, sagte Maren leise, während sie eine Weinflasche entkorkte, die sie schnell aus ihrer Wohnung geholt hatte. »Ich hatte ihm vorgeschlagen, dass ich für ihn kochen könnte, das hat er rigoros abgelehnt. Er wäre durchaus in der Lage, sich selbst zu versorgen, hat er gesagt. Wir könnten ja ab und zu mal zusammen essen, das müsste ja nicht jeden Tag sein. Aber dann kam er zweimal an und hatte Reste. Du, und jedes Mal so besondere Sachen, einmal war es Thaicurry, ein anderes Mal Kalbsmedaillons mit Gorgonzolasauce. Nur, damit ich ihn nicht bekoche. Der Sturkopf.«

»Ich würde mich nicht über so ein Essen beschweren«, Rike schnupperte am Wein, bevor sie probierte. »Ich würde einfach Danke sagen.«

»Aber er kann sich doch nicht dauernd was bestellen, das muss er auch bezahlen. Das ist garantiert nicht billig, dafür war es zu gut. Na ja, er wird es irgendwann merken und mich dann doch fragen, ob ich ab und zu mal für ihn mit koche.«

Rike hielt ihr Glas in der Hand und sah Maren erstaunt an. »Du, das ist kein Fertigessen. Und ich glaube auch nicht, dass Onno dich für ihn kochen lässt.«

»Wie meinst du das?« Maren sah sie erstaunt an.

»Dein Vater kocht selbst. Und zwar richtig gut. Sag bloß, das weißt du nicht?«

»So, die Damen, hier kommt die französische Fischsuppe«, unbemerkt war Onno mit einem Tablett an den Tisch getreten. Er stellte die Suppenteller vor sie, dazu aufgebackenes Weißbrot, und setzte sich an die Stirnseite. »Guten Appetit, ich habe schon gegessen.«

»Du kochst?« Immer noch perplex starrte Maren ihren Vater an. »Seit wann das denn?«

Onno hebelte den Kronkorken von seiner Bierflasche und überlegte. »Seit zwei, drei Jahren? Also, ich habe auch schon gekocht, als Mama noch da war, aber danach, also seit sie nicht mehr da ist, habe ich es mal richtig gelernt. Ich wollte nicht immer fragen, wenn ich was aus dem Kochbuch nicht verstehe. Und da habe ich einen Kochkurs gemacht.«

Sprachlos probierte Maren die Suppe. Sie war einfach sensationell. »Das ist ja der Hammer«, sagte sie. »Aber das lernt man doch nicht in einem Kochkurs?«

»Nö, jetzt bin ich ja im Kochclub.« Onno trank das Bier aus der Flasche. »Wir treffen uns zweimal im Monat. Und letztes Jahr bin ich sogar Kochkönig geworden. Aber denk jetzt nicht, dass ich jeden Tag was für dich koche. Aus dem Alter bist du raus. Jetzt iss, sonst wird's kalt.«

Der Rest des Essens verlief schweigend, Maren hatte noch immer nicht so ganz begriffen, was sie da gerade erfahren hatte – und außerdem war die Suppe so gut, dass sie sich lieber ganz und gar darauf konzentrierte. Erst als Onno das Geschirr abräumte und jede Hilfe ablehnte, weil nur er sein System in der Küche kannte, erzählte Rike, dass sie sich ab und zu bei Onno zum Essen einlud. »Meine Mutter war auch in diesem Kochclub«, erzählte sie. »Aber sie hat aufgehört, weil das Niveau immer höher geschraubt wurde. Übrigens von Onno und Charlotte Schmidt. Kennst du die eigentlich? Jedenfalls führen die beiden da einen regelrechten Wettkampf, meine Mutter kocht nicht so gut, deshalb ist sie beleidigt ausgestiegen. Aber dein Vater kocht wirklich super.«

Als Onno zurückkam, fing er Marens Blick auf, irgendwas zwischen Staunen und Bewunderung, und sagte etwas schroff: »Es geht doch nur ums Essen. Und dass es schmeckt und man satt wird. Und sonst so? Erzähl doch mal, was gibt es Neues auf dem Revier?«

Amüsiert dachte Maren, dass Karl fast dieselbe Frage in fast demselben Tonfall gestellt hatte. »Nichts Besonderes«, antwortete sie deshalb schnell. »Ich bin noch nicht so richtig vertraut mit allem. Die ersten Tage sind ja immer etwas anstrengend.«

»Hm«, Onno nickte verständnisvoll. »Und was ist mit den Einbrüchen? Gibt es da was Neues? Irgendwelche Spuren oder so?«

»Papa. Wir ermitteln. Und ich kann doch keine internen Dinge ausplaudern.«

»Nein, schon klar.« Er lächelte sie an. »Aber ihr kommt nicht so richtig voran, oder? Also, bei den Zeugen und so. Ihr habt noch nichts Richtiges rausgefunden?«

Maren sah ihn lange an. Er war ihr Vater und nicht Karl. Und er konnte so gut kochen. Und sah im Abendlicht ganz weich aus. »Nein«, antwortete sie deshalb. »Wir haben irgendwie noch nichts. Es ist kaum etwas gestohlen worden, es gibt keinen roten Faden, darum suchen wir danach. Und wir werden auch irgendetwas finden. Da kannst du beruhigt sein.«

»Bin ich, Kind, bin ich, ihr seid ja die Profis«, antwortete Onno und beugte sich nach vorn, um ihre Hand zu drücken. »Ihr gebt euch bestimmt viel Mühe. Und irgendjemand legt der Bande bestimmt das Handwerk. So, und ich gehe jetzt rein und gucke mir die Nachrichten an. Es gibt ja nicht nur auf der Insel Neuigkeiten. Gute Nacht. Und pustet das Windlicht aus, nicht, dass ihr mir hier den Garten abfackelt.«

Später stand Onno in seiner aufgeräumten Küche und sah durch das Küchenfenster in den Garten, wo seine Tochter noch mit ihrer ältesten Freundin auf der Bank saß und leise redete. So hatten die beiden schon früher dort gesessen, ihre Köpfe zusammengesteckt und ihre Geheimnisse ausgetauscht. Und jetzt hatte *er* ein Geheimnis.

Karl war heute Nachmittag vorbeigekommen, um ihm von seinem Plan zu berichten. Und Onno hatte sich ein bisschen geschmeichelt gefühlt, dass Karl ihm zutraute, in einer Ermittlungskommission, wie er das nannte, mitzumachen. Aber weil Inge und Charlotte, laut Karl, außer Rand und Band vor Begeisterung über diese Aufgabe waren, war es für Onno Ehrensache, sie zu unterstützen. Er wollte ja kein Spielverderber sein, schließlich war Karl sein bester Freund. Er durfte bloß Maren nichts sagen, das war Karls Bedingung gewesen. Sie sollte nicht in einen Loyalitätskonflikt kommen. Gerade, weil sie erst so kurze Zeit wieder auf der Insel war. Das hatte Onno eingesehen. Aber nun stand er hier, sah im nächtlichen Garten seine Tochter lachen und empfand eine Spur schlechten Gewissens, weil er sie anlügen sollte. Er wandte sich vom Fenster ab und stellte sich vor das große Foto von Greta. »Ich lüge sie ja gar nicht an«, versuchte er, sich und sie zu beruhigen. »Weißt du, ich werde ihr vielleicht nicht alles erzählen, aber das ist doch auch nicht schlimm. Und wenn wir wirklich was rausfinden, dann kann ich es ihr ja immer noch sagen. Und dann ist sie die Heldin auf dem Revier. Was meinst du?«

Er war sich sicher, dass sie kurz gelächelt hatte.

Eine Woche später, Donnerstag,
sehr früh am Morgen

Elisabeth schreckte mit rasendem Puls aus einem Traum auf, in dem sich bis vor wenigen Augenblicken Ballgäste einander zugeprostet hatten. Sie blieb im Dunklen mit offenen Augen liegen und versuchte, den Wecker zu erkennen. Es war halb sieben Uhr morgens, es gab keinen Grund, nicht weiterzuschlafen. Sie setzte sich trotzdem auf und griff zu ihrem Wasserglas, das wie immer an derselben Stelle auf dem Nachttisch stand. Was für ein komischer Traum. Gerade als sie das Glas wieder absetzte, hörte sie ein anderes Geräusch. Waren das Schritte? Träumte sie noch? Sie beugte sich vor, ihr Puls beschleunigte sich, wieder ein Geräusch, diesmal ein Kratzen, dann das Klappen einer Tür. Es war jemand im Haus. Die Geräusche kamen von unten. Jetzt machte sich jemand an der Schranktür im Flur zu schaffen, das Scharnier musste geölt werden, es quietschte wie eine gequälte Katze, Elisabeth hatte schon lange jemanden bitten wollen, es zu ölen. Sie war nicht dazu gekommen. Aber derjenige, der die Tür jetzt geöffnet hatte, wollte es garantiert nicht ölen. Er klappte die Tür wieder zu, die Schritte bewegten sich jetzt in Richtung Küche. Mit der Hand über dem Mund überlegte Elisabeth fieberhaft, was sie machen sollte. Das Telefon stand im Flur, sie müsste die Treppe unbemerkt runterkommen, die Stufen knarrten, es war ein altes Haus. Sie hatte Angst. Und sie war wütend.

Seit ewigen Zeiten lebte sie in diesem Haus, seit zwanzig Jahren auch noch allein. Was bildete sich der da unten eigentlich ein, hier reinzukommen und rumzuschnüffeln? Es war ihr Haus, er sollte einfach weggehen. Die Schritte bewegten sich jetzt wieder zurück von der Küche ins Wohnzimmer. Wieder klappte etwas, eine Schublade wurde aufgezogen, man hörte Gegenstände auf den Holzboden fallen.

Ganz langsam und vorsichtig glitt Elisabeth aus dem Bett. Ihre Knie knackten, als sie sich vor dem Schrank bückte und leise mit der Hand darunter tastete. Da war sie, die Gehhilfe, die sie vor zwei Jahren nach ihrer Hüftoperation gebraucht hatte. Sie zog sie ganz vorsichtig hervor, umklammerte sie mit beiden Händen und schlich auf Zehenspitzen zur Treppe. Immer wieder blieb sie stehen und lauschte. Der Eindringling musste noch im Wohnzimmer sein, von dort aus konnte er den Treppenaufgang nicht sehen. Wie in Zeitlupe und mit zusammengepressten Lippen tapste sie Stufe für Stufe nach unten. Sie musste zum Telefon gelangen, wieder nach oben und dann die Polizei rufen. Die Gehhilfe war nur zur Verteidigung, beruhigte sie sich selbst. Aber wenn es sein musste, dann würde sie zuschlagen. Sie war bereit. Ein neues Geräusch ließ sie erstarren. Er schraubte jetzt irgendetwas ab, das war doch nicht möglich! Die nächste Stufe, die übernächste, es waren noch fünf bis unten. Als ihre bloßen Füße die kalten Fliesen des Flurs berührten, atmete sie gepresst aus, wartete einen Moment, dann schlich sie die letzten Meter bis zur Telefonstation. Sie hatte gerade ihre Finger um das Telefon gelegt, als hinter ihr etwas zu Boden fiel. Erschrocken fuhr sie herum, das Telefon glitt ihr aus der Hand, knallte auf die Fliesen und zersprang in mehrere Teile. Sie spürte eine Bewegung hinter sich, im Umdrehen schwang sie mit aller Kraft die Gehhilfe und wurde im selben Moment gestoßen. Während sie stürzte, hörte sie einen unterdrückten Schmerzensschrei. Ob es ihrer war oder der des Einbrechers, wusste sie selbst nicht. Im selben Moment wurde alles schwarz.

Donnerstag,
nur ein bisschen später

Der Wecker klingelte Maren aus einer verstohlenen Umarmung mit Robert, die in einem der Bereitschaftszimmer des Reviers stattfand. Als sie hochfuhr, musste sie einen Moment überlegen, ob sie die Tür abgeschlossen hatte.

»Ich habe nicht abgeschlossen«, sagte sie laut.

»Deshalb bin ich reingekommen«, Onno stand in einem dunkelblauen Schlafanzug an ihrer Tür. »Und dein Schlüssel steckt von außen.« Er warf ihn aufs Bett.

Maren schwang sich mit Schwung aus dem Bett und starrte ihren Vater an. »Wie? Ich habe doch gar nicht mit … ach, egal, ich habe blöde geträumt. Was willst du eigentlich?« Sie gähnte, ohne sich die Hand vor den Mund zu halten oder ihren Blick von Onno zu nehmen. »Bist du barfuß rübergekommen?«

Sofort sah er an sich runter. »Oh. Tatsächlich. Eigentlich wollte ich nur die Zeitung reinholen, und dabei sah ich an deiner Tür den Schlüssel stecken. Hätte jeder heute Nacht reinkommen und dich ermorden können. Du bist ja eine dolle Polizistin.«

Er winkte ihr mit der zusammengeklappten Zeitung zu und verschwand so leise, wie er gekommen war. Maren sah ihm einen Moment nach, dann tappte sie verschlafen ins Bad.

Mit dem Autoschlüssel schon in der Hand guckte sie noch kurz bei Onno in die Küche. Er saß, immer noch im blauen Schlafanzug, am Tisch, rührte in einem Kaffeebecher und las konzentriert die Zeitung. Als er den Schlüssel klimpern hörte, sah er hoch.

»Frühstückst du nie?«

»Nein.« Maren stellte sich hinter ihn und guckte über seine Schulter auf die Schlagzeilen. »Nur Kaffee. Warum?«

»Das ist nicht gesund. Ich esse immer zwei Käsebrote. Mit Tomate. Willst du dir auch eines machen?«

»Danke, nein, ich muss los.« In der Tür verharrte sie einen Moment. Onno sah in seinem blauen Schlafanzug an diesem kleinen Küchentisch plötzlich sehr einsam aus. Maren versuchte, ihre Rührung runterzuschlucken. »Ich fahre nach Dienstschluss noch einkaufen. Brauchst du etwas? Was Süßes? Oder bestimmtes Obst?«

»Tomaten«, antwortete Onno freundlich. »Und vielleicht eine Tüte Erdnussflips, die mag Karl so gern.«

»Okay, dann bis heute Abend, Papa, tschüss.«

Er stand am Fenster, als sie losfuhr, und hob langsam seine Hand, was Maren schon wieder an den Rand der Rührung brachte. Er sah wirklich einsam aus. Der Umzug auf die Insel war die richtige Entscheidung gewesen, in diesem Moment war Maren sich ganz sicher.

Auch Onno ließ die Hand sinken, als Maren um die Ecke gebogen war. Er hatte ein bisschen schlechtes Gewissen. Er war ihr Vater, er hätte ihr auch anbieten können, ein Käsebrot mit Tomate für sie zu machen. Aber wenn er einmal damit anfing, musste er das jeden Tag tun. Und irgendwann musste doch die Sorge um die Kinder ein Ende haben, Maren war schließlich schon achtunddreißig. Und er wollte einfach nicht jeden Tag in der Küche stehen und sein Kind ernähren. Das müsste sie einfach verstehen, so schwer es ihm auch fiel. Er musste hart bleiben. Sein Blick ging zum Regal, wo sein Lieblingsbild von Greta stand. »Du musst mich verstehen, Liebes«, sagte er laut und entschuldigend. »Das Kind muss selbstständig werden, ich kann sie doch nicht wieder an die Hand nehmen.«

Das Klingeln des Telefons nahm er als Zustimmung.

Das Erste, was Maren sah, als sie das Revier betrat, war Robert, der am Schreibtisch saß, und die hübsche Polizeianwärterin Katja Lehmann, die hinter ihm stand und sich sehr dicht über ihn beugte. Als Robert Maren sah, sprang er auf und seine Schulter traf Katja direkt am Kinn. Sie taumelte und fiel auf den nächsten Stuhl.

»Oh, Mann«, flüsterte sie, bevor sie die Augen schloss.

»Auf die Zwölf!« Benni Schröder war mit einer schnellen Bewegung neben ihr und schüttelte sie leicht. »K. o. in der ersten Runde. Hallo, Katja«, er gab ihr leichte Klapse auf die Wangen. »Katja? Hörst du mich?«

»Ja, sicher«, ächzend schob sie seine Hand weg. »Hör auf, mich ins Gesicht zu schlagen. Seid ihr hier alle bescheuert?« Umständlich stand sie auf, Benni bot ihr galant seinen Arm an, doch sie funkelte nur Robert an: »Bin ich unsichtbar, oder was?« Demonstrativ rieb sie sich ihr Kinn.

Ohne seine Antwort abzuwarten, verließ sie den Raum.

»Tja«, Benni blickte Robert grinsend an. »Wenn du Glück hast, erstattet sie keine Anzeige wegen Körperverletzung.«

»Ich konnte doch gar nichts dafür …«, begann Robert und sah hilfesuchend zu Maren. »Ich habe sie wirklich nicht …«

Maren hob beide Hände und ging an ihm vorbei. »Ich

habe nichts gesehen, eine ganz schlechte Zeugin. Möchte noch jemand einen Kaffee?«

Weil keiner antwortete, zuckte sie nur mit den Achseln und wandte sich zur Kaffeeküche, bis sie eine bekannte Stimme hörte: »Moin, also ich würde gern einen Kaffee trinken, wenn sonst keiner will.«

»Karl?« Überrascht fuhr Maren herum und starrte zum Eingang. Dort stand Karl, wie immer bestens gelaunt, und schwang eine Tüte. »Onno hat mir erzählt, dass du ohne zu frühstücken aus dem Haus gehst. Das ist nicht gesund.«

Erstaunt sah Maren auf die Uhr. »Das habe ich ihm vor nicht einmal einer halben Stunde erzählt.«

»Genau«, Karl nickte zufrieden. »Und zwei Minuten später haben wir telefoniert und sechs Minuten später habe ich dir belegte Brötchen gekauft. Es ist alles eine Frage der Koordination und der Zielstrebigkeit. Das sind wichtige Voraussetzungen für den Polizeidienst. Ach, und guten Morgen, die Herren, was gibt's Neues?«

Bevor Robert eine Antwort geben konnte, klingelte das Telefon, und er nahm sofort ab.

Benni schüttelte den Kopf und grinste Maren an. »Er wird dich überreden, als seine Informantin zu arbeiten. Wir sollten uns mal unterhalten, glaube ich.«

Marens Blicke bohrten sich in Karls. Nach einem sehr langen Moment sagte sie mit fester Stimme: »Das würde Karl niemals tun, nicht wahr, Karl? Er vermischt nämlich niemals Dienst und Privatleben. Das ist eine Grundregel, stimmt doch, oder?«

»Ganz genau«, antwortete Karl sofort, ohne Marens Blick auszuweichen. »Außerdem bin ich im wohlverdienten Ruhestand, ich habe doch gar kein Interesse an Marens Berufsalltag. Ich bin lediglich besorgt um ihre

Ernährung. Kann ich trotzdem einen Kaffee haben? Hier ist ja im Moment nichts los.«

»Doch«, Robert stand plötzlich neben Maren. »Einsatz, Einbruch in Westerland, Keitumer Chaussee, wir müssen los.«

Er schob Maren an, die nur einen warnenden Blick auf Karl warf, bevor sie zum Auto eilten.

Der Wagen hob sich, als Robert losfahren wollte. Maren schloss kurz die Augen. »Du musst die Handbremse lösen.«

»Ach was«, schnappte er zurück, bevor er die Handbremse löste, der Wagen einen Satz machte und der Motor ausging. Robert startete neu, fuhr haarscharf am Müllcontainer vorbei und verlangsamte das Tempo, als er auf die Hauptstraße kam. Maren fragte sich, wie sie es anstellen sollte, selbst zu fahren, Robert fuhr so schlecht, dass ihre Nerven das auf Dauer nicht aushalten würden.

»Die Geschädigte heißt Elisabeth Gerlach«, teilte Robert ihr knapp mit. »Ihre Putzfrau hat sie heute Morgen gefunden, sie saß verletzt im Flur, das Telefon neben ihr war kaputt, und sie konnte nicht aufstehen, um Hilfe zu holen.«

»Ist sie ansprechbar?«

»Heute Morgen schon, hat die Putzfrau zumindest gesagt«, Robert fuhr schon wieder zu weit nach links. Anscheinend konnte er nicht gleichzeitig fahren und reden. Und wenn er jetzt nicht aufhörte, sie beim Reden auch noch dauernd anzusehen, wären sie gleich auf der Gegenfahrbahn.

»Guck bitte nach vorne«, sagte Maren gepresst. »Ist sie schwer verletzt?«

»Irgendwas mit dem Bein. Ihre Putzfrau hat sofort mit ihrem Handy den Krankenwagen gerufen. Vor lauter Aufregung ist ihr erst zwei Stunden später eingefallen, dass sie ja auch die Polizei anrufen muss. Sie wirkte ziemlich durcheinander. Da vorne ist es schon.«

Es war kaum zu übersehen, vor dem Haus stand eine ältere Frau in einem hellblauen Kittel, die winkte, als würde sie ein Flugzeug lotsen. Um sie herum hatten sich schon mehrere Nachbarn versammelt, die ebenfalls die Hände oben hatten. Robert fuhr auf die Auffahrt und Maren sprang erleichtert aus dem Wagen.

»Na, endlich«, die Frau im hellblauen Kittel ruderte aufgeregt mit den Armen. »Ich dachte schon, die Polizei kommt gar nicht mehr. Wir hatten einen Raubüberfall, die Frau Gerlach ist verletzt ins Krankenhaus gefahren worden, es ist alles so furchtbar. Da kommen Kriminelle ins Haus, verletzen meine Chefin und bringen alles durcheinander. Sie hätten sie ja auch umbringen können.«

»Wir gucken uns das erst mal an«, sagte Robert beruhigend und ließ ihr den Vortritt. »Frau Scholz, oder? Sie haben uns doch angerufen.«

»Ja.« Sie nickte eifrig. »Elvira Scholz, ich bin die Reinemachefrau. Angemeldet, übrigens, falls Sie das zurückverfolgen wollen. Frau Gerlach wollte keinen Ärger, dabei hätte ich das Geld auch gern ... na, egal. Wenn Sie mir folgen wollen.«

Sie steckte den Schlüssel in die Haustür und drehte sich kurz zu der kleinen Ansammlung von Nachbarn um. »Sie können jetzt alle gehen«, rief sie so laut, dass Robert zusammenzuckte. »Hier gibt es nichts mehr zu gucken, der Rest ist Polizeisache.«

Elvira Scholz schloss die Tür hinter ihnen und ging vor ins Wohnzimmer. »Durch die Terrassentür sind die gekommen, die Tür hing auf halb acht, das kriege ich aber nicht wieder hin, da muss wohl ein Tischler kommen.

Dieses ganze Durcheinander, so eine Schweinerei! Und das ist doch auch nicht der erste Einbruch, wieso kriegen Sie diese Bande denn nicht? Ich habe das Gefühl, man ist nicht mal mehr auf der Insel sicher. Furchtbare Zeiten sind das doch, und …«

»Frau Scholz?« Maren sah sich mit gerunzelter Stirn um. Der Boden glänzte, als wäre er gewachst worden, die Stühle standen akkurat um den Esstisch, auf einem Beistelltisch waren Zeitungen wie in einem Wartezimmer aufgefächert, nirgendwo war ein Staubkorn, geschweige denn irgendwelche Spuren zu sehen. »Sie haben hier alles aufgeräumt?«

»Natürlich«, zufrieden sah Frau Scholz sich um. »Das ist ja wohl mein Job. Das sah hier vielleicht aus: eine Unordnung, das können Sie sich nicht vorstellen! Und überall Glasscherben, weil die Einbrecher die schöne Lampe von der Fensterbank geschmissen haben, die Erde von den Zimmerpflanzen lag rum, die Zeitungen auf dem Boden, alle Schubladen aufgerissen und durcheinander, ich habe hier bald zwei Stunden geputzt. Sonst hätte man ja niemanden reinlassen können!«

Robert schluckte und sah sich kopfschüttelnd um. »Tja, Frau Scholz, dann haben Sie ja wirklich ganze Arbeit geleistet – und ganz nebenbei auch alle Spuren vernichtet. Haben Sie denn überhaupt nicht nachgedacht? Sie gucken doch bestimmt ab und zu mal Krimis im Fernsehen. Da lernt man doch, dass man am Tatort unter gar keinen Umständen etwas verändern darf. Wie sollen wir denn jetzt ermitteln? So was Blödes.«

Elvira Scholz schob ihre Hände in die Kitteltaschen und hob empört den Kopf. »Ich gucke nie Krimis im Fernsehen. Die Welt ist ja wohl schlecht genug, da brauche ich in meinem Wohnzimmer nicht auch noch Mord und Totschlag. Und ich ...«, sie stockte, überlegte einen Moment und griff sich dann langsam an den Hals. »Habe ich jetzt ... also war das ... ist das strafbar? Das Putzen? Aber ich konnte das doch hier nicht so lassen. Ich wusste ja nicht, wann Frau Gerlach wieder aus dem Krankenhaus kommt, und morgen und übermorgen kann ich nicht zum Saubermachen kommen, da muss ich meiner Tochter beim Tapezieren helfen und nächste Woche ... Oh, Gott, muss ich jetzt mit auf die Wache? Kann ich mich mal einen Moment hinsetzen? Mir wird ein bisschen schlecht.« Tatsächlich knickten ihr die Knie ein, im letzten Moment konnte Robert sie festhalten und zum Sessel führen. Sie ließ sich hineinsinken und zog ein zerknittertes Taschentuch aus der Kitteltasche, das sie mit zitternder Hand zum Mund führte. Robert hatte ihr seine Hand auf die Schulter gelegt und sich zu ihr gebeugt. »Er sieht einfach unfassbar gut aus, und ich will sofort auch seine Hand auf der Schulter. Und nicht nur da«, schoss es Maren plötzlich durch den Kopf. Sofort sagte sie, eine Spur zu laut: »Ich hole mal ein Glas Wasser«, und floh in die Küche.

Trotz Roberts und ihrer guten Betreuung war Elvira Scholz als Zeugin eigentlich so gut wie untauglich. Natürlich war es ein Schock für sie gewesen und die sofortige Putzaktion hatte sicher dazu gedient, die Normalität wiederherzustellen, aber jetzt, in Anwesenheit der Polizei, ging nichts mehr. Sie hatten sie nach Hause gefahren und sich dann auf den Weg zu Elisabeth Gerlach in die Nordseeklinik gemacht.

Zum Glück lenkten Roberts Fahrkünste Marens Gedanken jetzt wieder auf die andere Spur. Solange sie seine Beifahrerin blieb, würde sie sich auf keinen Fall in ihn verlieben. Sie saßen schweigend nebeneinander, bis er den

Wagen auf dem Krankenhausparkplatz abstellte und aussteigen wollte. Maren sah ihn kurz von der Seite an.

»Willst du so stehen bleiben?«

»Ja, warum?« Er guckte irritiert. »Willst du nicht aussteigen?«

»Du stehst auf zwei Parkplätzen. Mitten auf dem Trennstrich.«

Er zuckte gleichgültig mit den Achseln. »Ich bin die Polizei. Kommst du?«

Seufzend schnallte sie sich ab und stieg aus. Vermutlich konnte er nicht besser einparken. Nicht zu fassen!

Elisabeth Gerlach lag in Zimmer einunddreißig, nach zweimaligem Klopfen trat Maren vor Robert ein. »Guten Tag, Frau Gerlach, mein Name ist … Torben, was machst du denn hier?«

Überrascht blieb sie an der Tür stehen und sah ihn an. Torben hatte auf einem Stuhl neben dem Bett gesessen und war aufgesprungen, als sie eingetreten waren. Elisabeth Gerlach war zwar noch blass, sah aber ansonsten ganz munter aus. Sie lag in einem Jogginganzug auf dem Bett, ihr linker Fuß war bandagiert und etwas höher gelagert.

»Maren, hallo«, Torben nickte ihr mit einem schwachen Lächeln zu und wandte sich an die Patientin. »Das ist Maren Thiele, sie ist jetzt neu bei der Polizei in Westerland, ich habe ihr beim Umzug geholfen. Und das ist meine Tante, Elisabeth Gerlach. Ich brauch euch ja nicht zu erzählen, was passiert ist, deshalb seid ihr ja wohl hier.«

Elisabeth Gerlach rutschte ein Stück hoch und sah Maren und Robert neugierig an. »Guten Tag, haben Sie schon etwas herausgefunden?«

Maren trat zu ihr ans Bett. »Wie geht es Ihnen denn, Frau Gerlach? Was ist mit Ihrem Fuß?«

Elisabeth machte eine abwehrende Geste. »Außenbandriss. Nicht so schlimm, da machen die Ärzte gar nichts mehr, das wächst wohl von selbst zusammen. Ich soll hier nur zwei Tage rumliegen, angeblich, weil mein Blutdruck Kapriolen geschlagen hat. Die wollen nur kassieren, ich bin Privatpatientin, das kennt man ja.«

Robert stand an der anderen Bettseite. »Ich würde so etwas schon ernst nehmen, Frau Gerlach. Schließlich haben Sie die Nacht verletzt im Flur verbracht und konnten nicht mal selbst Hilfe holen. Sie waren wohl auch bewusstlos.«

»Wer erzählt denn so was?« Stirnrunzelnd sah Elisabeth ihn an.

»Ihre Putzfrau.«

»Ach, Gott«, verächtlich schüttelte Elisabeth den Kopf. »Ich konnte die Polizei nicht anrufen, weil ich das Telefon fallen gelassen habe. Und diese blöden modernen Geräte zerbröseln ja gleich in ihre Einzelteile. Ein Handy besitze ich nicht, ich muss ja nicht dauernd erreichbar sein. Mir war einen Moment etwas blümerant, das kann schon sein, aber reißen Sie sich mal die Bänder, da wird Ihnen auch komisch. Und ich konnte nicht auftreten, deshalb habe ich mich auf den Sessel im Flur gesetzt. Ich wusste ja, dass die Scholz um acht kommt. Und es war schon nach halb sieben.«

»Was haben Sie denn genau gehört?«, fragte Robert und zog einen Notizblock aus seiner Tasche. »Und wann?«

»Um halb sieben. Da habe ich Geräusche gehört, ich konnte sie nur zuerst nicht einordnen. Ich bin runtergegangen, mit meiner Gehhilfe zur Verteidigung unterm Arm. Und als ich das Telefon in der Hand hatte, habe ich den Einbrecher näher kommen hören. Irgendwie ist mir das Gerät aus der Hand gefallen. Ich habe ihn aber noch mit dem Stock erwischt, ganz sicher. Und dann weiß ich leider nichts mehr. Wie gesagt, da wurde mir ein bisschen blümerant. Als ich das nächste Mal auf die Uhr sah, war es etwa Viertel vor sieben, da war aber kein Geräusch mehr im Haus. Ich konnte nicht auftreten, deshalb habe ich mich gesetzt und auf Frau Scholz gewartet. Was sollte ich denn auch sonst machen?« Ihre Lippe zitterte, sie biss sich sofort drauf.

»Muss das denn jetzt sein?«, Torben hatte seine Hand auf Elisabeths gelegt und sah jetzt ungehalten hoch. »Das Ganze ist gerade erst passiert, meine Tante steht noch unter Schock, da muss man ihr doch jetzt nicht alle Fragen stellen.«

Robert hielt seinem Blick ruhig stand. »Je früher wir fragen, desto genauer sind die Eindrücke«, sagte er. »Wir müssen unsere Arbeit machen.«

»Hätten Sie das in den letzten Wochen gründlicher getan, wäre diese Bande gar nicht mehr bei meiner Tante eingestiegen. Ich verstehe das sowieso nicht: Da versetzen irgendwelche Kleinkriminelle die Bewohner hier in Angst und Schrecken, und die Polizei schafft es nicht, die Typen in die Finger zu bekommen?« Seine Stimme war lauter geworden, er war sichtlich bemüht, nicht wütend zu werden. Er musste sehr an seiner Tante hängen, Maren fand das sehr sympathisch und wartete ab. Torben schloss kurz die Augen und atmete ein paar Mal tief durch, bis er weitersprechen konnte. »Haben Sie denn zumindest mal irgendwelche Spuren gesichert?« Er musterte Robert von oben bis unten. »Oder waren Sie noch gar nicht im Haus? War Frau Scholz schon weg? Soll ich erst mal mit Ihnen hinfahren?«

»Nein«, Maren hob jetzt beruhigend die Hände. »Um es kurz zu machen, Torben, Frau Scholz war leider noch nicht weg. Sie hat sehr gründlich geputzt, von daher gibt es nicht besonders viele Spuren. Es sind zwei Kollegen von uns hingefahren, die an der Terrassentür nach Fingerabdrücken suchen und denen trotz des Putzens vielleicht noch etwas auffällt. Wir müssen abwarten. Es müsste sich aber später noch jemand um die kaputte Terrassentür kümmern.«

Torben nickte. »Das mache ich nachher. Ich muss sowieso meiner Tante noch Waschzeug und frische Kleidung holen. Habt ihr sonst noch Fragen?«

»Im Moment nicht«, antwortete Robert. »Sonst melden wir uns. Dann wünsche ich erst mal gute Besserung.«

Er gab Elisabeth Gerlach und Torben die Hand, wartete, bis auch Maren sich verabschiedet hatte, dann verließen sie das Zimmer.

Elisabeth wartete, bis sich die Tür hinter ihnen geschlossen hatte, dann zog sie Torben am Arm und sagte leise: »Wenn du im Haus bist, dann guck doch mal bitte im Wohnzimmer im kleinen Sekretär in die obere Schublade. Da liegen dreitausend Euro. Zumindest hoffe ich, dass sie da immer noch liegen.«

»Elisabeth«, tadelnd sah Torben zu ihr hinunter. »Wieso hast du so viel Geld in der Schublade?«

»Für Notfälle. Sieh einfach nach.«

*Donnerstagmittag,
bei strahlend blauem Himmel*

Hier muss es sein«, Charlotte beugte sich nach vorn, um die Hausnummern besser sehen zu können, und nickte bestätigend. »Ja, Nummer zwölf, das Haus mit der blauen Tür. Guck mal, Onno, da kannst du parken.«

Sie war ein bisschen aufgeregt, was kein Wunder war, schließlich hatte sie heute ihren ersten Ermittlungstermin. Es ging also los.

Onno lenkte seinen Wagen an den Seitenstreifen und stellte den Motor aus. »Das ist aber ein hübsches Haus, oder? Ich habe ja blaue Türen so gern.« Langsam löste er den Gurt und zog den Schlüssel ab. »Dann wollen wir mal sehen, ob wir zwei im Ermitteln genauso gut sind wie beim Kochen, nicht wahr, Charlotte?« Er lächelte sie aufmunternd an, stieg aus und beeilte sich, das Auto zu umrunden, um ihr die Tür zu öffnen. »Gnädige Frau.«

Charlotte stieg aus und seufzte. »Wenn das Heinz sehen könnte. Dass es noch richtige Kavaliere gibt. Er hat schon mal das Auto abgeschlossen, als ich noch drin saß. Und das erst gemerkt, weil ihm ein Euro für den Einkaufswagen fehlte.«

»Und was hast du gemacht?«, fragte Onno neugierig.

»Gehupt?« Sie gingen langsam auf das Haus zu. Charlotte schüttelte den Kopf.

»Das hört er doch nicht. Und er kam ja auch wieder, weil er den Einkaufswagen nicht von der Kette bekam.

So, hoffentlich ist Frau Simon auch da.« Sie drückte auf den Klingelknopf und wartete. Nach wenigen Sekunden wurde die Tür geöffnet, und eine kleine Frau mit grauen Locken und strahlend blauen Augen stand vor ihr. Sie lächelte sie an. »Ja?«

»Frau Simon? Ich bin Charlotte Schmidt und das ist Onno ...«

»Thiele«, unterbrach Helga Simon überrascht und trat einen Schritt auf sie zu. »Das gibt es ja nicht, wir haben uns ja ewig nicht gesehen. Wie nett. Kommt doch ... kommen Sie doch rein.«

Sie führte sie ins Wohnzimmer und zeigte auf einen großen Esstisch. »Einen Tee? Ich habe das Wasser schon heiß, ich war gerade dabei. Oder lieber Kaffee?«

»Tee ist fein«, antwortete Onno freundlich. »Oder, Charlotte?«

Auch die nickte. »Gern.«

Während Helga Simon in der Küche hantierte, sah Charlotte sich um. Es war gemütlich in diesem Haus mit der blauen Tür. An der Stirnseite des Raumes stand ein Sofa, dahinter ein Bücherregal, in dem kein Zentimeter frei war. An der Wand hingen Familienbilder, auf einem kleinen Tisch standen Blumen, in der Ecke gegenüber ein Fernseher, darunter Zeitungen und ein noch nicht ganz fertig gestrickter Strumpf samt Nadeln und Wolle. Eine Wanduhr tickte laut und beruhigend.

»So, ich habe auch noch ein bisschen Kuchen von gestern«, klang die Stimme von Helga Simon durch die Stille. Sie war mit einem Tablett zurückgekommen, verteilte schnell bunte Tassen und Teller und goss den Tee ein, bevor sie sich setzte. »Worum geht es denn?«

»Ähm, ja ...«, Onno hatte sich anscheinend noch keine Gedanken über den Gesprächsverlauf gemacht. Er starrte

Helga Simon an und löffelte sich dabei Zucker in den Tee. Charlotte legte ihm nach dem vierten Löffel sanft die Hand auf den Arm. »Onno hat mir erzählt, dass er mit Ihrem verstorbenen Mann auf dem Rettungskreuzer gefahren ist.«

»Ja.« Beim Lächeln bekam Helga Simon Grübchen. »Hein, also eigentlich Heinrich, ist vor fünf Jahren verstorben, so lange habe ich Onno auch nicht mehr gesehen. Oder? Ich glaube, das letzte Mal war es wirklich auf Heins Beerdigung. Stimmt es?«

Onno nickte stumm und rührte weiter in seiner Tasse. Stirnrunzelnd sah Charlotte ihm zu. Er saß da wie ein Schrank und schwieg. Raffinierte Ermittlungstechniken waren ganz offensichtlich nicht seine größte Stärke. Charlotte atmete tief durch. Also gut, dann musste sie das Gespräch eben unauffällig in die richtigen Bahnen lenken. Ohne gleich mit der Tür ins Haus zu fallen.

»Waren Sie denn eine Zeit lang von der Insel weg? Oder warum haben Sie Onno so lange nicht gesehen?«

Helga Simon warf dem stummen Onno einen Blick zu, bevor sie antwortete. »Ich war in den ersten Jahren nach Heins Tod viel bei meiner Tochter in Köln. Sie hat drei Kinder und eine Apotheke, zusammen mit ihrem Mann. Da habe ich dann geholfen, also im Haushalt und mit den Enkelkindern. Das tat mir ganz gut und meiner Tochter auch. Sie wollten mich auch überreden, ganz nach Köln zu ziehen und das Haus zu verkaufen. Eine Zeit lang habe ich das auch überlegt, aber inzwischen … Wissen Sie, Hein liegt hier auf dem Friedhof, und in Köln ist mir das Meer so weit weg. Und es ist fast immer windstill. Das ist auf Dauer nichts für mich. Die Enkel sind inzwischen schon so groß, die brauchen keine Oma mehr, die sie von der Schule abholt und mit ihnen Hausaufgaben macht. Deshalb habe ich mich dann entschlossen, das Haus nicht zu verkaufen und doch hierzubleiben. Alte Bäume soll man ja nicht verpflanzen. Die wachsen nicht mehr ordentlich an. Allerdings ...« Sie sah einen Moment auf ihre Hände und drehte den doppelten Ehering. »Allerdings hatte ich ein bisschen Aufregung in der letzten Zeit und bin doch nicht mehr sicher, ob mein Entschluss der richtige ist.«

Charlotte hatte den Atem angehalten. Jetzt konnte sie doch schön einhaken. Onno hob in diesem Moment den Kopf und sagte: »Das ist ein schönes Haus. Ich mag blaue Türen. Und die Kinder und Enkel können auch hierherkommen.«

»Genau«, bekräftigte Charlotte halbherzig und fragte: »Was für Aufregungen denn?«

»Ach«, mit einem Lächeln wischte Helga die Frage beiseite. »Warum sollen wir die ganze Zeit über mich reden? Was kann ich denn jetzt für Sie tun?«

Glücklicherweise hatte Charlotte sich so im Griff, dass sie nur in Gedanken mit den Augen rollte. Das lief ja überhaupt nicht gut. Und Onno war wirklich keine Hilfe. Der stumme Schrank. Jetzt musste sie die Kartoffeln aus dem Feuer holen. Oder waren es Kastanien? Es war im Moment egal. Stattdessen blickte sie Helga Simon an und sagte: »Ich ..., also wir brauchen noch Frauen, die beim Blutspenden Kartoffeln ... ähm, Brötchen schmieren. Hätten Sie Lust, uns dabei zu helfen?«

Erstaunt sah Helga zwischen Charlotte und Onno hin und her. »Blutspenden? Brötchen schmieren? Also, ich weiß nicht. Wie sind Sie denn auf mich gekommen?«

Charlotte hatte selbst gemerkt, wie dämlich diese Frage gewesen war. Aber sie musste schließlich irgendwie ihren Besuch hier begründen. Und Karl hatte sie ausdrücklich ermahnt, unauffällig zu ermitteln. Was immer er auch damit gemeint hatte, Charlotte und Onno waren gerade dabei, das ganze Unternehmen zu vergeigen. Hilfesuchend sah sie Onno an. Und ob es nun an ihrem verzweifelten Blick oder an Gott weiß was lag, Onno bewegte sich. Er legte jetzt seine Hände übereinander und sagte etwas schüchtern: »Kennst du eigentlich meinen Freund Karl? Karl Sönnigsen?«

Helga Simon schüttelte den Kopf. »Ich glaube nicht. Warum?«

»Mein Freund Karl ist Polizist. Das heißt, er war Polizist, sogar Revierleiter in Westerland. Jetzt ist er pensioniert, aber er interessiert sich natürlich immer noch für Verbrechen und alles, was hier so auf der Insel passiert. Also: Der hat mir erzählt, dass bei dir eingebrochen wurde. Ich habe mir Sorgen gemacht, weil wir uns ja kennen. Und dann habe ich überlegt, dass es für dich auch nicht leicht ist, nach Heins Tod. Ich kenne das ja. Man muss sich Aufgaben suchen. Und deshalb habe ich Charlotte gesagt, dass wir dich doch mal fragen können, und sie war so nett, mich zu begleiten.«

Charlotte atmete auf und wunderte sich gleichzeitig, dass Onno so gut die Kurve gekriegt hatte. Sie hatte nie mit ihm über das Blutspenden gesprochen. »Genau«, pflichtete sie ihm schnell bei. »So war das.«

»Hm«, Helga drehte schon wieder an ihrem Ring. »Ja, der Einbruch. Das war schlimm. Und so unnötig. Es ist gar nichts gestohlen worden, die haben mir nur alles durcheinandergebracht. Ich verstehe das immer noch nicht.«

»Ob Diebstahl oder nicht: Es ist einfach schrecklich, wenn man sich in seinem eigenen Zuhause nicht mehr sicher fühlen kann, oder?« Charlotte griff kurz nach Helgas Hand und drückte sie.

Helga nickte und drehte schneller am Ring. »Inzwischen geht es wieder. Die ersten Tage mochte ich abends gar nicht ins Bett gehen. Obwohl es tagsüber passiert ist. Plötzlich fühlt man sich so allein und hilflos. Ich habe sogar darüber nachgedacht, doch zu verkaufen. Zumal der Mann von der Bank noch mal angerufen hat. Aber dann habe ich eine Wut gekriegt und mich gefragt, was die sich eigentlich eingebildet haben. Bringen mir hier alles durcheinander für nichts und wieder nichts. Und die Polizei tappt im Dunkeln. Das dient auch nicht gerade dazu, dass man sich entspannt. Und ich bin ja wohl auch nicht die Einzige, bei der eingebrochen wurde. Das muss doch eine organisierte Bande sein, die sich sicher fühlt. Ich ...« Sie verstummte plötzlich und holte tief Luft. »Ich mag gar nicht gern darüber sprechen. Ich rege mich nur wieder auf. Und dass die Polizei so gar nichts ...«

»Genau darüber regt Karl sich ja auch auf«, bemerkte Onno. »Und langsam beginne ich, ihn zu verstehen.«

Charlotte überlegte, bei welchem Stichwort sie gerade aufgemerkt hatte. Nach wenigen Sekunden wusste sie es wieder. Das hatte sie nämlich schon einmal gehört. Und zwar bei Gisela. »Was für ein netter Mann von der Bank hat Sie denn noch mal angerufen?«

»Der Herr Winter. Gero Winter. Ein netter junger Mann. Ich habe damals mit ihm gesprochen, als ich das erste Mal überlegt hatte, das Haus zu verkaufen.«

Onno sah Charlotte fragend an, die ignorierte seinen Blick und hakte nach. »Und der hat einfach so bei Ihnen angerufen? Nach dem Einbruch? Das ist ja komisch.«

»Nein«, entschlossen schüttelte Helga den Kopf. »Das ist nicht komisch. Ich kenne Herrn Winter ja schon länger. Als ich überlegt hatte, nach Köln zu ziehen, habe ich ihn mal gefragt, ob er mir sagen kann, wie und ob ich das machen soll. Da war er sehr freundlich und hat mir alles erklärt. Er ist sehr nett. Und ruft mich noch ab und zu mal an, einfach so, um zu fragen, wie es mir geht.«

Charlotte nahm sich vor, Gisela zu fragen, wie der Bankmensch hieß, der sie vor dem Einbruch kontaktiert hatte.

»Die Idee mit der Hilfe beim Blutspenden ist vielleicht gar nicht schlecht«, sagte Helga jetzt und wechselte damit das Thema. »Ich helfe zwar ab und zu mal in der Bücherei aus und kümmere mich um eine pflegebedürftige Nachbarin, aber vielleicht sollte ich noch mehr unter Leute. Man wird sonst so schnell alt im Kopf.«

»Du bist doch nicht alt im Kopf«, protestierte Onno. »Du hast dich überhaupt nicht verändert, ganz erstaunlich. Sag mal: Kannst du eigentlich singen?« Er sah sie auf eine Art und Weise an, die Charlotte stutzig machte. Umso mehr, als Helga Simon ähnlich guckte. Nach einem Blick auf die Uhr beschloss Charlotte, an dieser Stelle die Ermittlungen auszusetzen.

»Onno, ich möchte nicht ungemütlich werden, aber ich müsste langsam los. Ich habe noch einen Friseurtermin.«

»Wieso fragst du, ob ich singen kann?«, fragte Helga Simon, ohne Notiz von Charlottes Wunsch zu nehmen.

»Weil wir einen sehr schönen Chor haben und immer gute Sänger suchen. Also, falls du Lust hast, wir treffen uns jeden Samstag. Um halb sechs. Ich könnte dich auch abholen.« Jetzt wandte er sich an Charlotte. »Entschuldige, was hast du gerade gesagt?« Zu Helga sagte er noch: »Charlotte singt auch mit. Und mein Freund Karl.«

»Ach?« Helga lächelte sie an. »Wie nett. Ich singe wirklich gern, vielleicht könnte ich es mir mal anschauen.«

»Das wäre schön.« Onno sah sie noch einen Moment an. »Oder, Charlotte?«

»Doch, doch«, stimmte sie ihm zu. »Aber ich sagte gerade, dass ich so langsam losmuss, um pünktlich zu meinem Friseurtermin zu kommen.«

»Natürlich«, nickte Onno freundlich. »Aber du kannst auch schon losfahren, dann fahre ich mit dem Bus zurück. Das ist ja gar kein Problem.«

»Na ja«, entgegnete Charlotte zögernd. »Wir sind mit deinem Wagen da. Also, ich kann natürlich auch mit dem Bus …«

Sofort war Onno auf den Beinen und wurde ein bisschen verlegen. »Ach, Gott, ja, das habe ich jetzt ganz vergessen, ich fahre so selten mit dem Wagen. Also, Helga, ich bin nicht vergesslich oder so, ich war nur gerade abgelenkt, also durch den Einbruch und so. Ja, dann wollen wir mal los. Vielen Dank für den Tee, wenn du dir das mit dem Chor überlegt hast, dann kannst du mich ja anrufen. Ich schreibe dir mal meine Telefonnummer auf.«

Während er seine Nummer auf den Rand einer Zeitung kritzelte, gab Helga Simon Charlotte die Hand und bedankte sich für den Besuch. Sie war wirklich eine sehr sympathische Person, dachte Charlotte, sie würde sich sowohl gut beim Brötchenschmieren als auch im Chor machen. Und so schlechte Ermittlungsergebnisse hatten sie trotz des Ausfalls von Onno auch nicht bekommen.

Als Karl Maren und Robert aus dem Krankenhaus kommen sah, zog er sich sofort seine Jacke an und stellte seine Tasse auf den Tresen des kleinen Stehcafés. »Danke, Manni«, rief er dem Besitzer zu und beobachtete aus sicherer Entfernung, wie die beiden zu ihrem Auto gingen.

Karl wartete noch so lange, bis der Polizeiwagen vom Parkplatz gefahren war. Es dauerte ewig, weil Robert sehr lange brauchte, um den Wagen aus der Parklücke zu rangieren. Karl verstand gar nicht, warum, so eng war die doch gar nicht. Er selbst wäre schon lange weg gewesen. Als die Rücklichter endlich außer Sichtweite waren, lief Karl mit langen Schritten auf den Eingang zu. Er drückte sich selbst die Daumen, dass Günther Asmus Dienst hatte und in der Pförtnerkabine saß.

Das Daumendrücken hatte geholfen, Günther hob sofort den Kopf, als Karl vor ihm auftauchte, und schob die Trennscheibe zur Seite.

»Karl«, erstaunt sah er ihn an. »Bist du krank?«

»Nein, nein«, Karl gab ihm die Hand. »Du weißt doch, dass mich nichts umhaut. Ich wollte gern jemanden besuchen.«

Günther nickte. »Dann ist ja gut. Zu wem möchtest du denn?«

»Tja ...«, Karl stützte sich lässig auf den Tresen. »Das,

mein Freund, weiß ich noch nicht so genau, dafür bräuchte ich deine Hilfe.«

Verständnislos legte Günther den Kopf schief. Karl kannte ihn seit Jahren und fand es trotzdem bemerkenswert, wie schnell aus einem Gesichtsausdruck ein Fragezeichen werden konnte. Günther war immer schon etwas langsam im Kopf gewesen. Er hatte selten nachgedacht, bevor er etwas machte, und so hatte er jahrelang immer mal wieder Schwierigkeiten mit der Polizei gehabt. Mal ging es um Diebstähle, mal um eine Schlägerei, dann war er betrunken mit dem Auto unterwegs gewesen – immer wieder fiel er auf. Karl war damals trotzdem überzeugt, dass Günther ein gutes Herz hatte, die meisten Dinge passierten ihm eher aus Versehen. Er prügelte sich nur, wenn er jemand anderen verteidigen musste, die Diebstähle hatte er immer bestritten, das Fahrrad oder den Mantel hätte er sich nur geliehen und alles umgehend zurückgeben wollen. Der Einzige, der ihm tatsächlich geglaubt hatte, war immer Karl gewesen. Und deshalb hatte er Günther vor zehn Jahren diesen Job als Pförtner im Krankenhaus besorgt und sich für ihn verbürgt. Das hatte Günther ihm nie vergessen – er würde ihm *jeden* Gefallen tun. Das hoffte Karl in diesem Moment zumindest.

»Sag mal, Günther, ihr habt doch heute Morgen eine Dame eingeliefert bekommen, die bei einem Überfall verletzt wurde, oder?«

»Ja?« Günther runzelte die Stirn. »Ein Überfall? Das weiß ich nicht. Wer hat sie denn überfallen?«

»Darum geht es jetzt nicht. Ich möchte nur gern wissen, wer die Dame ist.«

»Keine Ahnung.« Günther kratzte sich ratlos am Kopf. »Den Namen hast du nicht zufällig?«

Karl war versucht, ihn kurz zu schütteln. »Günther!

Den Namen sollst du mir sagen. Wir sind doch nicht in Chicago, so viele Einlieferungen mit Notarztwagen habt ihr doch heute Morgen nicht gehabt. Wer ist denn alles eingeliefert worden?«

»Chicago?« Günther hatte sich wirklich zu oft in seinem Leben geprügelt, jede Kopfnuss hatte ihren Preis. Karl zwang sich zur Geduld und wartete, bis Günther weitersprach.

»Darf ich dir das überhaupt sagen? Also, die Namen?«

Karl nickte beruhigend. »Aber natürlich. Wenn du dich aber nicht gut dabei fühlst, kannst du mich auch einfach einen Blick auf die Einlieferungsliste werfen lassen.« Er lächelte ihn so aufmunternd an, wie er konnte. Nach einem kurzen angestrengten Moment schob ihm Günther schließlich eine ausgedruckte Liste zu und drehte sich diskret weg. Sofort hatte Karl die Information. Das war ja ein Ding! Er schob die Liste zurück und gab Günther dankbar einen Klaps auf die Schulter. »Siehste, nicht wie in Chicago, hier gab es heute nur eine einzige Aufnahme. Danke, mein Freund, bis dann.«

Bestens gelaunt, machte er sich auf den Weg zum Fahrstuhl. Die Station und die Zimmernummer hatten ebenfalls auf der Liste gestanden, das dürfte also kein Problem sein.

Wenn jetzt noch irgendein Zweifel an der Notwendigkeit bestand, dass er selbst in die Ermittlungen eingreifen müsste, dann konnte der ausgeräumt werden. Elisabeth Gerlach. Wieder eine Chorschwester. Und die Polizei in Westerland sah darin kein System, keine Methode! Karl Sönnigsen würde nicht zulassen, dass sämtliche Chormitglieder ausgeraubt und an Leib und Leben bedroht würden, er *musste* einfach dafür sorgen, dass die Insel wieder sicher würde. Genug ist genug: Hier musste jetzt der Chef ran. Und er hatte Charlotte, Inge und Onno hinter sich. Junge Leute hin oder her, aber wenn die Sache so ernst war, dann war Erfahrung nötig.

Auf dem Weg zur Station erkannte er plötzlich Torben Gerlach, der eilig zum Treppenhaus lief. Karl fiel sofort ein, dass er ja Elisabeths Neffe war. Mit dem würde er sich dann auch noch mal unterhalten. Außerdem kannte Gerlach durch seine Firma Gott und die Welt, er könnte eine wichtige Auskunftsquelle bei den Ermittlungen sein.

Auf einem kleinen Tisch vor dem Stationszimmer stand ein noch eingepackter Blumenstrauß in einer Vase. Karl sah sich um, dann nahm er ihn hoch, ließ ihn kurz abtropfen und ging zufrieden weiter, bis er vor der Zimmertür stand. Entschlossen klopfte Karl an. Das »Herein« klang schon mal normal, er drückte die Klinke runter und betrat den Raum, in dem eine überraschte Elisabeth ihm entgegensah.

»Elisabeth«, er durchquerte den Raum und blieb vor ihrem Bett stehen. »Ich war zufällig im Krankenhaus und habe es gerade gehört. Sag mal, was ist denn da bloß passiert? Hast du irgendwo eine Vase?«

Er sah sich suchend um, bis er eine leere Vase auf der Fensterbank entdeckte. Er wickelte das Papier ab und steckte die Blumen ohne Wasser in das Glasgefäß.

»Rote Rosen?« Elisabeth blickte ihn verwirrt an. »Was ist denn jetzt los?«

»Wieso?« Verständnislos warf Karl einen Blick auf den Strauß. »Magst du keine …? Sind doch hübsche Blumen. Also, erzähl mal, was ist denn passiert?«

Elisabeth zog sich am Griff über dem Bett hoch und setzte sich bequemer hin. »Bei mir ist eingebrochen worden, in aller Herrgottsfrühe. Ich hab da so Geräusche gehört und bin davon wach geworden. Und tatsächlich war jemand im Haus. Ich wollte die Polizei anrufen, aber das Telefon steht im Flur. Da musste ich ja erst mal hin. Und bevor ich anrufen konnte, ist es mir aus der Hand gerutscht und in seine Bestandteile zerfallen. Dabei bin ich irgendwie blöde gestürzt. Es ging alles so schnell, ich habe gar nichts gesehen. Es ist zu ärgerlich, wirklich.«

»Aber du kannst doch nicht riskieren, einem Täter unbewaffnet gegenüberzustehen«, warf Karl tadelnd ein. »Das lernt doch jedes Kind. Und dann noch als Frau. Was hast du dir nur dabei gedacht?«

»Ich war mit meiner Gehhilfe bewaffnet«, Elisabeth griff nach dem Wasserglas auf dem Nachttisch. »Die stand noch bei mir rum, wegen der Hüfte damals. Aber jetzt ...«, sie drehte vorsichtig ihren Fuß hin und her. »Jetzt brauche ich sie tatsächlich wieder.«

Sie überlegte einen Moment, dann fiel ihr etwas ein. »Ich glaube, ich habe diesen Typen mit der Gehhilfe getroffen, Karl. Kurz bevor ich dann selbst gestürzt bin. Oder währenddessen, ich kann mich gar nicht so richtig erinnern.«

Karl kritzelte etwas in ein Notizbuch, das Elisabeth bekannt vorkam. Sie hatte es schon mal irgendwo gesehen. Jetzt hob er den Kopf und fragte: »Was ist denn gestohlen worden?«

Sie hob die Schultern. »Woher soll ich das wissen? Ich konnte doch gar nicht gucken, weil Frau Scholz so hysterisch war und gleich den Notarzt gerufen hat. Aber deine Kollegen ..., oder sind das eigentlich deine Nachfolger ...? Jedenfalls die Tochter von Onno und so ein junger Mann waren vorhin schon da und haben gefragt. Ich habe keine Ahnung, ob was fehlt. Mein Neffe fährt jetzt mal hin und guckt, er muss mir sowieso meine Sachen holen. Ich soll noch bis übermorgen hierbleiben, was ich übrigens für einen totalen Schwachsinn halte.«

»Und ist dir irgendwas aufgefallen? Sind fremde Leute in der Nähe deines Hauses gewesen, die sich umgeschaut haben? Gab es irgendwelche seltsamen Anrufe? Irgendwas Ungewöhnliches?«

»Nein«, müde schüttelte Elisabeth den Kopf. »Das haben die beiden Polizisten und Torben mich auch schon alles gefragt. Ich habe aber nichts bemerkt oder beobachtet. Du, sei nicht böse, aber ich habe so Schmerzen im Fuß und auch nicht viel geschlafen. Vielleicht können wir nächste Woche mal klönen, wenn ich wieder zu Hause bin. Und ich denke auch, dass ich wieder zur nächsten Chorprobe komme. Torben kann mich bestimmt fahren.«

»Natürlich, meine Liebe«, Karl ließ sein Notizbuch in der Tasche verschwinden und sprang von seinem Stuhl auf. »Ruh dich aus und sei unbesorgt, ich werde mich selbst um deinen Fall kümmern. Bei dir bricht niemand mehr ein.«

Er stand vor ihrem Bett und drückte etwas umständlich ihre Hand. »Also, gute Besserung und bis bald.« Jetzt fiel Elisabeth auch ein, woher sie dieses Notizbuch kannte. Die Sparkasse verschenkte die immer zu Weihnachten.

Als sich die Tür hinter ihm geschlossen hatte, wandte Elisabeth ihren Blick zum Blumenstrauß. Karl hatte sogar eine Karte geschrieben. Sie streckte ihren Arm danach aus und konnte die Karte selbst herausziehen. Gerührt öffnete sie den Umschlag. »Herzlich willkommen dem neuen Erdenbürger«.

Elisabeth ließ die Karte sinken und schloss die Augen.

Während Inge den Mixer in den Teig hielt, hob sie den Kopf und sah nachdenklich durchs Küchenfenster. Sie musste dringend Rasen mähen, es sah bei ihr schon fast so schlimm aus wie bei Jutta Holler. Die ließ ihren Garten regelrecht verkommen, dabei hatte sie genug Geld, um einen Gärtner zu beauftragen. Aber das fand Madame wohl nicht so wichtig. Sina hatte ein paar Mal jemanden kommen lassen, aber sie war eben nicht oft genug hier. Und hatte wohl auch kein großes Interesse, ihr Elternhaus instand zu halten. Aber das war zum Glück nicht Inges Problem. Sie konzentrierte sich wieder auf die Konsistenz des Teigs. Beim nächsten Blick nach draußen entdeckte sie einen Mann, der sehr langsam auf dem Bürgersteig ging. Er trug einen schönen Mantel, das wäre auch mal was für Walter. So ein kurzer Sommermantel, das hatte doch viel mehr Schick als diese Windjacken, die Walter immer trug. Inge schaltete den Mixer aus und stellte ihn zur Seite. Als ob Walter so einen flotten Mantel tragen würde. Der bestimmt nicht billig war. Die Windjacke konnte man ja schließlich abwischen, würde Walter sagen, so ein Mantel musste in die Reinigung. Inge warf erneut einen Blick nach draußen und beugte sich ein Stück nach vorn. Der Mann war stehen geblieben, genau vor dem Haus von Jutta Holler. So ein schöner Mantel vor dem Haus einer so blöden Nachbarin. Er wollte doch wohl nicht zu ihr? Wobei Jutta Holler ja durchaus Besuche von diversen Männern bekam, aber dieser Mann hier hatte doch wohl ein anderes Format. Zumindest aus der Entfernung betrachtet. Aber vielleicht täuschte der Eindruck oder der schöne Mantel. Das Klingeln des Telefons unterbrach Inges Überlegungen.

»Na, Ingelein, was machst du gerade?«

»Ich habe gerade an dich gedacht, Walter«, antwortete sie und nahm das Telefon mit zum Esstisch. »Und nebenbei bereite ich eine Quiche vor. Karl, Onno und Charlotte kommen heute Abend zum Essen.«

»Aha«, Walter machte eine überraschte Pause. »Wieso das denn? Kaum sind Heinz und ich aus dem Haus, schon werden fremde Männer eingeladen. Und das erzählst du auch noch so fröhlich.«

Inge ordnete die Blumen in der Vase. »Karl und Onno sind nicht fremd. Ich kenne Karl länger als dich. Und wir müssen unseren Chorauftritt besprechen. Und noch ein paar andere Dinge.«

»Das ist ja das Schlimme. Also, dass du Karl schon so lange ... Ist Gerda eigentlich noch zur Kur?«

»Ja.«

Walters Stimme wurde lauter. »Siehst du. Karls Frau ist verreist, ich bin verreist, und schon wird gefeiert und getrunken und über alte Zeiten geredet.«

Inge seufzte. Sie hatte Walter eigentlich nichts von den Einbrüchen erzählen wollen und schon gar nicht von Karls Ermittlungsversuchen, aber das war vermutlich das geringere Übel. Ansonsten würde Walter sich noch in diese alberne Eifersuchtsnummer reinsteigern.

»Du, Walter«, begann sie vorsichtig, »hast du eigentlich was von den Einbrüchen auf der Insel gehört?«

»Was?« Mit dieser Frage hatte er nun nicht gerechnet.

»Wie kommst du jetzt darauf? Oder ... sag jetzt nicht, dass ... bei uns?«

»Nein. Ich wollte nur wissen, ob du davon schon was mitbekommen hast.«

»Natürlich habe ich was darüber gelesen«, Walters sonore Stimme klang wieder entspannt. »Aber das ist doch schon vor zwei Wochen passiert. Mich wundert das nicht, dass diese großen Häuser, die dauernd leer stehen, weil die Besitzer nur in den Ferien kommen, ab und zu mal überfallen werden. Was verwundert dich daran?«

»Es waren keine Zweitwohnsitze, in die eingebrochen wurde. Es waren alles Häuser von Einheimischen, mittlerweile sind es sogar schon vier, stell dir vor, vier! Und jetzt halt dich fest: Wir kennen fast alle. Was sagst du jetzt?«

Zunächst sagte Walter gar nichts.

»Bist du noch dran, Walter?«

»Dann habe ich wohl nicht ordentlich gelesen. Stand das denn überhaupt in der Zeitung? Das mit den Einheimischen? Das gibt es ja nicht«, Walter war hörbar erschüttert. »Wieso hast du das nicht gleich gesagt? Das ist doch wichtig. Dann wären Heinz und ich ja sofort zurückgekommen. Oder gar nicht erst gefahren. Bist du jetzt in Sorge, Inge? Oder hast du sogar Angst?«

»Unsinn«, Inge wusste, dass Walter zum Drama neigte, deswegen hütete sie sich, ihm Futter zu geben. »Es ist noch nicht mal viel gestohlen worden. Aber die Polizei findet gar nichts raus, sagt Karl, die tappen vollkommen im Dunkeln, das kann man doch gar nicht begreifen! Und deshalb haben wir mal die Opfer der Einbrüche befragt. Unter der Anleitung von Karl, schließlich ist er ein erfahrener Polizist, und seine Nachfolger schaffen es ja anscheinend nicht, diese Einbruchsserie aufzuklären. Und da wir drei der vier Opfer kennen, betrifft es uns irgendwie auch.«

»Wie?« Walter war perplex. »Ihr spielt jetzt Privatdetektive und kommt der Polizei ins Gehege?«

»Unsinn. Wir besuchen nur Bekannte und unterhalten uns ein bisschen mit ihnen. Onno und Charlotte waren gestern bei Helga Simon, sie war das erste Opfer und ist die Witwe von einem ehemaligen Arbeitskollegen von Onno. Und ich will nachher mal zu Johanna Roth, dem dritten Opfer, gehen, weißt du, das ist die Dicke mit den roten Haaren, die früher in der Gemeinde gearbeitet hat. Ich habe ihr doch mal Ableger von meiner Clematis gebracht. Und wenn wir uns auf dem Markt treffen, dann klönen wir immer mal. Und Charlotte und ich waren ja schon bei Gisela Karlson. Heute Nachmittag wollen wir mal unsere Ergebnisse zusammentragen.«

»Ihr spinnt.« Das war typisch Walter. Inge begann, sich zu ärgern. Sie stand auf und ging, um sich zu beruhigen, mit dem Telefon am Ohr in die Küche.

»Wieso spinnen wir? Wer mischt sich denn sonst immer in solche Dinge ein? Darf ich dich an die Busreise im letzten Jahr erinnern? Bei der du und Heinz diese Betrüger observiert habt? Da habt ihr doch auch Polizei gespielt. Und wir haben wenigstens einen echten dabei.«

»Der ist pensioniert«, stellte Walter fest. »Auch wenn er das selbst nicht wahrhaben will. Ja, und? Habt ihr schon was herausgefunden?«

Inge lehnte sich an die Arbeitsplatte und zog die Schüssel mit dem Teig zu sich. »Wir sind erst am Anfang. Heute Abend weiß ich mehr. Und bei euch? Wie ist euer Seminar? Immer noch gut?«

»Hervorragend«, während Walter begeistert von den Möglichkeiten erzählte, die sich beim Immobilienkauf als Altersanlage ergeben würden, sah Inge wieder nach draußen. Der Mann stand immer noch da. Er hatte die Hände in den Manteltaschen vergraben und starrte unverwandt auf das Haus von Jutta Holler. Inge konnte sein Gesicht nicht erkennen, aber seine Körperhaltung wirkte angespannt. So, als ob er sich nicht entscheiden konnte, einfach zur Haustür zu gehen und zu klingeln. Irgendwie merkwürdig.

»… eine tolle Rendite. Gerade auf Sylt, da wundert es einen nicht, dass die Makler von Haus zu Haus gehen und unanständige Angebote machen.«

Ein Makler! Ja, vielleicht war das da draußen so einer? Oder vielleicht wollte er ja das Haus von der Holler kaufen? Gisela hatte ja auch kürzlich erst ein Angebot bekommen, einfach so, ohne jemanden gefragt zu haben. Aber bei ihr war das ein Mann von der Bank gewesen. Der aber auch gefragt hatte, ob sie das Haus verkaufen wollte. Hatte Gisela so etwas in der Art nicht auch erzählt?

»Und das mit den Maklern habt ihr auf diesem Seminar gehört?« Inge war sich nicht sicher, ob sie das richtig verstanden hatte. Ganz genau hatte sie ja nicht zugehört.

»Habe ich doch gerade gesagt. Der Seminarleiter hat Heinz und mir ein paar Ideen mitgegeben. Du kaufst ein Haus, machst es für kleines Geld hübsch und verkaufst es für das Doppelte. Das passiert auf Sylt dauernd. Heinz und ich sitzen nahezu an der Quelle, wir kennen viele Leute, die Häuser besitzen, haben ein bisschen Geld auf der hohen Kante, das wäre keine schlechte Beschäftigung. Und kein schlechter Verdienst.«

Inge behielt den Mann im Mantel im Auge. Nach einem letzten Blick auf das Haus drehte er sich jetzt um und entfernte sich mit langsamen Schritten. Es schien so, als würde er ein Bein nachziehen. Nach ein paar Metern drehte er sich noch einmal um, sodass sie sein Gesicht sehen konnte. Sofort ging sie einen Schritt zurück. Auch wenn er irgendwie ganz sympathisch aussah.

»Inge? Bist du noch dran?«

»Ja, Walter. Ich verstehe nur nicht genau, was du mir jetzt damit sagen willst. Möchtest du unser Haus verkaufen oder ein anderes kaufen?«

»Du hast mir gar nicht richtig zugehört.« Walter fühlte sich unverstanden. »Heinz und ich beschäftigen uns gerade mit einer interessanten Möglichkeit, unser Geld anzulegen und sogar zu vermehren. Wir werden es euch in aller Ruhe erzählen, wenn wir nächste Woche wieder da sind. Am Telefon sind die Zusammenhänge zu komplex. So, und jetzt muss ich aufhören, wir haben noch verschiedene Unterlagen, die wir durchsehen müssen. Vorbereitung ist alles bei einer solchen Weiterbildung.«

Inge ging zurück ins Esszimmer. »Ja, dann wünsche ich euch viel Erfolg. Ich kümmere mich jetzt mal um meine Quiche. Grüß alle.«

»Mach ich. Ich melde mich wieder. Und lasst euch nicht von Karl zu irgendwelchen Detektivspielen hinreißen. Du bist nicht Miss Marple.«

»Ich weiß.« Inge nickte. »Ich mochte die aber immer sehr. Also, pass auf dich auf und nimm deine Tabletten. Bis später.«

Als sie den Hörer wieder auf die Station gelegt hatte, lächelte sie. Miss Marple. Das musste sie Charlotte erzählen, die war auch ein großer Fan der englischen Detektivin.

Torben Gerlach hat gerade angerufen.« Robert sah auf, als Maren durch die Tür kam. »Dieses Mal haben sie Beute gemacht. Frau Gerlach hatte in einem Sekretär dreitausend Euro, die sind weg.«

Maren nickte und stellte sich hinter seinen Schreibtischstuhl, um ihm über die Schulter auf seinen Bildschirm zu sehen. »Was Neues von der Spurensicherung?«

Er roch gut. Er roch so gut, dass Maren sicherheitshalber die Luft anhielt, um nicht der Versuchung zu erliegen, ganz schnell ihr Gesicht in seine Halsbeuge zu pressen. Stattdessen hustete sie.

»Alles okay?« Robert drehte sich plötzlich um und war mit seinem Gesicht viel zu dicht an ihrem. Maren wich sofort zurück und richtete sich wieder auf.

»Ja, danke, alles gut. Hab mich nur verschluckt. Was sagen die Kollegen? Fingerabdrücke, irgendwelche Spuren?«

»Natürlich nichts«, Robert grinste. »Falls jemand eine Putzfrau sucht, kann man Elvira Scholz uneingeschränkt empfehlen. Der Tatort war porentief gereinigt. Die Kollegen haben fast einen Anfall gekriegt.«

Er richtete seinen Blick zurück auf den Bildschirm. »Bis auf das Geld ist offenbar nichts gestohlen worden. Frau Gerlach wird morgen aus der Klinik entlassen, wir sollten dann noch mal bei ihr vorbeifahren, falls ihr doch noch was aufgefallen ist.«

Maren nickte und ging um seinen Schreibtisch herum, um sich auf ihren Platz zu setzen. Sie deutete auf die Akten, die neben ihr lagen. »Ich habe mir alle Fälle noch mal angesehen. Ist dir aufgefallen, dass alle Opfer ungefähr im selben Alter waren? Und dass sie alle alleinstehend sind? Hat schon mal jemand geprüft, ob die sich untereinander vielleicht kennen?«

»Natürlich«, Robert sah sie an. »Du, die Jungs hier sind auch keine Anfänger. Wir haben versucht, eine Verbindung zwischen ihnen zu finden, es gibt aber keine. Sie kennen sich nicht alle, sie haben weder dieselbe Putzfrau noch dieselben Hausärzte noch dieselben Lieferanten. Keiner hat etwas bemerkt, unbekannte Personen gesehen oder seltsame Telefonate bekommen. Aber das steht ja auch alles in den Akten.«

»Schon«, Maren drehte einen Kugelschreiber zwischen den Fingern. »Aber die Fälle ähneln sich doch alle. Zwei der Opfer sind außerdem in dem Chor, in dem mein Vater und Karl singen.«

»Ja, aber eben nur zwei. Frau Karlson und die Gerlach. Die anderen drei singen nicht. Zumindest nicht im Chor.« Robert schob Papiere zusammen. »Es gibt eine Sache, die Runge aufgefallen ist: Alle Straßen liegen an der Schulbuslinie. Wir haben um elf Besprechung. Wir sollten uns das mal genauer ansehen.«

»Also Jugendliche?« Maren war skeptisch. »Die meisten Einbrüche sind am Vormittag passiert. Da sind die doch in der Schule.«

»Natürlich«, Roberts Ton war jetzt leicht sarkastisch. »Hier auf der Insel gibt es natürlich nur gewissenhafte Schüler, von denen nie jemand den Unterricht schwänzen würde. Jeglicher Unsinn wird ausschließlich in den Ferien oder am Nachmittag gemacht. Alles Engel und Streber. Ist eben eine heile Welt, diese Insel.«

»Was soll das jetzt?« Maren sah ihn irritiert an. »Wieso bist du so giftig?«

Mit einer schnellen Bewegung drehte Robert seinen Stuhl in ihre Richtung. »Willst du es wirklich wissen?«

»Natürlich.«

Langsam stand er auf, ging zu ihr, stützte seine Hände auf ihren Schreibtisch und sah sie an. Seine Augen waren sehr blau.

»Ich verstehe dich nicht. Du weichst mir aus, egal, was ich sage, ich sage Rot, du sagst Grün, du bist total distanziert und behandelst mich, als wäre ich der letzte Polizeischüler. Du tust so, als hätten wir nie irgendetwas miteinander zu tun gehabt. Dabei war das mit das Schönste überhaupt, und ich habe keine Ahnung, warum du dich danach nicht mehr gemeldet hast. Und du schweigst. Wenn du ein Problem mit mir hast, ist das wohl so. Du kannst ja deine Dienste so einteilen, dass wir uns nicht mehr sehen müssen, das scheint dich ja wahnsinnig zu nerven. Aber wenn das nicht geht und wir hier zusammen Dienst schieben müssen, dann reiß dich zusammen und rede mit mir. Auf diesen Kindergarten habe ich keinen Bock. Und jetzt fahre ich die Schulbusstrecke ab. Und nehme die Lehmann mit. Denk an die Besprechung um elf. Bis dann.«

Das hatte gesessen. Verblüfft starrte sie ihm nach, bis die Tür hinter ihm ins Schloss fiel.

Nur eine Sekunde später wurde die Tür wieder geöffnet. »Guten Morgen, Maren. Was ist denn mit deinem Kollegen los? Der hat mich fast umgerannt.«

»Karl«, immer noch verblüfft sah sie den Besucher an. »Ich ... ähm, keine Ahnung. Was gibt es denn?«

Er sah sich kurz um, bevor er sich auf Roberts Stuhl setzte. »Das wollte ich mal von dir hören. Ich mache mir

Sorgen um Elisabeth, ich habe sie gestern besucht, sie ist ja fix und fertig!«

Betont harmlos fragte Maren: »Welche Elisabeth?«

»Maren, bitte.« Karl funkelte sie an. »Elisabeth Gerlach, natürlich. Habt ihr schon was?«

»Karl, ich darf dir doch nichts sagen. Wir machen schon unseren Job, du kannst unbesorgt sein. Und ...«

»Hey, Meister Sönnigsen«, Benni kam um die Ecke gebogen und grinste Karl an. »Wenn Runge dich sieht, kriegst du Ärger. Und Maren dazu. Also frag hier nicht die Kollegen aus.«

»Benni«, Karls Antwort kam freundlich, aber sehr bestimmt. »Ich unterhalte mich lediglich mit meiner Patentochter, das verstößt wohl kaum gegen das Grundgesetz. In diesem Gespräch wollte ich lediglich meine Sorge um die Einbruchsopfer kundtun. Und euch bitten, eure Ermittlungen mal ein bisschen zu beschleunigen. Der fünfte Einbruch in Folge, also, das hätte es zu meiner Zeit hier nicht gegeben.«

Maren verdrehte die Augen in Bennis Richtung, doch der behielt seine gute Laune. »Komm, Karl, bleib entspannt, wir arbeiten wirklich auf Hochtouren. Und wir haben auch schon einiges. Aber das geht dich wirklich nichts mehr an. Und jetzt würde ich zusehen, dass ich Land gewinne, Runges Wagen steht nämlich schon auf dem Hof.«

Es war zu spät, Peter Runge stand bereits in der Tür. »Morgen ...«, er stutzte, als er Karl sah, seine Miene verfinsterte sich augenblicklich. »Was ...?«

»Also, ich habe alles«, sagte Maren laut. »Wir gehen dem nach, aber ich finde es trotzdem ärgerlich, dass du dir das Kennzeichen nicht gemerkt hast.«

»Tja«, Karl war immer noch schnell im Kopf. »Ich bin

in Pension, da denkt man nicht mehr wie ein Polizist. Tut mir leid, ich ärgere mich selbst drüber. Aber es war ein silberfarbener Mercedes-Transporter, da bin ich mir sicher. Ich hoffe, ich konnte euch helfen, also dann, schönen Tag noch.«

Er war aufgestanden, tippte sich an die Schläfe und ging zum Ausgang. »Und Grüße an Onno.« Die Tür schlug hinter ihm zu.

»Was war das denn?« Runge sah aus, als hätte ihm gerade jemand in den Magen geboxt.

»Herr Sönnigsen hat einen verdächtigen Mercedes-Transporter bemerkt. Der stand seit ein paar Tagen in Morsum. Das wollte er uns mitteilen. Es könnte ja eine Spur sein.« Maren schrieb das Wort »Mercedes-Transporter« auf einen Zettel und sah dann ihren Chef an. »Es war nur eine Zeugenaussage.«

Peter Runge fuhr sich wütend durch seine gestylte Frisur. »Wer's glaubt«, zischte er und drehte sich auf dem Absatz um. »Ich bin in meinem Büro. Um elf Besprechung.«

Benni zählte tonlos bis zehn, dann drehte er sich zu Maren. »Respekt«, meinte er anerkennend. »Auch wenn es knapp war. Aber wir müssen echt Karl einfangen, beim nächsten Mal flippt der Chef aus. Und dann gibt es Tote.«

Rike reichte der Patientin das Rezept mit einem Lächeln. »So, Frau Gärtner, bei Bedarf zwei Tabletten, ja? Ansonsten kalte Umschläge. Und wir sehen uns in einer Woche wieder.«

Die Patientin steckte das Rezept ein und nickte: »Und wenn es nicht besser wird, dann rufe ich den Doktor an, nicht wahr, Frau Brandt?«

»Sicher«, Rike lächelte und wandte sich dem nächsten Patienten zu. Er hatte gerade die Praxis betreten, ein großer, gut aussehender Mann, teure Klamotten, eine moderne Brille, eine schöne Uhr, Rike ordnete ihn sofort als Urlaubsgast ein.

»Was kann ich für Sie tun?«

Frau Gärtner war noch nicht fertig. Sie schob den Neuankömmling zur Seite und beugte sich über den Tresen. »Ich kann den Doktor doch immer erreichen, oder?«

»Frau Gärtner«, Rike legte ihr die Hand auf den Arm. »Die Tabletten werden Ihnen helfen. Und wenn nicht, dann kommen Sie wieder vorbei. Oder rufen den Doktor an. Außerhalb der Praxiszeiten aber nur, wenn Sie das Gefühl haben, dass Sie sofort ins Krankenhaus müssen.« Sie verbot sich zu sagen, dass Frau Gärtner sich lediglich den Fuß verknackst hatte, weil sie so gern zum Doktor ging. Diese Woche war es der Fuß, beim nächsten Mal würde ihr der Rücken wehtun, danach hätte sie vielleicht einen Tennisarm. Lebensbedrohlich krank war sie nie, nur manchmal etwas einsam.

»Ins Krankenhaus gehe ich nicht.«

»Gut«, geduldig lächelte Rike sie an. »Dann sehen wir uns nächste Woche. Schönen Tag noch und gute Besserung.«

Sie wartete, bis Frau Gärtner die Praxis verlassen hatte, dann wandte sie sich wieder an den Mann. »Entschuldigen Sie bitte, jetzt sind *Sie* dran. Was können wir für Sie tun?«

»Ich bin vor ein paar Tagen gestürzt. Zuerst war es nicht so wild, aber jetzt ist das Knie so angeschwollen, und ich wollte ausschließen, dass da irgendetwas gerissen ist. Vielleicht kann da mal jemand draufschauen.«

Er hatte eine beruhigende und schöne Stimme. Rike sah ihn noch mal genauer an. So ein interessantes Gesicht. Richtig guter Typ. Sehr anziehend. Sofort räusperte sie sich und zog ein Formular aus der Schublade. »Sie waren noch nie bei uns, richtig?«

Er schüttelte den Kopf. »Nein, ich bin zum ersten Mal hier.«

»Dann bräuchte ich ein paar Angaben. Können Sie mir dieses Formular bitte ausfüllen? Und ich bräuchte Ihre Krankenkassenkarte, Herr …?«

»Andreas von Wittenbrink. Ich bin privat versichert. Kann ich das im Wartezimmer ausfüllen?«

»Natürlich«, Rike schob ihm das Blatt zu. »Die zweite Tür rechts.«

Sie sah ihm nach, während er über den Flur humpelte. Wahrscheinlich war er wohlhabend, erfolgreich, hatte eine hübsche Ehefrau und zwei entzückende Kinder. Solche Männer waren nie auf dem freien Markt.

»Rike?« Die knarzige Stimme von Dr. Hansen schallte

aus dem Lautsprecher und unterbrach ihre unprofessionellen Gedanken. »Sie können mir den Nächsten reinschicken.«

Sie hatte inzwischen dreimal das Wartezimmer betreten, um Patienten aufzurufen. Jedes Mal hatte Andreas von Wittenbrink den Blick von seinem Buch gehoben und sie angelächelt. Es gefiel ihr, dass er ein Buch dabeihatte, sie wusste zwar nicht, warum, aber es gefiel ihr. Genauso wie der ganze Mann.

»Herr von Wittenbrink?«

Sie wartete an der Tür, bis er sein Buch verstaut hatte und aufstand.

»Hier vorn, die dritte Tür links.« Sie ging ein paar Meter neben ihm, er war fast zwei Köpfe größer als sie. »Was lesen Sie gerade?«

Überrascht lächelte er sie an. »Einen Krimi. Von Sven Pettersen. ›Fataler Irrtum‹.«

»Ach«, Rike blieb vor dem Sprechzimmer stehen. »Das ist ja lustig. Den lese ich auch gerade.«

Er lächelte wieder und ging ins Zimmer, leise schloss Rike die Tür hinter ihm und blieb einen Moment stehen. Es gibt keine Zeichen, dachte sie, sei nicht albern. Das Telefon am Empfang klingelte, sie drehte sich auf dem Absatz um und ging wieder an ihre Arbeit.

Eine halbe Stunde später stand der interessanteste Patient des Tages wieder vor der Rezeption. »Ich soll sicherheitshalber in die Klinik zum Röntgen fahren«, sagte er. »Könnten Sie mir bitte ein Taxi rufen?«

Mit einem kurzen Blick auf die Uhr und ungewohnt offensiv hörte Rike sich vorschlagen: »Ich habe in zehn Minuten meinen freien Nachmittag und muss sowieso in

Richtung Klinik. Wenn Sie wollen, kann ich Sie schnell hinfahren.«

Erschrocken über ihren unüberlegten Vorstoß biss sie sich sofort auf die Unterlippe. Was war denn in sie gefahren? Er war ein Patient, er musste doch denken, sie wäre bescheuert. Er wollte einfach nur ein Taxi bestellen. Bevor sie sich für diesen Aussetzer entschuldigen konnte, lächelte Andreas von Wittenbrink sie erleichtert an. »Wirklich? Wollen Sie das tun? Ich würde das sehr gern annehmen, ich hasse Krankenhäuser. Und bin mir nicht sicher, ob ich da wirklich reingehe.«

Es war dieser Blick, die Stimme und das Lächeln – alles zusammen ließ in Rikes Magen eine Feuerwerksrakete aufsteigen.

»Sie haben etwas bei mir gut.«

Die Rakete explodierte in leuchtenden Farben.

»Ach, hier sitzt du.« Jutta Holler stand mit leerem Glas in der Hand in der Wohnzimmertür und sah ihre Tochter erstaunt an, die sich gerade den letzten Fingernagel lackierte. »Ich dachte, du bist unterwegs.«

Sina wedelte mit der Hand, um den Trocknungsprozess zu beschleunigen, während ihre Mutter auf hohen Absätzen das Zimmer durchquerte. »Ich hatte keine Lust, mit diesen Touristenmassen durch die Friedrichsstraße zu pilgern. Und am Strand war es mir zu kalt. Und einen Kaffee kann ich hier auch trinken.«

Jutta Holler blieb vor einem kleinen Tisch stehen, auf dem verschiedene Flaschen und Karaffen standen. »Hast du schlechte Laune?«

»Unsinn«, Sina betrachtete ihre Fingernägel. »Sollte ich?«

Ihre Mutter drehte ihr den Rücken zu, griff nach einer

Flasche Cognac und schenkte sich großzügig ein. Sina beobachtete sie stirnrunzelnd.

»Meinst du nicht, dass es noch etwas zu früh für solche Getränke ist?«

»Wieso?« Jutta hatte die braune Flüssigkeit ohne mit der Wimper zu zucken runtergekippt. »Es ist nach zwölf und ich habe mich geärgert. Außerdem spinnt mein Magen.«

»Aha.« Vorsichtig schraubte Sina das Nagellackfläschchen zu. »Und worüber hast du dich geärgert?«

»Über Karsten. So ein Idiot!« Wütend ließ Jutta sich in einen der Designersessel fallen. Ihr ohnehin zu kurzer Rock rutschte dabei hoch und gab den Blick auf eine beginnende Laufmasche frei. Sina musste den Blick abwenden, um nichts Böses zu sagen. Ihre Mutter hatte keinen Geschmack und betrachtete sich offensichtlich auch nie im Spiegel. Diese Rocklänge war einfach nicht für Frauen ihres Alters gedacht. Es sah lächerlich aus.

Sina starrte auf das leere Glas in Juttas Hand. »Willst du darüber reden? Oder ist es wie immer?«

»Was heißt ›wie immer‹? Karsten und ich waren für heute verabredet, in Kampen, zum Mittagessen im ›Rauchfang‹. Und jetzt ruft dieser Versager vorhin an und sagt mir, dass er Besuch bekommt und nicht kann. Ich bin hingefahren und habe geguckt, er hat Besuch von so einer Jungblondine bekommen. Könnte seine Tochter sein, das ist doch das Letzte.«

»Also wie immer«, sagte Sina leise. Sie hatte nie verstanden, wie ihre Mutter es immer wieder schaffte, wesentlich jüngere Männer aufzureißen. Aber es gab offensichtlich genügend Typen, die es toll fanden, sich von einer auf jung getrimmten Frau abendelang aushalten zu lassen, aus lauter Dankbarkeit ein- oder zweimal mit ihr ins Bett zu gehen und sich anschließend zügig aus dem Staub machten. Es war erbärmlich.

»Ich fand ihn sowieso ein bisschen schmierig«, Sina stand auf und holte sich die Wasserflasche vom Tisch. »Mach einen Haken dran, es lohnt nicht, sich deswegen zu ärgern.«

»Was weißt du denn? Dein Erfolg bei Männern hält sich im Moment ja wohl auch in Grenzen. Oder habe ich was verpasst?« Jutta hielt Sina das leere Glas hin. »Du stehst gerade, schenk mir noch mal nach.«

Sina lächelte sie an. »Im Gegensatz zu dir brauche ich nicht unbedingt einen Mann. Ich kann warten, bis was Gutes kommt.« Sie beugte sich vor und griff nach der Cognacflasche. »Und damit löst du das Problem übrigens auch nicht.«

Giftig guckte Jutta hoch. »Du bist so eine Klugscheißerin. Genau wie dein Vater. Ich ...«

»Du ...«, das laute Klingeln von Sinas Handy verhinderte, dass sie sagen konnte, was ihr gerade durch den Kopf schoss. Stattdessen stellte sie die Cognacflasche auf den Tisch, griff ihr Telefon und ging aus dem Zimmer.

»Hallo?« Sie knallte die Tür lauter zu, als sie musste.

»Sag mal, bist du total gestört!?«

Zufrieden ließ Sina sich auf die untere Treppenstufe im Flur sinken. »Hey, Uwe, bist du schon wieder in Hamburg? Ich dachte, ihr seid auf Korsika ...«

»Du stellst sofort den Porsche wieder hin.« Uwes Stimme zitterte vor Wut. »Ansonsten zeige ich dich an. Mir reicht es.«

»Und wie willst du das deiner Frau erklären? Wo der Porsche war? Und wieso weißt du, wer ihn, Anführungszeichen unten, ›geklaut hat‹, Anführungszeichen oben? Da musst du dir schon was einfallen lassen. Oder soll ich ihr mal ein bisschen von unseren letzten sieben Jahren erzählen?«

»Hör endlich auf, mich zu erpressen, Sina. Meine Frau ist bei ihrer Mutter, die ist gestürzt, deshalb mussten wir früher zurück. Sie weiß noch gar nicht, dass der Wagen weg ist. Und sie wird es auch nicht erfahren, weil du ihn ja umgehend zurückbringst. Und gnade dir Gott, wenn das nicht passiert, ich gehe zur Polizei. Ich bin es endgültig leid.«

»Ich bin auf Sylt, Schätzchen. Also wird das nichts mit ›umgehend‹.« Sina betrachtete unzufrieden einen ihrer Fingernägel, der unsauber lackiert war. »Ich habe im Moment ganz andere Sorgen. Und wollte erst Montag fahren. Ist das ein Problem?«

»Du bringst den Wagen heute Abend zurück«, Uwe brüllte fast. »Heute Abend. Sonst steht in einer halben Stunde die Polizei bei euch vor der Tür. Ich habe die Adresse deiner Mutter, und erzähl mir nicht, dass du woanders bist.« Er holte tief Luft, um sich zu beruhigen. »Es ist die letzte Warnung, Sina. Ich glaube, du brauchst professionelle Hilfe. Du bist echt krank.«

»Ja, ja«, Sinas Blick war auf eine Felltasche im Leopardenmuster gerichtet, die mit einem Henkel an der Garderobe hing. »Bleib locker, Uwe, ich bringe den Wagen heute noch vorbei. Bist du da? Oder soll ich den Schlüssel mit Gruß an die Autodiebe stecken lassen?«

»Du bist …«

Sie wartete das Ende des Satzes nicht ab, sondern drückte das Gespräch weg. Dieser Vollidiot. Als ob er sie mit seinen Drohungen einschüchtern würde. Das konnte er sofort vergessen. Schließlich saß sie am längeren Hebel. Und wenn er Krieg wollte, sollte er Krieg bekommen. Das war ihre einfachste Übung.

Langsam stand sie auf und schob ihre Hand in die hässliche Leopardentasche. Sofort ertasteten ihre Finger die Geldscheine. Sie zog sie raus und zählte durch. Es waren mindestens zehn Hunderteuroscheine, sie nahm nur vier und stopfte die anderen wieder zurück, schob ihr Handy in ihre Jackentasche und ging langsam zurück ins Wohnzimmer. Jutta hatte mittlerweile ihre Schuhe ausgezogen, ihr Glas war schon wieder randvoll. Als sie die Tür hörte, drehte sie sich zu Sina und sah sie fragend an. »Und?«

»Im Hotel brennt die Luft, ich muss sofort zurück. Das war gerade meine Stellvertreterin.«

»Das kommt davon, wenn man Chefin ist.« Jutta hob spöttisch die Augenbrauen. »Entweder hast du deine Leute nicht im Griff oder du nimmst dich zu wichtig. Such dir einen Mann mit Geld, du hast viel zu viel Stress. Das macht alt und hässlich.«

»Sicher«, Sina lächelte schmallippig. »Sag mal, ich wollte eigentlich noch zur Bank und Geld holen, das wird mir alles zu knapp. Hast du noch Bargeld da?«

»Ich habe immer Bargeld«, etwas ungelenk mühte Jutta sich aus dem Sessel und ging zu dem kleinen Sekretär. »Was brauchst du?«

»Nicht so viel«, Sina schluckte. »Drei-, vierhundert Euro?«

Jutta lachte und drehte sich um. In der Hand hielt sie ein Bündel grüner Scheine. Sie zog fünf raus und hielt sie Sina hin. »Hier hast du fünfhundert, nimm es als Vorab-Erbe.«

Sina ärgerte sich sofort, dass sie nicht nach mehr gefragt hatte. Es würde aber reichen. Mit dem Vorab-Erbe aus der Leopardentasche.

»Du bist ganz schön leichtsinnig. Überall liegt Geld rum, und zurzeit werden doch hier dauernd Häuser aufgebrochen.«

»Dauernd«, Jutta verzog das Gesicht. »Du redest schon wie die blöde Müller von nebenan. Außerdem steigen die nur bei alten Frauen ein, stand doch in der Zeitung. Fährst du sofort? Dann kannst du mich bis zum Bahnhof mitnehmen. Ich glaube, ich werde mal bei Conni reinschauen, vielleicht kann sie mich drannehmen. Friseure beruhigen mich immer so.«

»Ich packe schnell meine Tasche.«

Während sie in ihrem Zimmer die Sachen zusammensuchte, unterdrückte sie den Impuls, gegen irgendetwas zu treten. Dieser Vollidiot Uwe, jetzt musste sie tatsächlich zurückfahren. Bloß weil die blöde Mutter von Manuela Faust nicht mehr gerade laufen konnte. Es war zu ärgerlich, zumal sie eigentlich heute Abend mit Torben aufs Boot wollte. Sie hatte sich schon genau überlegt, wie alles ablaufen sollte. Er war nicht der schlechteste aller Liebhaber. Und jetzt das.

Wütend zog sie den Reißverschluss der Tasche zu und ging zur Tür. Sie drehte sich noch einmal um und betrachtete das Zimmer. Es könnte alles so einfach sein. Sie musste dafür nur ein paar kleine Probleme lösen.

Jutta stand schon vor dem Porsche und blickte ihr ungeduldig entgegen. »Nun komm doch, je später ich zum Friseur komme, desto kleiner ist die Chance, dass ich noch einen Termin kriege.«

Als Sina am Bahnhof hielt, um ihre Mutter aussteigen zu lassen, tätschelte Jutta ihr kurz die Schulter. »Gute Fahrt. Alles in deinem Leben hast du ja nicht falsch gemacht. Du fährst wenigstens das richtige Auto.«

Sie stieg aus und lief über die Straße. Sina hatte sie nicht auf die Laufmasche aufmerksam gemacht. Die lief jetzt schon bis zum Knöchel. Mit einem kleinen Lächeln ordnete Sina sich in den Verkehr ein. Sie würde noch schnell bei Torben in der Firma vorbeifahren, um ihre Verabredung selbst abzusagen. Er könnte ja eine Mittagspause machen und das Büro einfach mal abschließen. Sina lächelte und öffnete den obersten Blusenknopf.

Torben war nicht im Büro. Wütend machte sie sich auf den Weg zum Autozug.

»Soll ich mit reinkommen?« Rike warf einen kurzen Blick auf Andreas von Wittenbrink, der sie erstaunt ansah. »Ich meine nur, weil Sie ja nicht gern in Krankenhäuser gehen.«

Andreas verkniff sich ein Grinsen. »Danke, aber ich muss mich ja keiner Herzoperation unterziehen. Das Röntgen kriege ich schon allein hin, aber es ist trotzdem nett von Ihnen. Also, vielen Dank fürs Herbringen.«

»Gern«, Rike nickte schnell. »Soll ich warten?«

»Das müssen Sie wirklich nicht«, lächelnd öffnete er die Tür. »Ich fahre mit dem Taxi ins Hotel, nochmals vielen Dank und bis bald.«

Er schlug die Tür zu und ließ Rike enttäuscht zurück. Sie hatte gehofft, dass er vorschlagen würde, nach der Untersuchung noch etwas essen zu gehen oder wenigstens irgend etwas auszumachen. Stattdessen war er einfach ausgestiegen. Und sie hatte sich zum Affen gemacht.

Frustriert schlug sie mit der flachen Hand aufs Lenkrad und löste dabei die Hupe aus, sofort drehten sich ein paar Passanten um. Sie hob entschuldigend die Hand und erkannte plötzlich einen von ihnen. Torben sah sie im selben Moment, kam auf ihren Wagen zu und öffnete die Tür. »Hey, Rike, ist alles in Ordnung?«

»Es war ein Versehen«, sie schnallte sich ab und stieg aus. »Hallo, Torben.«

Ihr Blick fiel auf eine Papiertüte, aus der eine Rose lugte. »Musst du einen Krankenbesuch machen?«

»Ja, meine Tante liegt hier. Und sie wollte was zu lesen haben. Und eine Rose schadet ja auch nicht.«

Er stellte die Tasche ab und zog eine Zigarettenschachtel aus seiner Jacke. »Da nutze ich doch gleich die Gelegenheit, vorher noch eine zu rauchen, ich hasse Krankenhäuser.«

Das hatte sie heute schon mal gehört, es war anscheinend ein verbreitetes Männerproblem. »Was ist denn mit deiner Tante? Was Ernstes?«

Torben zog an seiner Zigarette und stieß den Rauch ungehalten aus. »Das kann man wohl sagen. Bei ihr ist gestern Morgen eingebrochen worden, während sie noch oben im Bett lag. Sie hat Geräusche gehört, wollte nachsehen und ist dann irgendwie gestürzt oder gestoßen worden, was auch immer, und hat sich dabei das Außenband gerissen. Und sie hat durch den Schock so hohen Blutdruck, dass sie noch bis morgen zur Beobachtung in der Klinik bleiben soll.«

Erschrocken hielt Rike sich die Hand vor den Mund. »Um Himmels willen. Hat sie den Einbrecher gesehen? Da hätte ja noch viel mehr passieren können. Wieso geht sie denn selbst nachsehen? Ich hätte an ihrer Stelle lieber die Polizei gerufen.«

»Das wollte sie ja, aber das Telefon steht unten. Und ist ihr auch noch aus der Hand gerutscht. Und die Polizei …« Er machte eine demonstrative Pause und sah sie an. »Ich will ja nichts sagen, ich weiß, dass deine Freundin Maren Polizistin ist, aber ich bin schon fassungslos, wie überfordert die Polizei mit dieser Einbruchsserie ist. Es ist jetzt schon der fünfte Einbruch in Folge, und die haben nicht eine einzige Spur. Unbegreiflich.«

»Fünf schon?« Rike schüttelte ungläubig den Kopf. »Echt? Das habe ich doch glatt gar nicht mitbekommen.«

»Deine Freundin ist doch Polizistin. Redet ihr nicht über so was?«

»Nein. Wozu auch? Ich spreche ja auch nicht über unsere Patienten.«

Torben warf die halb gerauchte Zigarette auf den Boden und trat sie aus. »Na ja, es ist trotzdem ärgerlich. Ich gehe jetzt mal rein und bringe meiner Tante ihre Zeitschriften. Und dann baue ich ihr ein Sicherheitsschloss in die Tür. Das habe ich schon bei zwei anderen Einbruchsopfern gemacht. Die sind danach alle total verunsichert und können nicht mehr schlafen. Das kannst du ja deiner Freundin mal sagen, vielleicht strengen sie sich dann mal ein bisschen mehr an.«

»Klar«, Rike nickte ihm zu. »Mach ich. Und grüß deine Tante. Bis bald mal.«

Sie sah ihm nach, als er zum Krankenhauseingang lief. Vielleicht sollte sie ihn auch bei Gelegenheit bitten, ihr ein vernünftiges Schloss einzubauen. Wer weiß, wie lange diese Einbruchsserie noch dauerte.

Bevor sie losfuhr, warf sie noch einen Blick auf den Eingang und schüttelte dann über sich selbst den Kopf. Was sollte sie Andreas von Wittenbrink sagen, wenn er sah, dass sie immer noch auf dem Parkplatz stand.

»Oh, was für ein Zufall, da sind Sie ja wieder. Ich habe nicht auf Sie gewartet, ich habe mich lediglich mit einem guten Bekannten verquatscht. Aber da Sie jetzt wieder da sind, könnten Sie mir doch sagen, was ›Sie haben etwas bei mir gut‹ genau bedeutet.«

Rike griff stattdessen nach ihrem Handy und tippte eine SMS ein: »Wie lange hast du Dienst?«

Nach nur einem Augenblick kam eine Antwort: »Bis 17 Uhr.«

Etwas enttäuscht ließ Rike das Gerät sinken. Also müsste sie diesen freien Nachmittag doch allein mit Putzeimer und Staubsauger verbringen, ganz wie geplant – und leider nötig. Aber vielleicht opferte sich Maren ja am Abend als Zuhörerin einer Geschichte, die mittendrin aufhörte.

»Lust auf ein paar Nudeln? Neunzehn Uhr bei mir? Grüße, Rike.«

Die Antwort kam postwendend. »Bis später, freue mich.«

Sie legte das Handy weg und startete den Wagen. Also Nudeln mit der Sandkastenfreundin statt eines romantischen Abends mit einem tollen Mann. Aber Nudeln machten glücklich, und Romantik wurde sowieso überschätzt. Vielleicht war alles gut so.

Immer noch Freitag,
am frühen Abend

Maren fuhr auf den Parkplatz vor dem Haus, genau in dem Moment, in dem Onno die Gartentür hinter sich ins Schloss fallen lassen wollte. Er wartete, bis Maren vor ihm stand, und hielt ihr die Pforte auf. »Gnädige Frau, bitte schön.«

»Danke vielmals«, Maren küsste ihren Vater flüchtig auf die Wange. »Gehst du weg?«

Onno nickte. »Ja, ich fahre zu Inge. Wir wollen besprechen, wie wir bei der ... ähm, Chorprobe vorgehen wollen. Und du? Wie war dein Tag? Gibt es was Neues?«

»Was wollt ihr denn zur Chorprobe besprechen?« Maren kramte nach ihrem Hausschlüssel. »Ihr stellt euch hin und singt. So habe ich mir das wenigstens immer vorgestellt. Und mein Tag war ziemlich turbulent, von wegen, auf der Insel passiert nichts. Schon wieder ein Einbruch.«

»Wirklich?« Onno guckte sie interessiert an. »Erzähl mal.«

»Papa«, mit einem Lächeln schob sie sich an ihm vorbei. »Ich kann doch nicht über laufende Ermittlungen sprechen. Sag mal, hast du vielleicht noch eine Flasche Wein da? Ich fahre gleich zu Rike zum Essen. Und ich habe keinen Wein mehr.«

»Nein, tut mir leid«, Onno sah sie freundlich an. »Ich habe auch nur noch eine angebrochene Flasche Roten zum Kochen. Ich trinke doch nie Wein. Du kannst eine

Kiste Bier mitnehmen. Bei wem ist denn eingebrochen worden?«

»Bitte, Papa, frag nicht so viel. Ich fahre noch zum Weinladen, soll ich dir mal was mitbringen?«

»Ich kriege Sodbrennen von dem Zeug, lass mal. Aber du kannst mir doch den Namen sagen.«

Maren ging einfach an ihm vorbei zum Haus.

Onno kam als Letzter zu Inge, Charlotte und Karl saßen schon am Esstisch, auf dem Karls Sparkassennotizbücher, einzelne Zettel, eine Straßenkarte der Insel und das Telefonbuch lagen.

»Moin«, sagte er beim Eintreten, gab jedem die Hand und setzte sich neben Charlotte. »Maren hat mir gerade gesagt, dass heute schon wieder ein Einbruch passiert ist, sie hat aber nicht den Namen gesagt.«

»Elisabeth Gerlach«, tönte es im Chor. »Wissen wir schon.«

»Nein«, perplex starrte Onno in die Runde. »Das gibt es ja nicht. Wieder eine Chorschwester. Und woher wisst *ihr* das? Was genau ist denn passiert? Wie geht es ihr?«

»Karl hat es herausgefunden«, sagte Inge mit einem stolzen Blick auf ihn. »Das nennt man wohl Instinkt.«

Karl warf sich in die Brust und schob seine Notizbücher gerade. »Ja. Entweder hat man den oder nicht. Und ich habe ihn einfach. Aber bevor wir hier mit der Heldenverehrung fortfahren, möchte ich an dieser Stelle etwas klären. Wir haben heute die erste offizielle Sitzung unserer Sonderkommission, und ich wäre sehr dafür, ein Protokoll zu führen. Wer meldet sich freiwillig?«

Alle sahen ihn an, niemand sprach. Karl nickte. »Gut. Dann bestimme ich Charlotte. Du hast die schönste Schrift.«

»Ich? Aber …«

Karl schob ihr eines seiner Notizbücher und einen Stift zu. »Es ist alles vorbereitet, meine Liebe. Das Datum habe ich schon eingetragen. Bitte alle Details notieren, nicht, dass wir etwas übersehen oder vergessen.«

Charlotte stöhnte leise, klappte das Buch aber auf. »Dann fang an, ich schreibe mit.«

»Sehr gut. Also, ich war gestern Morgen zufällig auf dem Revier, als die Meldung kam, dass in der Keitumer Chaussee wieder ein Einbruch stattgefunden hat.«

»Warum warst du zufällig auf dem Revier?«, unterbrach ihn Onno. »Da kommt man doch nicht zufällig vorbei.«

»Deinetwegen«, Karl zeigte auf ihn. »Weil du mir am Telefon erzählt hast, dass dein Kind nicht frühstückt, kannst du dich erinnern? Und da bin ich als Patenonkel sofort zum Bäcker gegangen und habe ihr etwas zu essen gebracht. Und während wir da so nett standen, kam der Anruf.«

»Muss ich das auch aufschreiben?« Charlotte sah ihn stirnrunzelnd an. »Also, dass Maren nicht frühstückt?«

»Nein. Das nicht. Du musst ein Gespür dafür entwickeln, was wichtig ist und was du vernachlässigen kannst. Das schaffst du schon.«

»Und Maren hat dir dann gesagt, bei wem eingebrochen wurde?« Jetzt guckte Onno etwas beleidigt. »Mir nämlich nicht.«

»Mir auch nicht.« Karl zuckte mit den Achseln. »Darf sie auch nicht. Aber ich habe noch ein bisschen mit der kleinen Katja Lehmann geplaudert, das ist eine Polizeianwärterin. Und die hat mir erzählt, dass das Einbruchsopfer ins Krankenhaus gekommen ist. Mehr wollte sie mir auch nicht sagen. Aber ich habe ja gute Kontakte ins Krankenhaus, der Rest war einfach. Ja, und dann der Schock: unsere Elisabeth!«

Charlotte schüttelte empört den Kopf. »Du hast völlig recht, Karl, wenn wir warten, bis die Polizei die Bande kriegt, ist es nur eine Frage der Zeit, bis die bei einem von uns einsteigen. Und ich habe keine Lust, mich beklauen zu lassen. Wer hat denn bloß was gegen unseren Chor?«

»Niemand«, widersprach Inge. »Und es sind ja auch nicht nur Chormitglieder betroffen. Darf ich euch daran erinnern, dass weder Helga Simon noch Johanna Roth noch die Dritte, wie heißt die noch mal, Frau Dings, Frau, sag doch mal, Karl, im Chor singen?«

»Frau Geschke«, ergänzte Karl nach einem Blick auf seine Notizen. »Eva Geschke. Das war die Zweite. Aber wir sollten nicht spekulieren, wir sollten mal Ordnung in die Ermittlungen bringen. Auch, damit Charlotte es mit dem Protokoll leichter hat. Beginnen wir mal mit den einzelnen Opfern. Johanna Roth war die Erste. Inge, das war dein Job. Hast du was herausgefunden?«

Inge nickte und faltete die Hände auf dem Tisch. »Ja. Ich war vorhin da. Frau Roth hatte nur nicht viel Zeit, weil sie auf dem Sprung zum Bahnhof war, ihre Enkeltochter hat morgen Geburtstag, sie wird sechs, und da wollte sie hinfahren. Ihre Tochter lebt mit der Familie in Neumünster. Die haben da ein Reihenendhaus gekauft, ganz hübsch im Grünen. Der Schwiegersohn von Frau Roth ist bei der Stadt, also ein ganz sicherer Job, da war sie sehr erleichtert, weil die Tochter früher immer Krabben im Kopf hatte und nur Künstlertypen mit nach Hause gebracht hat. Aber jetzt ist alles wunderbar. Die Enkeltochter hat sogar einen kleinen Hund bekommen. So ein niedlicher weißer, wie aus der Werbung.«

»Aha«, Karl sah sie ironisch an. »Und wie heißt die Enkeltochter? Und wie der Hund?«

»Lola und Laila«, antwortete Inge. »Also, das Kind heißt Lola, der Hund Laila.« Sie überlegte einen Moment. »Oder war das umgekehrt? Na, ist ja auch egal, sind ja beides hübsche Namen.«

»Laila mit ai oder ei?«, Charlotte sah beim Schreiben nicht hoch, sonst hätte sie bemerkt, dass Karl die Augen verdrehte.

»Charlotte, das gehört zu den Dingen, die du eher vernachlässigen kannst. Aber, Inge, was weiter? Was war mit dem Einbruch? Gab es Beobachtungen? Was ist gestohlen worden? Ist ihr irgend etwas Verdächtiges aufgefallen?«

»So weit kamen wir gar nicht«, Inge guckte arglos in die Runde. »Wie gesagt, sie war auf dem Sprung zum Bahnhof. Ich habe ihr einen neuen Ableger meiner roten Clematis mitgebracht. Das habe ich schon mal gemacht, damals hat sie gesagt, dass sie sogar zwei Stellen im Garten hat, wo die Clematis hinsollte. Wir hatten nur fünf Minuten, konnten uns nicht mehr unterhalten, haben uns aber zu einer Tasse Kaffee nächste Woche verabredet.«

Onno überlegte, ob Inge das Wissen über die Familiengeschichten einfach eingeatmet hatte. Beim Händeschütteln. Er hätte mit Karl für dieselben Erkenntnisse mindestens eine halbe Stunde reden müssen. Frauen waren doch irgendwie anders. An Karls Gesichtsausdruck erkannte er, dass sein Freund etwas Ähnliches dachte. Der räusperte sich jetzt.

»Ach ja, okay. Und ihr, Onno und Charlotte? Ihr wart doch gestern bei Helga Simon, wie heißt denn deren Enkelkind?«

Überrascht hob Charlotte den Kopf. »Du, das haben wir gar nicht gefragt, jetzt, wo du das sagst. Wie unhöflich.

Sie hat sogar drei Enkelkinder und eine Tochter, die mit ihrem Mann in Köln eine Apotheke hat.«

Das hätte Onno alles gar nicht mehr sagen können. Köln, daran konnte er sich noch erinnern. Aber wie viele Enkelkinder?

»Onno. Da hättest du auch noch mal fragen können, du kennst sie doch von früher.«

Onno sah sie nachdenklich an. »Hat sie wirklich eine Tochter? War das nicht ein Sohn?«

»Onno!« Charlotte schüttelte missbilligend den Kopf. »Du musst auch genau zuhören. Jedenfalls hat sie ein paar sehr interessante Dinge erzählt.« Sie zog ihre Handtasche auf den Schoß und fing an, nach irgendetwas zu kramen, Karl wandte sich in der Zwischenzeit an Onno. »Und? Was hat sie so gesagt?«

»Sie ist sehr nett. Und kommt vielleicht auch mal zur Chorprobe. Wir wollen demnächst telefonieren. Und sie will das Haus nun doch nicht verkaufen.«

Ob es an seiner Stimme lag, an dem, was er gesagt hatte, oder an seinem Gesicht, plötzlich verharrten die anderen und starrten ihn irritiert an. Onno merkte das, räusperte sich schnell und fügte noch hinzu: »Und sie hat den Namen eines Mannes von der Bank genannt.«

»Warum?«, Inge wunderte sich. »Wenn sie das Haus nicht verkaufen will. Wollte sie denn?«

»Ja, nach dem Tod von ihrem Mann«, erklärte Charlotte. »Ich komme auch gleich auf den Namen …, wartet mal …, nein, ich muss an was anderes denken. Ich hatte mir extra ein paar Notizen gemacht, aber die habe ich anscheinend nicht eingesteckt, meine Güte …, wie hieß der noch …?«

Karl seufzte, stützte sein Kinn auf die Faust und sah von einem zum anderen. Das war ja eine Ermittlerrunde!

Er war so euphorisch gewesen, so sicher, dass sie zu viert, mit all ihren Erfahrungen, ihrer Inselkenntnis und nicht zuletzt dank seiner kriminalistischen Begabung diesem blöden Runge zeigen würden, wie man schnell, sicher und effektiv solche Fälle löst – und nun das. Leila und Lola. Und ein neues Chormitglied. Selbst Onno guckte komisch. Es war zum Verzweifeln. Da würde auch das Protokoll nichts retten. Kurz bevor er davon völlig übermannt wurde, schlug Charlotte triumphierend auf den Tisch.

»Gero Winter«, rief sie. »Der Mann heißt Gero Winter. Der arbeitet bei der Bank und ist unter anderem für Immobilien zuständig. Das habe ich im Internet recherchiert. Seht ihr, mein Gedächtnis funktioniert doch noch.«

Sie nickte zufrieden und stellte die Tasche wieder weg. »Genau. Karl? Was ist? Du hast so einen gelangweilten Gesichtsausdruck. Konzentriere dich mal, wir sitzen hier nicht zum Spaß. Also, jetzt mal mit ein bisschen mehr Ernsthaftigkeit: Du warst bei Elisabeth. Was ist dabei rausgekommen? Erzähl es ordentlich und in der richtigen Reihenfolge, sonst komme ich beim Schreiben durcheinander. Sagt mal …«, sie sah die anderen plötzlich an. »Im Fernsehen trinken die Detektive doch immer beim Denken. Möchte vielleicht jemand einen Eierlikör?«

Karl legte langsam seine Hände auf den Tisch und lächelte sie an. Es ging doch. Sowohl bei den Ermittlungen als auch bei der Getränkeauswahl. Er liebte Eierlikör. Auch wenn man das einem harten Hund wie ihm gar nicht zutraute.

Schmeckt super«, Maren ließ die Gabel kurz sinken und sah Rike bewundernd an. »Spaghetti vongole esse ich sonst nie, ich dachte immer, ich mag keine Muscheln in Nudeln, aber das ist echt toll.«

»Einfach mal was ausprobieren«, antwortete Rike und griff zur Weißweinflasche, um nachzuschenken. »So, jetzt erzähl mal. Was gibt's Neues?«

Maren sah sie stirnrunzelnd an. »Ich glaube, das ist auf dieser Insel die meistgestellte Frage. Und jetzt fängst du auch noch damit an.«

»Womit?«

»Na, mit der Frage, ob es was Neues gibt. Karl begrüßt einen damit, mein Vater hat mich das gleich gefragt, als ich kam. Und jetzt du!«

Rike hob gleichgültig die Schultern und stellte die Flasche zurück in den Kühler. »Vermutlich liegt es daran, dass Karl und Onno selbst nichts mehr erleben und wenigstens den neuesten Klatsch und Tratsch hören wollen.« Maren legte ihr Besteck zur Seite und wischte sich den Mund mit einer Serviette ab. »Na, wenn du es so genau wissen willst: falsch parkende Autos, verschwundene Hunde, zwei geklaute Fahrräder, ein verlorener Hausschlüssel und ein betrunkener Mann im Bus nach Hörnum. Und, ach ja, ein neuer Einbruch in Westerland. Falls du das meintest.«

»Ich meinte gar nichts Besonderes. Bist du satt?« Rike

stand auf, um die Teller abzuräumen. »Ich sitze nicht gern vor benutztem Geschirr. Oder möchtest du noch etwas? Es ist noch was da.«

Abwehrend hob Maren ihre Hände hoch. »Danke, ich bin pappsatt, in mich passt keine Nudel mehr.«

Sie beobachtete Rike, die die Teller zur Küchenzeile trug. Die Wohnung war klein, aber gemütlich. Die offene Küche ging in ein kleines Esszimmer über, an das sich das Wohnzimmer anschloss. Rike deutete auf ihr Sofa. »Willst du rübergehen? Oder bleiben wir am Esstisch sitzen?«

»Ich gehe rüber.« Mit ihrem Weinglas in der Hand ging Maren durch den Raum. An der Wand hinter dem Sofa stand ein Bücherregal, gegenüber das Fernsehgerät, daneben eine Kommode, in der Ecke, neben einer Stehlampe, Rikes großer roter Sessel. In den ließ Maren sich jetzt sinken.

»Wie lange hast du eigentlich schon diesen Sessel?«, fragte sie laut. Rike, die die Geschirrspülmaschine einräumte, drehte sich kurz um. »Den Sessel? Warte mal, den habe ich mir damals in Oldenburg gekauft ... nach dieser legendären Nacht. Vor fünfzehn Jahren? Da warst du doch dabei.«

»Ja«, nickte Maren nachdenklich. »Ich habe nur gerade überlegt, wann das war.«

In Oldenburg. Plötzlich sah Maren sich selbst und Rike in diesem Möbelgeschäft einen Sessel nach dem anderen ausprobieren. Rike hatte damals in Oldenburg als Krankenschwester gearbeitet. Maren war zu der Zeit Polizeianwärterin in Osnabrück, die Entfernung zwischen den beiden Städten war nicht allzu groß, deshalb sahen sie sich, sooft es ging – und trotzdem war es ihnen meist nicht oft genug: Rikes und Marens Dienstpläne waren nicht allzu kompatibel. Beide einte damals die Sehnsucht nach dem Meer – und eine nennenswerte Zahl mehr oder weniger unglücklicher Liebesgeschichten. Während Rikes größtem Liebeskummer waren sie in das teuerste Möbelgeschäft Oldenburgs gefahren, um für ihre ab diesem Zeitpunkt immerwährende Singlewohnung einen Sessel zu kaufen. Dieser Sessel war ein Statement.

»Das ist echt lange her«, sinnierte Maren, während Rike mit der Weinflasche zu ihr kam und sich dann aufs Sofa fallen ließ. »Hast du von deinem Doktor jemals wieder was gehört?«

»Zum Glück schon lange nicht mehr«, Rike zog ihre Beine an und machte es sich bequem. »Er hat immer mal wieder angerufen, meistens ein bisschen wein- und rührselig mit seinen ›Meine-Frau-versteht-mich-nicht‹-Tiraden und ›Ich-muss-immer-an-dich-denken‹. Und irgendwann habe ich ihm gesagt, dass ich beim nächsten Anruf sowohl die Kollegen in der Klinik als auch seine Frau informiere. Danach hat es aufgehört. Zum Glück. Es hatte genug Nerven gekostet. Aber wir haben das alles überlebt.«

Sie dachte einen Moment nach und fragte dann: »Und wie ist es mittlerweile mit Robert? Habt ihr mal geredet?«

»Wir reden fast jeden Tag.« Maren griff nach ihrem Glas. »Zumindest, wenn wir in derselben Schicht arbeiten. Zwangsläufig. Aber nur dienstlich. Ich gebe mir alle Mühe, mich für Schichten einzutragen, in denen er keinen Dienst hat. Das klappt aber nicht immer.«

»Ja, und? Wie geht es dir, wenn du ihn siehst? Du fandest ihn doch damals sehr anziehend, sonst hättest du dich doch nicht auf diese Nacht eingelassen.«

Maren starrte in ihr Weinglas. »Ach, ich weiß auch nicht. Er ist der schlechteste Autofahrer, neben dem ich je gesessen habe. Unfassbar. Na ja, und dann eben viel zu jung. Außerdem ist unsere kleine Polizeianwärterin ziemlich in ihn verknallt, und die ist zweiundzwanzig. Das passt doch viel besser.«

»Bla, bla, bla. Wirklich, Maren, du spinnst«, Rike sah sie kopfschüttelnd an. »Du willst mir doch nicht weismachen, dass du das wirklich so cool siehst? Du findest ihn doch immer noch gut, das sehe ich dir an. Warum machst du dir nicht einfach einen netten Sommer mit ihm, im September ist er doch sowieso wieder weg. Und dir täte nach diesem Albtraum mit Henry eine kleine Affäre bestimmt ganz gut.«

»Ach, hör doch auf. Er ist einfach zu jung.« Maren stellte ihr Weinglas mit Nachdruck auf den Tisch. »Zehn Jahre. Ich bitte dich. Ich mache mich doch nicht zum Affen.«

»Du bist einfach total spießig. Was genau ist denn dein Problem damit?«

In Marens Kopf entstanden plötzlich Bilder. Gudrun, die beste Freundin ihrer Mutter, die früher in Marens Elternhaus ein- und ausging. Die aufgrund ihrer eigenen Kinderlosigkeit Maren als Ersatztochter betrachtete. Die mit ihr den ersten BH kaufte, die Marens Teenagerwünsche erfüllt hatte, egal, ob es um fürchterliche Bikinis, zu bunte Röcke oder das erste Make-up ging. Die so souverän und gelassen – und Marens Idol war. Maren räusperte sich.

»Kannst du dich noch an Gudrun erinnern?«

Rike nickte. »Die beste Freundin von Greta? Ja, klar. Ich fand die echt toll damals.«

»Eben, ich auch.« Maren lächelte bitter. »Als ich in Hamburg auf der Polizeischule war, habe ich sie öfter besucht, sie wohnte ja bei mir um die Ecke. Sie lebte damals in einer tollen Wohnung, hat bei der Zeitung gearbeitet, hatte einen großen Freundeskreis, segelte am Wochenende auf der Alster, war immer gut gelaunt, ich wollte unbedingt so werden wie sie.«

»Ja, und?« Rike wartete mit gerunzelter Stirn auf die Pointe.

»Und dann hat sie sich in Christoph verliebt. Auf Mallorca. Der war mindestens zehn Jahre jünger als sie, nicht der Allerklügste, ständig pleite, organisierte irgendwelche Events und war davon überzeugt, der Größte zu sein. Er ist bei ihr eingezogen und Gudrun ist zum Mädchen mutiert. Sie war damals Mitte vierzig, zog sich an wie eine Achtzehnjährige, hungerte sich auf Größe vierunddreißig runter, hatte plötzlich blonde Strähnchen und keine Stirnfalten mehr, ging mit ihm auf seine albernen Partys und tat so, als wäre es die beste Zeit ihres Lebens.«

»Vielleicht war es ja auch so.« Nachdenklich sah Rike sie an.

»Wenn die beste Zeit des Lebens darin besteht, immer nur so zu tun, als wäre man noch ganz jung und hätte kein Problem mit einer Clique, in der alle viel jünger sind, nachts durch die Bars zu ziehen, morgens verkatert aufzuwachen, seinen alten Freundeskreis so zu vernachlässigen, dass niemand von denen mehr anruft, langsam ein Alkoholproblem zu kriegen, die Falten wegspritzen zu lassen, um dann schließlich den Herzallerliebsten im eigenen Bett mit einer Zwanzigjährigen zu erwischen, dann hast du natürlich recht.«

»Oh«, Rike nickte. »Blöd. Aber dann hatte es sich doch erledigt.«

»Hatte es nicht.« Maren sah sie unbewegt an. »Gudrun hat es geschluckt. Nicht nur diese Affäre, sondern auch noch einige andere. Und dieser unsägliche Christoph ist bei ihr geblieben, weil sie ihn ausgehalten hat. Alles hat sie ihm gezahlt. Bis er irgendwann die Tochter eines Kneipen-besitzers geschwängert hat. Die war auch erst Anfang zwanzig, und Papa hat Christoph die Kneipe übergeben. Da war Gudrun dann ziemlich schnell ausgemustert. Sie hatte dann ein handfestes Alkoholproblem. Und ist vor fünf Jahren betrunken mit dem Auto ins Hafenbecken gefahren. Besoffen ersoffen. Christoph war noch nicht mal auf ihrer Beerdigung.«

Rike schwieg einen Moment. Dann sagte sie langsam: »Das ist ja tatsächlich grauenhaft. Aber du willst mir nicht erzählen, dass du deshalb nichts mit einem jünge-ren Mann anfangen würdest, weil alle so sind wie dieser Christoph? So dumm kannst du nicht sein.«

Maren beugte sich nach vorn und griff nach ihrem Glas. Sie trank langsam, setzte es wieder ab und antwor-tete leise: »Es muss ja nicht an dem Mann liegen, aber ich weiß nicht, ob nicht doch dieser Wahn, sich jünger zu machen, als man ist, in der Situation automatisch kommt. Nicht nur der Mann ist deutlich jünger als ich, auch sein gesamter Freundeskreis. Wie besteht man denn da? Im ständigen Vergleich mit den viel jüngeren Freundinnen der Freunde? Das ist schwer.«

»Ich werde jetzt nicht glauben, dass du so doof und unreflektiert bist, wie du gerade redest«, Rikes Lächeln nahm dem Gesagten sofort die Schärfe. »Vielleicht hatte Gudrun ohnehin Probleme mit dem Älterwerden, viel-leicht hatte sie Gedanken, die du überhaupt nicht geahnt hast, vielleicht hatte sie früher schon kein Selbstvertrauen, und alles war nur Fassade, das weißt du doch alles gar nicht. Ich sage dir nur eines: Wenn du aufgrund solcher Geschichten Dinge nicht machst, die du aber liebend gern machen würdest, dann bringst du dich um ganz viel. Und machst es dir auch ein bisschen zu einfach. Ich halte das für ausgemachten Schwachsinn, Robert ist nicht Christoph, du bist nicht Gudrun, trau dich doch einfach, und wenn deine Röcke immer kürzer werden und du den ersten Termin zur Botoxbehandlung hast, dann falte ich dich schon zusammen. Sei sicher. Was spricht denn gegen eine hübsche Sommerromanze? Meine Güte!«

»Das sagt ja genau die Richtige«, entgegnete Maren sofort. »Wann war denn deine letzte Romanze? Lass mich mal rechnen, du bist seit acht Jahren wieder auf der Insel und seitdem ungeküsst, wenn ich mich recht erinnere, oder? Und Gelegenheiten für Romanzen hattest du genug. Du wolltest bloß nie. Und mir willst du erzählen, dass ich mich einlassen soll. Sehr witzig.«

Ungerührt hielt Rike Marens Blick stand. »Ich bin nach jeder Trennung umgezogen, und ich hatte bislang einfach keine Lust, mich wieder in die Gefahrenzone einer Beziehung zu begeben. Was übrigens nicht heißt, dass ich in den letzten acht Jahren ungeküsst war. Urlauber sind ja nach den Ferien wieder weit genug weg, das ging dann schon.« Sie dachte einen Moment nach, dann fuhr sie fort: »Aber eigentlich fand ich in den letzten Jahren keinen Mann so interessant, dass ich Lust gehabt hätte, mich wirklich auf ihn einzulassen. Und das, meine Liebe, ist bei dir und Robert ja wohl etwas anders gelagert.«

»Unsinn«, Maren winkte sofort ab. »Und lass uns jetzt bitte damit aufhören. Wie muss denn ein Mann sein, damit du dich für ihn interessierst?«

Wie aus der Pistole geschossen kam die Antwort: »Knapp zwei Meter groß, kurze graue Haare, schöne Brille, tiefe Stimme, blaue Augen und im Moment leicht humpelnd.«

»Wie?« Maren sah sie mit großen Augen an. »Habe ich da was verpasst?«

Rike legte ihren Kopf schräg und lächelte verlegen. »Genau so jemanden hatte ich heute Mittag in der Praxis: Andreas von Wittenbrink hat sich das Knie verletzt. Mein Chef hat ihn zum Röntgen in die Klinik geschickt, und ich habe ihn hingefahren. Ich hatte ja frei. Warum ich das gemacht habe, kann ich dir gar nicht richtig erklären, irgendwie hat mich da was geritten, und er hat sich offenbar gern fahren lassen. Und dann saß ich plötzlich neben ihm im Auto und habe mich gefühlt wie mit fünfzehn. Aber vor der Klinik ist er dann einfach ausgestiegen, hat sich bedankt – aber glaub bloß nicht, er hätte mich gefragt, ob wir noch was trinken gehen wollen oder so, nichts. Und ich saß da und habe ihm hinterhergesehen. Völlig bescheuert. Ich weiß noch nicht mal, wie lange er auf der Insel ist, ob er verheiratet oder schwul ist, nur, dass ich ihn super finde. Blöd, oder?«

»Du hast ihn nicht gefragt?«

»Wonach genau?« Rike hob die Schultern. »Das ging alles zu schnell. Und ich war echt total durcheinander. Na ja. Aber – ach, das hatte ich ganz vergessen, dafür habe ich Torben auf dem Parkplatz vor der Klinik getroffen, bei seiner Tante ist ja eingebrochen worden. Elisabeth Gerlach, die liegt jetzt im Krankenhaus.«

Maren nickte. »Ich weiß. Der Einbruch war gestern Morgen. Ich hatte Dienst.«

»Und? Gibt es schon irgendwelche Spuren?«

Maren seufzte und schüttelte den Kopf. »Ich darf ja nicht darüber reden, also vergiss es sofort wieder. Die eifrige Putzfrau hat alles sauber gemacht und jede kleinste Spur solide vernichtet. Und Frau Gerlach hat nichts gesehen, sie hat nur erzählt, dass sie den Einbrecher möglicherweise mit einer Gehhilfe erwischt hat. Aber wie gesagt, du hast nichts von mir gehört. Sag mir lieber, wie das jetzt mit deinem, wie heißt der? Wittenburg? Wie das jetzt mit ihm weitergeht.«

»Von Wittenbrink«, korrigierte Rike. »Andreas von Wittenbrink. Ich weiß nicht, was jetzt ist. Ich hoffe, dass er morgen früh mit dem radiologischen Bericht in die Praxis kommt und mich zum Dank für den Fahrdienst einfach auf einen Kaffee einlädt oder so.«

»Rike!« Maren sah ihr grinsend in die Augen. »Du guckst ganz komisch. Hast du dich verknallt?«

»Kann sein«, verlegen griff Rike nach ihrem Weinglas und hob es in Marens Richtung. »Ich habe keine Ahnung, aber es fühlt sich an wie früher.«

Maren klopfte dreimal auf den Holztisch und hoffte, dass ihre Freundin den guten Rat, den sie Maren gerade gegeben hatte, vielleicht besser mal auf sich selber anwenden würde. Es wurde einfach mal wieder Zeit.

»Was denkst du?«, Rike war aufgestanden, ohne dass Maren es gemerkt hatte, und stupste sie an. »Du siehst aus, als ob du gerade eine Erleuchtung hattest.«

»Hatte ich auch«, Maren grinste sie an. »Ich wollte dich aber eigentlich fragen, ob du nächsten Samstag Lust hast, mit mir in die ›Sylt-Quelle‹ zu gehen. Da ist so eine Sommeranfangsparty, mit verschiedenen Bands und tausend Leuten. Ich war ewig nicht mehr tanzen. Wollen wir?«

»Nächsten Samstag?« Rike runzelte die Stirn. »Ich habe meiner Kollegin versprochen, mit ihr am Samstag ein Kleid zu kaufen. Sie heiratet doch in vier Wochen und braucht noch was fürs Standesamt. Und anschließend wollte sie noch mit mir essen gehen. Ich kann höchstens vorschlagen, dass wir das Essen verschieben und nur auf das Kleid anstoßen. Dann dauert es nicht so lange.«

»Ihr könnt ja nachkommen. Vielleicht hat deine Kollegin auch Lust.«

Rike schüttelte den Kopf. »Sie wohnt in Niebüll und muss dann mit dem Zug nach Hause. Das wird ihr bestimmt zu spät. Das ist der Nachteil, wenn man auf der Insel arbeitet und auf dem Festland wohnt. Vielleicht komme ich allein nach.«

»Das wäre schön«, Maren streckte ihre Beine aus. »Lass uns mal wieder tanzen. Muss ja nicht so spät werden, ich habe auch am nächsten Morgen Frühdienst. Wer weiß, vielleicht hast du bis dahin auch schon neue Geschichten von deinem Wunderknaben für mich?«

»Ach, das wäre zu schön«, Rike sah sie an. »Aber wahrscheinlich wird da sowieso nichts draus. Komm, lass uns mal das Thema wechseln: Wie funktioniert eigentlich dein Zusammenleben mit deinem Vater? Du hast ihn etwas falsch eingeschätzt, oder?«

Maren nickte langsam. »Ja und nein. Einerseits kommt er tatsächlich alleine gut zurecht. Er hat nie Langeweile, er hat ständig was vor oder zu tun, ist fast immer gut gelaunt und kann sich mit allen möglichen Dingen beschäftigen. Und er interessiert sich auch für erstaunlich vieles. Aber andererseits ist er doch ein bisschen einsam. Er redet mit dem Bild von meiner Mutter, das habe ich ein paar Mal gehört, das zerreißt mir jedes Mal das Herz. Sie fehlt ihm immer noch sehr, und Karl, der Chor oder sein Kochclub sind natürlich kein Ersatz. Er hat mir neulich erzählt, dass er keine neue Frau kennenlernen möchte, sondern seine Ruhe haben will, aber er hatte dabei irgendwie ganz traurige Augen.« Sie schwieg einen Moment und sah Onnos Gesicht vor sich. Wie er sie anlächelte. »Aber vielleicht mache ich mir auch Gedanken über Dinge, die mich gar nichts angehen.«

Rike beugte sich nach vorn und drückte Marens Hand. »Das stimmt. Und ich glaube nicht, dass er traurige Augen hat, ich habe das zumindest noch nie gesehen. Ich glaube, dass er mit Karl und seinen Chordamen ein ganz lustiges Leben hat. Und manchmal wäre ich gern Mäuschen, wenn die Runde zusammenhockt und über Gott und die Welt redet. Die haben Spaß zusammen, glaube es mir.«

Karl drehte das Radio leiser, weil er glaubte, ein Geräusch gehört zu haben, und lauschte. Tatsächlich, die Türklingel, sogar dreimal nacheinander.

»Ja, ja«, brummte er, drehte das Radio wieder laut, schlurfte langsam zur Tür und riss sie auf. »Ich hoffe, dass es was Wichtiges ... oh!«

»Es ist wichtig.« Peter Runge hatte einen Gesichtsausdruck, der Karl davon abhielt, ihn zu fragen, ob er denn wenigstens Brötchen mitgebracht hatte. »Darf ich?«

Karl dachte kurz darüber nach, einfach Nein zu sagen, aber eigentlich wollte er auch wissen, was Runge von ihm wollte. »Bitte«, sagte er deshalb und deutete ins Haus. »Kommen Sie rein, ganz durch und links.«

Während er ihm durch den Flur folgte, zuckte ein Gedanke durch seinen Kopf, der ihn zum Lächeln brachte. Er ahnte jetzt, was Runge von ihm wollte. Der Trottel kam nicht weiter. Es wurde eingebrochen und eingebrochen, Runge aber biss sich die Zähne aus, und jetzt endlich kam er zu ihm, zu Karl, und bat ihn um Hilfe. Das wurde aber auch Zeit. Und Karl würde sich nicht zieren, dafür war er nicht der Typ. Er würde Runge vielleicht ein bisschen zappeln lassen, die ein oder andere Frage stellen, aber dann selbstverständlich seine Hilfe zusichern. Das war er sich selbst und der Insel schuldig. Natürlich auch den Opfern und nicht zuletzt seinen alten

Kollegen. Aber schwitzen sollte der arrogante Runge schon.

Ein bisschen vorfreudig wartete er, bis sein Nachfolger im Wohnzimmer stand und sich umsah, dann fragte er sehr beiläufig: »Nehmen Sie doch Platz. Eine Tasse Tee? Oder etwas anderes?«

»Danke, nein«, Runge schüttelte ohne erkennbare Regung den Kopf. »Ich hoffe nicht, dass es allzu lange dauert.« Er setzte sich sehr gerade auf das Sofa und strich sich die Hosenbeine glatt. »Wir können gleich zur Sache kommen.«

»Gern«, Karl lächelte ihn an und wählte den Sessel gegenüber. Hier saß er etwas höher als Runge und sah so freundlich auf ihn herab. »Schießen Sie los.«

»Herr Sönnigsen.« Er machte eine Pause, die hätte Karl an seiner Stelle auch gemacht, immerhin war es ein Gang nach Canossa, das fiel keinem Mann leicht. Schon gar nicht einem von sich überzeugten Revierleiter von der Ostsee.

Karl konnte das nachvollziehen, er war ja kein Unmensch. Also nickte er verständnisvoll und sagte: »Nur zu. Keine Hemmungen. Ich bin einiges gewohnt.«

»Okay«, Peter Runge holte Luft. »Ich muss Sie in aller Deutlichkeit daran erinnern, dass Sie aus dem Polizeidienst ausgeschieden sind. Sie sind Zivilist. Gehen Sie angeln oder Fahrrad fahren, es ist mir völlig egal, aber ich will, dass Sie Ihre Besuche auf dem Revier ab sofort einstellen. Ich will Sie da nicht mehr sehen. Sie werden ab sofort die Kollegen und Kolleginnen nicht mehr von ihren dienstlichen Aufgaben abhalten, Sie werden aufhören, sich in unsere Arbeit einzumischen, und ich verbiete Ihnen, Ihre ehemaligen Kolleginnen und Kollegen auszuhorchen. Sie sind raus, Herr Sönnigsen, ein für alle

Mal. Und wenn Sie sich an meine Empfehlungen nicht halten, wird das Konsequenzen haben, notfalls müsste ich über ein Hausverbot nachdenken. Haben Sie mich verstanden?«

Karl starrte ihn an, ohne zu verstehen, was dieser Mann von ihm wollte. Nur langsam fing er an zu begreifen, dass er den Grund des frühen Besuchs wohl doch falsch eingeschätzt hatte. Ganz falsch. Dabei lag es doch auf der Hand, dass Runge ohne ihn aufgeschmissen war! Statt das einzusehen, wagte es dieser Trottel doch tatsächlich, ihn, Karl Sönnigsen, zu maßregeln! Es war nicht zu fassen, was sich diese Knalltüte erlaubte. Karl hustete, um Zeit zu gewinnen. Natürlich konnte er seiner Regung, diesem Runge einfach eins hinter die Löffel zu geben, nicht nachgeben, aber gefallen lassen musste er sich diese Unverschämtheit auch nicht. Während er noch über eine angemessene Reaktion nachdachte, erlöste ihn das Telefonklingeln aus seiner Situation. Würdevoll erhob er sich, blickte seinen Kontrahenten durchdringend an und sagte: »Einen Moment, bitte. Behalten Sie Platz.«

Er blies auf dem Weg zum Telefon schnell die Backen auf, dann nahm er den Hörer ab. »Sön…«

»Walter hat mich angerufen. Was ist da los?«

Wenn Gerda Sönnigsen ärgerlich wurde, klang ihre Stimme höher und jünger.

»Gerda, mein Schatz«, Karl versuchte, sich so hinzustellen, dass er Peter Runge beobachten konnte. Der saß unverändert auf dem Sofa.

»Nix, mein Schatz«, Gerdas Stimme klang wie die einer Sechzehnjährigen. »Walter hat mich informiert, dass du deine Zeit plötzlich wieder mit Inge verbringst. Wärmt ihr da was auf?«

Nein, wie vierzehn.

»Da bin ich einmal im Leben zur Reha, Walter macht ein Seminar, um sich weiterzubilden, und ihr vergnügt euch? Deshalb wolltest du mich wohl auch nie besuchen kommen!«

Zwölf.

Karl senkte seine Stimme, sowohl zur Beruhigung als auch, um Peter Runge nicht an diesem Unsinn teilhaben zu lassen. »Gerda, ich glaube, da hat Walter was in den falschen Hals bekommen. Wir haben uns lediglich zu mehreren getroffen, um einige Dinge zu besprechen.«

Peter Runge war aufgestanden und kam langsam auf ihn zu. Karl hob seine Hand und versuchte, eine Geste zu machen, die ihn zwingen sollte, sich wieder zu setzen. Ob es die falsche Geste oder Runges Dämlichkeit war, er blieb dicht vor ihm stehen, deshalb blieb es nicht aus, dass er die schrille Kinderstimme durch den Hörer vernahm.

»Haha, was habt ihr denn wohl zu besprechen? Walter macht sich ganz viele Gedanken, er kann sich kaum noch auf sein Seminar konzentrieren, sagt er. Und Inge hat sich wohl versucht rauszureden, von wegen Einbrüche auf Sylt, mit denen ihr was zu tun habt, das glaubt euch doch kein Mensch. Wozu gibt es die Polizei, das sollte man gerade dir doch nicht erklären müssen. Auch wenn du diesen Ruge, Rangel, Runge, wie auch immer, nicht leiden kannst, aber dass ihr vorschiebt, euch um Polizeiarbeit kümmern zu müssen, ist dermaßen lächerlich, also wirklich. Als ob Walter und ich euch diesen Schwachsinn glauben würden. Was also, in Herrgottsnamen, treibt ihr da?«

»Moment mal, Gerda«, Karl hatte versucht, den Hörer mit der Hand zu bedecken und so weit wie möglich von Runge wegzuhalten, Gerdas durchdringender Sopran war trotzdem nicht zu überhören. »Ich kann dir das alles erklären, ich …«

Peter Runge trat noch näher auf ihn zu und sagte gefährlich leise. »Das war alles, Herr Sönnigsen. Grüße an die Gattin. Und nehmen Sie dieses Gespräch bitte ernst. Schönen Tag noch.«

Er ließ die Haustür hinter sich krachend ins Schloss fallen. Karl sah ihm hinterher, nahm dann die Hand vom Hörer und sagte: »Gerda, du hast ein unfassbares Talent, zum falschen Zeitpunkt das Falsche zu sagen. Jetzt beruhige dich mal und hör mir zu. Und rede bitte wieder normal, du kreischst nämlich wie eine Zwölfjährige. Und das geht mir auf die Ohren. Also, Folgendes ist hier passiert ...«

Inge drapierte ihr Tuch vor dem Flurspiegel locker um den Hals. Karl musste jeden Moment kommen, um sie zu einem Besuch in der Westerländer Stadtbücherei abzuholen. Dort saß das einzige Einbruchsopfer, das sie nicht kannten, am Empfang. Sie hatten sich einen genauen Plan gemacht, um unauffällig, aber ergebnisorientiert mit Eva Geschke ins Gespräch zu kommen. Ergebnisorientiert, das war das Stichwort, das Karl ausdrücklich erwähnt hatte. Weil sie angeblich bei ihrer letzten Recherche mit Johanna Roth eine falsche Befragungstaktik angewandt hatte. So ein Blödsinn, hatte Inge sich gedacht, sie hatte doch eine ganze Menge Informationen über Johanna Roth zusammenbekommen. Vielleicht waren es die falschen gewesen, aber dann hätte Karl einfach klarere Anweisungen geben müssen.

Sie warf einen abschließenden zufriedenen Blick in den Spiegel, bevor sie in die Küche zurückging, um ihre Handtasche zu holen. Sie sah durchs Fenster, Karl war noch nicht in Sicht, was ungewöhnlich war, er kam sonst immer zu früh. Stattdessen entdeckte sie den Mann von neulich wieder. Sie erkannte ihn sofort an seinem schönen Mantel.

Er stand schon wieder vor dem Haus von Jutta Holler und betrachtete es in aller Ruhe. Langsam wurde er ihr unheimlich. Inge überlegte kurz, was Karl in einer solchen Situation machen würde, und die Antwort war relativ einfach: Er würde ihn ansprechen. Kurz entschlossen griff Inge nach dem Hausschlüssel und ging nach draußen. Als sie an der Pforte angekommen war, sah sie den Mann sich langsam entfernen. Unschlüssig blieb sie stehen, sollte sie ihm hinterherrufen? Oder gar nachlaufen?

Karls Fahrradklingel kürzte die Überlegung ab. Erleichtert sah sie ihm entgegen und hielt ihm die Pforte auf, durch die er sein Rad schob.

»Wartest du schon auf mich?«, fragte er. »Ich bin leider ein bisschen später, bei mir haben sich heute Morgen bereits die Ereignisse überschlagen.«

Inge folgte ihm langsam durch den Garten, nachdem sie sich noch einmal umgedreht hatte. Der seltsame Mann war spurlos verschwunden.

»Du, Karl …«, fing sie an. »Vor dem Haus von …«

»Du musst Walter mal auf den Pott setzen«, unterbrach Karl, während er sein Rad an die Hauswand lehnte. »Ich hatte vielleicht einen Vormittag. Dieser Runge tauchte plötzlich auf und meinte, er müsse mir die Welt erklären. Du, ich hatte so einen Hals. Und mittendrin ruft mich Gerda an, stinksauer, weil dein Mann irgendwelche Verschwörungstheorien entwickelt.«

»Walter?« Überrascht hielt Inge beim Aufschließen inne. »Wieso Walter? Was hat der denn mit Gerda zu tun?«

»Er hat sie angerufen.« Empört sah Karl sie an. »Weil er vermutet, dass wir seine und Gerdas Abwesenheit ausnutzen, um unsere Jugendliebe zu reanimieren. Trinkt der zu viel? Ich habe eine halbe Stunde gebraucht, um Gerda zu beruhigen. Als ob ich dafür Zeit hätte. Jetzt, wo alles aus dem Ruder läuft.«

»Was läuft denn aus dem Ruder?« Inge hatte immer noch den Türgriff in der Hand.

»Ach, Inge!« Karl schüttelte unwirsch den Kopf. »Der Runge hat mir untersagt, meine Informationen im Revier zu erfragen. Ich sei ›Zivilist‹ und solle mich von den Kollegen fernhalten. Der hat doch nicht mehr alle Latten im Zaun. Zivilist. Einmal Polizist, immer Polizist, sage ich nur. Das kapiert man natürlich nicht, wenn man immer nur Dienst nach Vorschrift macht. Jedenfalls weiß ich jetzt, dass wir unsere Ermittlungen noch gründlicher, aber auch vorsichtiger, anstellen müssen. Aber wenn der glaubt, dass er mich mundtot machen oder ausbremsen kann, dann hat der sich getäuscht. Das wollen wir doch mal sehen.«

Bewegungslos hatte zumindest Inge seinen verärgerten Ausführungen gelauscht. Das war typisch Karl: Wenn er sich angegriffen fühlte, wurde er sauer. Inge konnte sich noch gut an einen Tanzabend im großen Saal des Casinos erinnern. Damals hatte ein Schulfreund von ihr sich über Karls Tanzstil lustig gemacht. Karl hatte nicht lange gefackelt, Inge und er hatten den jungen Mann aber wenigstens ins Krankenhaus begleitet. Karls Zorn hielt nie lange an, im Grunde seines Herzens war er ein guter Mensch. Aber leicht reizbar. Immer noch. Er war eben jünger als sie, das merkte man doch immer wieder.

»Und was ist jetzt?«, fragte sie vorsichtig.

»Was soll sein? Wir gehen nach Plan vor, du holst deine Sachen, und dann fahren wir mit eurem Auto zur Stadtbibliothek und lernen Eva Geschke kennen.« Karl öffnete den Reißverschluss seiner Regenjacke und lächelte sie an. »Wenn dieser aufgeblasene Möchtegernkriminalist meint, dass ich mir meine Pläne von ihm durchkreuzen lasse, dann hat er sich geirrt. Jetzt, meine Liebe, jetzt erst recht. Und danach rufst du bitte deinen verrückten Ehemann an und faltest ihn zusammen. Für solche Albernheiten haben wir beide im Moment keine Zeit.«

»Guten Morgen«, Karl betrat vor Inge die Stadtbibliothek und ging mit einem gewinnenden Lächeln auf die Frau zu, die hinter ihrem Schreibtisch konzentriert auf einen Bildschirm starrte. Als sie ihn hörte, hob sie den Kopf, musterte ihn von Kopf bis Fuß und sagte: »Eine Fußmatte ist dafür da, dass man sich die Füße darauf abtritt. Sie schleppen mir hier jede Menge Sand rein. Gehen Sie bitte noch mal zurück, wir sind hier nicht auf der Strandpromenade.« Ihre Stimme war ähnlich scharf wie ihr Blick.

Karl war so überrumpelt, dass er auf dem Absatz kehrtmachte. »Das liegt am Profil der Wanderschuhe«, erklärte er beflissen. »Da steckt man nicht drin.«

Inge vermied es, die Augen zu rollen, und stellte sich mit sauberen Schuhen vor den Schreibtisch. »Guten Tag«, begann sie das Gespräch, auf das sie sich diesmal gut vorbereitet hatte. Karl würde staunen. »Ich interessiere mich für einen Bibliotheksausweis, genauso wie mein Bekannter Herr Sönnigsen. Wissen Sie, wir lesen beide viel, und in unserem Alter will man ja nicht mehr jedes Buch besitzen. Irgendwann werden unsere Häuser verkauft und müssen vorher ausgeräumt sein, da muss man doch die Regale nicht mehr unnötig vollstellen.«

Statt einer Antwort knallte die Frau nur zwei Formulare auf den Tisch. »Hier, ausfüllen. Können Sie da vorn machen. Aber kein Buch als Unterlage nehmen.«

»Ah, ja, danke, Frau ...?«

»Brauchen Sie einen Stift?« Der strenge Blick über die

Brille wies Inge schnell in ihre Schranken. Die schüttelte sofort den Kopf.

»Nein, danke, habe ich dabei. Komm, Karl, ausfüllen.«

Sie zog ihn am Ellenbogen mit in die Ecke, wo ein kleiner Tisch mit zwei Stühlen stand, und flüsterte: »Die ist nicht besonders kommunikativ, das müssen wir jetzt ganz vorsichtig angehen.«

Karl nickte und flüsterte zurück: »Ist das denn überhaupt Eva Geschke?«

Inge zuckte mit den Achseln. Sie mussten nicht lange warten, nur wenige Sekunden später klingelte das Telefon. »Stadtbibliothek Westerland, mein Name ist Geschke.«

Zufrieden nickte Inge Karl zu. Er sah Eva Geschke neugierig an. Die holte gerade Luft und antwortete dem Anrufer.

»Ja, und was ist jetzt das Problem? Sie haben ein Buch ausgeliehen, das Sie vorgestern wieder zurückbringen mussten. Und jetzt ist es weg. Also kaufen Sie es neu. Und es ist mir völlig egal, was das kostet und wo Sie es bekommen. Morgen stehen Sie mit dem neuen Exemplar vor meinem Schreibtisch. Fertig.«

Sie hörte wieder zu und ließ dabei einen Bleistift zwischen ihren Fingern hoch- und runterwippen. »Das Buch ist lieferbar und kostet um die vierzig Euro ... Natürlich ist das viel Geld, dann hätten Sie es eben nicht verlieren sollen. Wahrscheinlich haben Sie es auch nicht verloren, sondern beschädigt, es sind doch immer dieselben Ausreden ... Ich weiß, dass Sie hier auf der Insel Lehrer sind, sonst hätten Sie ja kein Fachbuch ausgeliehen, aber das ist mir total egal. Wenn Sie nicht mit fremden Sachen umgehen können, dürfen Sie sich eben nichts leihen ... Wie, Respekt? Junger Mann, ich war dreißig Jahre lang Vorstandssekretärin eines großen Unternehmens, meinen

Sie wirklich, Sie könnten mich beeindrucken? Morgen Mittag habe ich das Buch wieder. Schönen Tag noch.«

Sie ließ den Hörer fallen und hob den Kopf. »Füllen Sie das Formular immer noch aus?«

»Nein, ähm, doch …«, Inge lächelte sie verbindlich an, schrieb schnell die gewünschten Angaben auf das Blatt und sprang auf. Während Karl noch mit gerunzelter Stirn das Kleingedruckte las, stand Inge schon wieder vor Frau Geschke und reichte ihr das Formular. »So, bitte. Ich habe alles ausgefüllt, ich hoffe, Sie können meine Schrift lesen.«

»Wenn nicht, machen Sie es noch mal.« Eva Geschke griff nach dem Blatt und überflog es. »Es geht aber.«

»Sagen Sie mal«, Inge beugte sich über den Tisch. »Kann es sein, dass wir uns kennen? Waren Sie nicht auch mal bei der Gymnastikgruppe in Westerland?«

Eva Geschke starrte sie an. »Sehe ich so aus? Ich habe noch nie in meinem Leben Sport gemacht und fange damit auch garantiert nicht mehr an. Ich hasse Sport.«

»Ach«, Inge biss sich auf die Unterlippe. »Und im Kunstverein? Haben wir uns vielleicht da getroffen? Sie kommen mir so wahnsinnig bekannt vor, aber ich komme nicht drauf.«

»Da werden Sie auch nicht drauf kommen, wir kennen uns nämlich nicht.« Sie zog eine Schublade auf und entnahm ihr zwei Ausweise, die sie nebeneinander auf den Tisch legte. »Was ist denn jetzt mit Ihrem Mann? Wird der heute noch fertig?«

»Das ist nicht mein Mann«, Inge warf Karl einen belustigten Blick zu und wandte sich wieder an Frau Geschke. »Herr Sönnigsen ist ein Bekannter. Er war Polizist und ist jetzt Rentner, nun hat er endlich Zeit zum Lesen. Und ich habe ihm vorgeschlagen, sich doch einen Büchereiausweis zu besorgen, er wollte erst nicht, aber wir Frauen können doch Männer überreden, nicht wahr?«

»Können wir?« Eva Geschke verzog keine Miene. »Das ist ja was ganz Neues. Hat er jetzt alles ausgefüllt? Oder braucht er Hilfe?«

»Karl?« Inge drehte sich zu ihm um. »Hast du gehört? Bist du fertig?«

»Aber ja«, langsam stand Karl auf und kam auf sie zu. »Hier, bitte schön. Ich lese mir immer das ganze Formular durch, bevor ich mit dem Ausfüllen beginne. Man weiß ja nie, was man da alles unterschreibt.«

»Sie kaufen hier kein Auto, Sie beantragen einen Bibliotheksausweis«, Eva Geschke sah ihn unwillig an. »Wenn Sie so misstrauisch sind, dann lassen Sie es doch bleiben.«

Inge musste sich beherrschen, um weiterhin freundlich zu bleiben. Frau Geschke hatte einen Ton drauf, an den sie sich nur schwer gewöhnen konnte. Aber es ging hier schließlich nicht um sie, es ging um die Ermittlungen. Trotzdem zählte sie innerlich bis zehn. So lange brauchte Karl nicht. Gleichbleibend freundlich schob er das Formular über den Tisch und erklärte entschuldigend: »Wissen Sie, das ist eine Berufskrankheit. Ich war fast vierzig Jahre lang im Polizeidienst, da entwickelt man ein natürliches Misstrauen. Nehmen Sie es nicht persönlich.«

Er legte den Zeigefinger an den Mund und sah Eva Geschke eindringlich an. Ein bisschen sah er jetzt aus wie Columbo, Inge fand es albern und überlegte, ob es vielleicht Absicht war. War es anscheinend, nur einen Moment später zeigte er mit dem Finger auf Frau Geschke und sagte leise: »Geschke. Sagen Sie, haben Sie nicht einen Sohn? Gregor? Georg? Da blitzt in meiner Erinnerung plötzlich etwas auf.«

Inge starrte ihn fragend an, dann sah sie zu Frau Geschke, die sich auf ihrem Stuhl zurückfallen ließ und Karl anstarrte. »Jörg«, sagte sie plötzlich unsicher. »Mein Sohn heißt Jörg.«

»Aha«, Karl nickte zufrieden und tippte sich an die Schläfe. »Da funktioniert noch alles. Und? Was macht er heute so?«

Inge verstand kein Wort, noch weniger, warum Eva Geschke jetzt blass geworden war. Sie legte jetzt ihre Hände auf den Tisch und sagte: »Ich konnte mich nicht mehr an den Namen des Beamten von damals erinnern. Sie waren das?«

Obwohl Karl gar nicht antwortete, sondern sie nur anguckte, redete sie weiter. »Wahrscheinlich war es gut, dass Sie ihn damals erwischt haben. Er hat seine Sozialstunden abgeleistet und dann zum Glück die Kurve gekriegt. Er arbeitet jetzt in einem Autohaus in Kiel, schon lange. Und er hat auch vernünftige Freunde, nicht mehr diese Kleinkriminellen von damals. Ich bin mit ihm ganz zufrieden. Aber dass Sie sich noch an ihn erinnern können …«

Karl zuckte lässig mit den Schultern. »Ich mochte ihn. Ich habe gleich gedacht, dass er kein schlechter Kerl ist, dass er nur den falschen Umgang hat. Hätte ich nicht an ihn geglaubt, wären die Konsequenzen sicherlich härter gewesen. Aber ich hatte immer schon einen guten Instinkt.«

»Ja. Das sieht so aus.« Eva Geschke konnte tatsächlich freundlich gucken. »Das ist heute selten.«

»Genau«, Karl war begeistert über diese Vorlage. »Die Kollegen heute machen in der Mehrheit nur noch Dienst nach Vorschrift. Da bleibt kaum ein Moment der Besinnung und der Menschlichkeit, sie werden zu einer Straftat gerufen, es wird nur das Nötigste gemacht, ein paar Fotos, ein paar Fingerabdrücke, ein Protokoll, das Opfer kann zusammenbrechen, das interessiert niemanden.«

Inge stöhnte auf und rettete sich in einen Hustenanfall. Karl übertrieb gnadenlos, damit würde er bei diesem Dragoner doch nicht durchkommen. Aber zu ihrer Überraschung nickte Eva Geschke sofort. »Das stimmt. Die Erfahrung habe ich sogar gerade selbst gemacht. Bei mir ist eingebrochen worden und die Polizei hat nichts rausgefunden, gar nichts. Völlig unfähig.«

»Genau das meine ich, ähm, genau das habe ich befürchtet.« Karl hüpfte fast vor Begeisterung über den Verlauf des Gesprächs. »Also, verehrte Frau Geschke, wenn Sie nach all den Jahren noch einmal meine Instinkte bemühen möchten, dann herzlich gern. Wenn Sie wollen, können wir uns mal in Ruhe über diesen Einbruch bei Ihnen unterhalten, vielleicht kann ich Ihnen weiterhelfen. Bei Jörg hat das ja auch geklappt.«

Sie sah ihn zögernd an. »Ja, vielleicht. Aber nicht hier.« Sie beugte sich vor, um auf die Wanduhr zu sehen. »Ich habe in einer Stunde Feierabend. Wenn Sie dann noch in der Stadt sind, könnten wir eine Tasse Kaffee trinken gehen. Im ›Café Wien‹.«

»Einverstanden«, Karl streckte seine Hand aus. »In einer Stunde. Wir warten auf Sie. Bis nachher.«

Er ließ Inge den Vortritt. Als sie schon an der Tür waren, rief Eva Geschke ihnen hinterher. »Was ist mit Ihren Ausweisen?«

»Könnten Sie sie uns bitte mitbringen? Vielen Dank, bis später.«

Als sie nebeneinander die Treppe hinuntergingen, stupste Karl Inge in die Seite. »Genialer Gesprächsverlauf, Inge, wirklich genial. Sie wird gleich alles erzählen, was wir wissen müssen. Und sei sicher, sie ist eine erstklassige Zeugin. Wenn es irgendetwas Auffälliges gibt, wird sie sich das gemerkt haben. Gute Arbeit, die wir da abgeliefert haben.«

Selbstverliebt tänzelte er die letzten Stufen runter. Inge sah ihn forschend an. »Was hat ihr Sohn eigentlich angestellt?«

Karl blieb stehen. »Keine Ahnung.«

»Aber du hast ihn doch bei irgendetwas erwischt.«

»Nein«, Karl lächelte sie an. »Ich wusste noch nicht mal, dass sie einen Sohn hat. Es war nur ein Versuch. Aber der hat geklappt.«

»Wie? Versuch?«

Karl strich sich langsam die Haare aus der Stirn. »Inge, das ist psychologische Verhörtaktik. Frauen wie die Geschke haben immer eine Leiche im Keller. Und das ist in vielen Fällen ein Kind. Es war einfach ein Versuchsballon. Aber so ist das: Das Glück ist mit den Tüchtigen. Aber das solltest du nach all den Jahren wissen: Du kannst dich auf mich verlassen. Ich habe einfach den richtigen Riecher.«

W o ist der Rest der Truppe?« Peter Runge hatte rote Flecken am Hals und sah sich hektisch um. »Wird hier nur noch gefrühstückt, oder was ist los? Thiele?«

Maren sah von ihrem Computer hoch und deutete in Richtung des Besprechungsraumes. »Lehmann und Schröder haben Zeugenbefragungen, die anderen sind in Kampen. Verkehrskontrolle. Wie Sie es angeordnet haben.«

»Und Sie? Was machen Sie gerade?« Er kam um ihren Schreibtisch und starrte auf ihren Bildschirm. Maren rollte ihren Stuhl ein Stück zur Seite, bevor sie antwortete.

»Ich bringe die verschiedenen Zeugenaussagen in eine vernünftige Ordnung. Es haben sich nach dem Aufruf der Zeitung über vierzig Zeugen gemeldet, die alle Aussagen über die Einbrüche machen können. Angeblich.«

»Und?« Runge stieß sich vom Schreibtisch ab und wippte ungeduldig auf den Fußspitzen. »Ergebnisse?«

Maren bemühte sich um einen sachlichen Ton. »Wir haben bis jetzt siebenundfünfzig verdächtige Personen, die in diversen Gärten und Straßen gesehen wurden. Ihre Größe schwankt zwischen einem Meter fünfunddreißig und zwei Meter zwanzig, sie verfügen über zwölf unterschiedliche Nationalitäten, sind sowohl männlich als auch weiblich, das Alter differiert zwischen dreizehn und fünfundsiebzig. Ach so, und es gibt in den meisten Fällen auch auffällige Merkmale, unter anderem Sonnenbrillen, Tätowierungen, stark behaarte Hände, grüne Haare, mehrere Helme, drei hatten ein kürzeres Bein, ein Verdächtiger lief auf allen vieren und einer saß im Rollstuhl.«

Sie hob den Kopf und sah ihren Chef freundlich an. »Leider wurde kein einziger Verdächtiger von mehreren Zeugen beschrieben. Jeder hatte seinen eigenen.«

Peter Runge schlug wütend mit der flachen Hand auf den Tisch. »Das kann doch wohl nicht wahr sein. Herrgott, auf dieser kleinen Insel passiert ein Einbruch nach dem anderen – und wir finden nichts? Was macht ihr eigentlich den ganzen Tag? Was haben denn die Spurensicherungen ergeben? Was ist mit den Fingerabdrücken? Was sagt das LKA? Wo sind die Listen der gestohlenen Gegenstände?«

Maren zog einen Ordner vom Stapel und schob ihn über den Tisch. »Es ist ja kaum etwas gestohlen worden, die Listen sind in den Akten. Mit Ausnahme von Frau Gerlach, bei der dreitausend Euro fehlen, sind es bei den anderen nur zusammen knapp dreihundert Euro. Bei fünf Einbrüchen. Fingerabdrücke gibt es keine, die uns weiterbringen, und andere Spuren haben die Täter nicht hinterlassen bzw. etliche Spuren sind zum Beispiel von engagierten Putzfrauen vernichtet worden.«

Wieder knallte die Hand auf den Tisch, Maren zuckte zusammen und war froh, dass Benni in diesem Moment zurückkam. Er nickte Runge kurz zu und setzte sich hinter seinen Computer. Peter Runge war sofort bei ihm. »Und? Zeugin?«

»Hermine Gehrke«, sagte er langsam, während er den Namen eintippte. »Sie hat einen VW-Bus beobachtet, der langsam am Haus von Elisabeth Gerlach vorbeigefahren ist.«

»Ja, und?« Mittlerweile hatte Runge die roten Flecken auch im Gesicht. »Weiter?«

Benni sah ihn lange an, während seine Finger über der Tastatur verharrten. »Es saßen sechs Chinesen in diesem Bus, bis an die Zähne bewaffnet, sagt Frau Gehrke. Sie ist sich sicher, dass es sich um eine professionelle Bande handelt. Das hat sie im Gefühl. Ihr Mann sagt auch, dass die Chinesen bekannt für solche Serieneinbrüche sind.«

Er schaffte es, ernst zu bleiben, Maren musste sich auf die Lippe beißen; Peter Runge sah aus, als würde er gleich kollabieren.

»So, das war die letzte Zeugin.« Katja Lehmann kam grinsend aus dem Befragungsraum und stutzte kurz, als sie Peter Runges Gesichtsfarbe sah. »Moin, Chef. Also, meine Zeugin ist ganz sicher, dass es sich um eine Täterin handelt. Und zwar um die neue Freundin ihres Exmannes. Sie hat sie ein paar Mal in verdächtigen Situationen beobachtet, sie ist überzeugt davon, dass die Frau kriminell ist und Geld für Drogen braucht. Und ihren Angaben nach tragen die Einbrüche die Handschrift dieser – Zitat –: ›Schlampe‹. Noch Fragen?«

»Ein bisschen mehr Konzentration, bitte«, Peter Runge hatte kurz Luft geholt und fing jetzt an zu brüllen. »Lehmann, Sie befragen diese verdächtige Frau, Alibiüberprüfung und das ganze Procedere. Alle Zeugenaussagen werden überprüft. Und, Thiele, ich will, dass Sie noch mal zu allen Einbruchsopfern fahren, nehmen Sie Jensen mit, und fragen Sie gründlicher, vielleicht fällt denen doch noch was ein. Ich will bis morgen früh alle Ergebnisse schriftlich, verdammt, wir werden doch wohl mit diesen billigen Einbrüchen fertig. Also, an die Arbeit.«

Mit einem wütenden Rundumblick stampfte er zur Tür und ließ sie krachend hinter sich zufallen. Nach einem Moment der Stille hörte man Katja Lehmann leise aufstöhnen. »Wie ist der denn drauf? Soll ich jetzt ernsthaft zum Scheidungsgrund meiner Zeugin fahren? Die hält mich doch für hirnamputiert.«

»Ja«, antwortete Benni ernsthaft und sah kopfschüttelnd zu Maren, die sich ein Grinsen nicht verkneifen konnte. »Was soll *ich* denn sagen? Ich muss sechs bewaffnete Chinesen finden. Im Bully.«

»Du«, versuchte Maren, ihn zu trösten. »Vielleicht hast du Glück und die Kollegen haben sie längst geblitzt. Dann gibt es wenigstens ein Foto. Oder sie haben sie gleich wegen unerlaubten Waffenbesitzes festgenommen. Das waren sie doch, oder? Bis an die Zähne bewaffnet?«

Benni nickte. »Genau. Und wenn wir Glück haben, finden sie auch noch die Kohle, die geklaut wurde.« Er stand auf und zog seine Jacke über. »Ich löse Jensen mal ab, dann kannst du mit ihm noch mal die fünf alten Damen befragen. Also, viel Glück und bis später.«

»Und grüß die Chinesen«, rief Katja ihm hinterher. »Ich hätte gern einmal die 26, Hühnchen mit Bambus.« Sie kicherte beim Hinausgehen immer noch über ihren eigenen Witz.

»Frau Erhardt, bitte«, Rike blieb lächelnd an der Tür des Wartezimmers stehen und wartete, bis die zierliche alte Dame an ihr vorbeiging. »Sie kennen sich ja aus, nicht wahr? Ganz durch.«

»Natürlich, Kindchen«, die Patientin lächelte sie kurz an. »Sie sehen übrigens hübsch aus heute. Sehr hübsch.«

»Danke, Frau Erhardt«, entgegnete Rike und ging langsam zur Rezeption zurück. Das hätte sie lieber von jemand anderem gehört. Aber der Patient, der eigentlich heute Morgen einen Termin gehabt hätte, war nicht erschienen. Seit fast einer Woche spukte er Rike im Kopf herum, nur gesehen hatte sie ihn seit der Krankenhausfahrt nicht. Als er am nächsten Tag mit den Röntgenbildern zu Dr. Hansen gekommen war, hatte sie gerade einen Notfall verbunden. Es war ein Tourist gewesen, der sich eine Muschel in den Fuß getreten hatte, wirklich nichts Lebensbedrohendes, aber es dauerte zu lange. Als sie fertig war, war Andreas von Wittenbrink schon wieder weg. Ohne eine Nachricht zu hinterlassen. Rike hätte den Muschelpatienten anbrüllen können, so enttäuscht war sie. Dr. Hansen hatte ihr erzählt, dass das Knie nur geprellt war und der Patient nächste Woche noch einen Kontrolltermin hatte, aber das reichte aus, um Rike die nächsten Tage übellaunig zu machen.

Und heute war nun endlich der Kontrolltermin – und der Patient nicht erschienen. Dr. Hansen hatte nach ihm gefragt, aber der Patient hatte noch nicht einmal abgesagt. So was Dämliches. Und dafür hatte sie sich in ihr schönstes Kleid geschmissen, ihre Haare gewaschen und gegen den Strich geföhnt, ihre Augen mehr als sonst geschminkt und sogar Lippenstift aufgetragen. Das Kleid sah man aber unter dem Kittel nicht. Und ihre Haare nervten sie schon den ganzen Morgen beim Arbeiten, dauernd fielen ihr die Strähnen ins Gesicht, es hatte einen Grund, dass sie die Locken normalerweise zusammenband. Und wofür? Damit Frau Erhardt das Kindchen heute »hübsch« fand. Toll. Tief ausatmend ließ Rike sich auf ihren Stuhl fallen und sah auf die Uhr. Noch zehn Minuten bis zur Mittagspause, sie würde sich ein Fischbrötchen mit viel Zwiebeln kaufen, am Nachmittag Dienst nach Vorschrift machen und sich abends im Jogginganzug aufs Sofa werfen und einen blöden Film sehen. Aber übermorgen Abend würde sie mit offenen Haaren und Lippenstift die ganze Nacht in den Sommer tanzen. Das Leben war schön. So. Das wäre ja gelacht.

»War's das, Rike?«

Die tiefe Stimme von Dr. Hansen erinnerte sie daran, dass tatsächlich gleich Mittagspause war. »Ja, Doktor, wir sind durch.«

Die Klingel strafte ihre Worte Lügen, sie drückte auf den Summer und da stand er. Und lächelte sie an.

»Der Herr von Wittenbrink«, Rike hatte die Sprechtaste noch gedrückt gehalten. »Doktor, wir sind noch nicht durch.«

Sie ließ die Taste los und sah den Neuankömmling an. »Hatten wir nicht acht Uhr gesagt?«

Andreas von Wittenbrink lächelte sie an und Rike bekam Atemnot. »Es tut mir leid, wir hatten ein bisschen Stress auf der Baustelle. Und außerdem habe ich gedacht, dass Sie jetzt sicher gleich Mittagspause haben und ich die Chance, Sie als Dankeschön für letzte Woche zum Essen einzuladen.«

Rike war froh, dass sie ihren Gesichtsausdruck nicht selber sehen konnte.

»Rike? Dann schicken Sie ihn doch rein.«

Rike drückte erneut den Knopf. »Sofort.« Sie deutete mit dem Kopf in Richtung Sprechzimmer. »Der Doktor wartet auf Sie. Ganz durch, letzte Tür links.«

Sie konnte ihn nicht begleiten, Frau Erhardt stand bereits im Mantel vor ihr und wartete auf ihren neuen Termin.

»Danke, bis gleich.« Andreas von Wittenbrink nickte und beeilte sich, ins Sprechzimmer zu kommen. Rike wartete, bis sie die Tür klappen hörte, dann wandte sie sich Frau Erhardt zu. »So, und jetzt zu Ihnen. Wann sollen Sie denn wieder zur Kontrolle kommen?«

Keine zehn Minuten später begleitete Dr. Hansen seinen letzten Patienten zum Ausgang. »... und wenn noch was ist, dann gucken Sie wieder rein. Aber das sieht alles ganz gut aus, ein Knie hält doch so manchen Schlag aus. Sie werden es noch ein paar Tage merken, aber passieren kann da nichts mehr. Schönen Tag noch. So, Rike, ich bin dann weg, bis später.«

Sie warteten beide, bis sich die Tür hinter ihm geschlossen hatte, dann sah Rike Andreas von Wittenbrink an und fragte: »Und? Geht es dem Knie besser?«

»Es tut noch weh, aber Männer sind ja Indianer und reißen sich zusammen. Und Ihr Chef war zufrieden, das Tape und die Salbe haben gut geholfen. Es war ja auch nur geprellt. Zum Glück. Und jetzt? Gehen Sie mit mir Mittagessen?«

Rike stand langsam auf und zog ihren Kittel aus. »Also, Sie sind mir wirklich nichts schuldig, das Krankenhaus lag sowieso auf meinem Weg.«

Sie drehte sich zum Schrank um, in dem ihre Tasche stand, und kniff kurz die Augen zusammen. Was redete sie da für einen Blödsinn? Gleich würde er sich erleichtert bedanken und ein für alle Mal die Praxis verlassen. Ohne Mittagessen, ohne Nachsorgetermin, ohne gemeinsame Zukunft. Entschlossen holte sie die Tasche aus dem Schrank und drehte sich wieder um. Vermutlich war er bereits verschwunden.

Er war ruhig an der Tür stehen geblieben und hatte sie beobachtet. »Wo gehen wir hin?«

Kurz darauf saßen sie sich an einem Tisch in einem Café auf der Friedrichsstraße gegenüber und hatten Kartoffelsuppe mit Krabben bestellt. Rikes Mittagspause dauerte nur eine Stunde – zu schade, nicht mehr Zeit für den ersten Mann seit Jahren zu haben, der sie tatsächlich interessierte. Aber es war doch zumindest ein Anfang.

Andreas von Wittenbrink hatte eine Brille aufsetzen

müssen, um die Speisekarte zu lesen, es hatte Rike gerührt, auch wenn sie nicht genau wusste, warum. Vielleicht, weil er ansonsten so perfekt wirkte. Als hätte er ihre Gedanken gelesen, nahm er die Brille ab und verstaute sie in einem Etui. »Irgendwann kommt man nicht mehr ohne Hilfsmittel aus«, sagte er lächelnd. »Damit haben Sie vermutlich noch keine Probleme.«

Rike zog die Augenbrauen hoch. »So jung bin ich auch nicht mehr. Ich trage Kontaktlinsen, weil ich augenmäßig eher zur Gattung der Maulwürfe gehöre. Ich bin noch nie ohne Hilfsmittel ausgekommen. Ohne Brille oder Linsen kann ich gar nicht geradeaus gehen.«

»Dann passen Sie bloß auf sich auf«, sagte Andreas von Wittenbrink. »Ich konnte letzte Woche auf der Baustelle auch nicht geradeaus gehen. Und zack, ist das Knie dick.«

»Auf welcher Baustelle sind Sie eigentlich?«

»Die neue Hotelanlage in Wenningstedt. Sie liegt im Ortskern, wir wollen Ende des Jahres fertig sein.«

»Aha«, Rike wusste sofort, welche Anlage er meinte. Sie war der Meinung, dass es doch langsam genug Hotels auf der Insel gab, aber es wurden immer wieder neue gebaut. Damit immer mehr Menschen kamen. »Und was machen Sie da? Auf der Baustelle?«

»Ich bin der Architekt.« Er sagte es ohne jede Überheblichkeit. Rike begann, das Hotel schön zu finden. »Ich heiße übrigens Andreas.« Er hob das Wasserglas, als wäre es Champagner. »Und ich wollte mich noch mal für deine Fahrdienste bedanken. Ich bin ein Feigling, wenn es um Krankenhäuser geht, deshalb bin ich auch etwas unhöflich ausgestiegen. Aber mir war so flau im Magen, es war mir einfach unangenehm. Tut mir leid.«

»Gar keine Ursache«, Rike hatte tatsächlich Herzklopfen. »Ich heiße Rike.«

»Ich weiß«, Andreas nickte. »Ich habe deinem Chef zugehört.« Er wischte den Rest der Suppe mit einem Stück Brot aus, dann schob er den Teller zurück. »Die war gut. Aber so richtig satt bin ich nicht geworden. Du?«

»Mir reicht es. Ich muss auch gleich wieder in die Praxis.« Verstohlen warf sie einen Blick auf die Uhr. Die Hälfte der Zeit war schon rum. Schade.

Die Bedienung kam, um die leeren Teller abzuräumen, Andreas bestellte einen Espresso und sah Rike fragend an. Die nickte.

»Dann bitte zwei«, er fuhr sich mit der Hand durch die grauen Haare, Rike hätte das sehr gern für ihn übernommen. »Sag mal, hast du Lust, übermorgen Abend das Danke-Essen fortzusetzen? Mit mehr zu essen und mehr Zeit? Du kannst gern das Restaurant vorschlagen.«

Rikes Pulsfrequenz erhöhte sich. »Oh, ähm, eigentlich gern, allerdings kann ich am Samstag leider nicht. Wie schade. Aber, wenn du Lust hast …«, sie hoffte, dass Maren sie verstehen würde. »Ich gehe etwas später noch zu einer Veranstaltung in die ›Sylt-Quelle‹, so eine Art Sommerfest Ende Mai. Ich weiß nicht, ob du zu solchen Festen Lust hast, es ist immer sehr schön da.«

Andreas nickte. »Ich habe die Plakate gesehen. Warum nicht? Soll ich dich irgendwo abholen?«

Es klappte, es klappte, es klappte. Hochzufrieden lächelte Rike ihn an. »Das ist schön. Aber am einfachsten wäre es, wenn wir uns dort treffen.« Jetzt musste sie es ihm aber doch sagen. »Meine Freundin Maren kommt auch, ich habe ihr versprochen, sie da zu treffen. Sie hat bestimmt nichts dagegen, wenn du auch dazukommst.«

Andreas' Blick wurde skeptisch. »Also, ich möchte auf keinen Fall einen Freundinnenabend stören. Vielleicht sollten wir ein anderes Mal …«

»Aber nein, warum?« Rike wollte in diesem Moment kein Sommerfest mehr ohne Sommerflirt. »Meine Freundin Maren bleibt sowieso nicht so lange. Sie ist Polizistin und hat Sonntag Frühdienst. Außerdem ist sie erst vor Kurzem wieder auf die Insel zurückgekehrt, sie wird da so viele Leute wiedertreffen, dass sie überhaupt keine Zeit haben wird, sich um uns zu kümmern.«

Das Wort »uns« fühlte sich irgendwie gut an. Zumal auch jetzt die Bedienung kam und mit dem Satz: »Bitte schön, ihr beiden«, die Espressotassen auf den Tisch stellte. Andreas wartete, bis sie weg war, dann wandte er sich zurück an Rike und fragte interessiert: »Polizistin? Da hat sie wohl auch ziemlichen Stress in diesen Tagen, oder?«

Erstaunt blickte sie ihn an. »Wieso?«

»Diese Einbruchsserie, über die jeden Tag in der Zeitung berichtet wird? Ich lese das jeden Morgen. Scheint ja hier das Gesprächsthema Nummer eins zu sein.«

»Das stimmt«, antwortete sie schnell. »Aber die Polizei wird das Ganze bestimmt rasch aufklären. Maren ist gut.«

»Das ist ja beruhigend.« Andreas lächelte sie an. »Zumal die Zeitung ja auch Zeugen sucht. Die Redaktion glaubt anscheinend nicht an die Fähigkeiten deiner Freundin und ihrer Kollegen. Eigentlich eine Frechheit.«

»Ja, das ist es.« Rike sah jetzt doch auf die Uhr. »Oh, so spät schon. Ich muss los. Bleibt es also bei Samstagabend? So gegen halb zehn am Eingang?«

Andreas zögerte nur eine Sekunde, dann nickte er und stand auf. »Halb zehn. Wenn du losmusst, geh ruhig schon, ich zahle noch in Ruhe. Bis übermorgen. Ich freue mich.«

Sie drückte seine Hand eine Spur zu fest, dann beeilte sie sich, in die Praxis zu kommen. Als sie sich noch mal umdrehte, hob er mit leichtem Lächeln den Kopf. Ihr Puls konnte sich gar nicht wieder beruhigen.

Noch jemand eine Tasse Tee?« Inge schwenkte die Kanne. »Dann muss ich nämlich noch welchen kochen. Karl? Oder ein Eierlikörchen?«

»Och ja«, er hob den Blick über seine Brille. »Und eine Tasse Tee würde ich auch noch nehmen, wir fangen ja gerade erst an. Das muss übrigens besser werden, wir haben schon wieder viel zu lange geklönt, bevor wir an die Arbeit gehen.«

Charlotte stand sofort auf. »Jetzt fang mal nicht so an, Karl. Wenn das hier stressig wird, bin ich raus. Wir sind keine ausgebildete Sonderkommission, und ich habe keine Lust, mich rumkommandieren zu lassen. Warte, Inge, ich helfe dir.« Sie schoss aus dem Zimmer, um ihrer Schwägerin in die Küche zu folgen. Karl sah Onno irritiert an. »Habe ich was Falsches gesagt?«

Onno legte langsam seine Hände übereinander. »Charlotte hat sich über Heinz geärgert. Deswegen hat sie jetzt schlechte Laune. Und du musst hier nicht den Chef raushängen lassen, das verträgt sie heute nicht.«

»Aha«, Karl ordnete die Blätter, die vor ihm auf dem Tisch lagen. »Mache ich das? Das tut mir leid. Man darf sich aber bei kriminalistischen Aufgaben nicht von privaten Verstimmungen beeinflussen lassen. Da muss sich jeder zusammenreißen und auf die wirklich wichtigen Dinge konzentrieren.«

Onno schwieg, Karl auch, zumindest so lange, bis Inge wieder zurückkam. Sie stellte die Kanne schwungvoll auf den Tisch, dann hielt sie inne und sah die beiden an. »Habe ich was verpasst?«

»Was macht Charlotte denn jetzt?« Karl blickte sie treuherzig an.

»Keine Ahnung«, antwortete Inge und setzte sich. »Vielleicht Atemübungen? Könnt ihr diesen Käsekuchen nicht aufessen? Morgen schmeckt der nicht mehr.«

»Ich wollte sie nicht verärgern«, sagte Karl. »Sie ist aber auch sehr empfindlich heute.«

»Unsinn«, Inge drehte sich zu Charlotte um, die gerade eintrat. »Oder? Bist du empfindlich heute?«

»Nein.« Langsam nahm Charlotte wieder Platz und sah in die Runde. »Ich kann nur keine rechthaberischen Männer leiden. Heinz hat mir eine Stunde lang Verschwörungstheorien dargelegt. Seiner Meinung nach ist der Schlüssel zu den Einbrüchen die Immobilienmafia. Und dass wir das völlig falsch angehen. Das wäre aber egal, weil Walter und er ja übermorgen wieder da sind und sich dann persönlich in die Ermittlungen einschalten werden. So. Jetzt kommt ihr.«

»Immobilienmafia?«, wiederholte Karl. »Wie kommt er denn da drauf?«

Charlotte winkte ab. »Die sind doch auf diesem albernen Seminar über Immobilien. Und können anscheinend an nichts anderes mehr denken.«

»Na ja«, warf Inge ein. »Gisela hat aber auch schon gesagt, dass sie im ersten Moment überlegt hat, das Haus zu verkaufen, um zu ihren Kindern nach Oldenburg zu ziehen. Und sie hat auch erzählt, dass vor dem Einbruch ein netter junger Mann bei ihr war, der gefragt hat, ob sie nicht verkaufen wolle.«

Karl war jetzt hellhörig geworden. »Ach ja? Und wie hieß der?«

Inge hob die Schultern. »Das weiß sie nicht mehr. Sie hat seine Visitenkarte verloren. Und wir hatten dir das übrigens auch schon erzählt. Du hast nur nicht richtig hingehört. Du hast dich nur über meine falsche Ermittlungstaktik aufgeregt. Ich sag nur Lola und Laila.«

»Jetzt, wo wir drüber reden …«, Charlotte zeigte mit dem Zeigefinger auf Onno. »Helga Simon hat von einem Gero Winter gesprochen, das ist der junge Mann von der Bank. Ich weiß noch, dass ich in dem Moment, als sie das erzählt hat, gedacht habe, dass ich Gisela noch mal fragen muss, ob sie diese Visitenkarte wiedergefunden hat. Vielleicht ist es ja sogar derselbe Mann. Und dann habe ich es wieder vergessen. Ich rufe sie sofort mal an. Inge, wo ist dein Telefon?«

Während Charlotte im Flur mit Gisela sprach, nahm Karl das Kuchenmesser vom Teller und zog mit einem Bleistift an der Klinge entlang Linien auf ein Blatt. »Wir werden jetzt unsere Informationen der Reihe nach ordnen«, sagte er und wischte die Krümel vom Papier. »Damit die Ermittlungen mal ein Gesicht bekommen. Die Protokollführung des letzten Treffens ist nicht brauchbar, man muss die Ergebnisse auf einen Blick erkennen können. Und Charlotte hat wirklich jeden Blödsinn mitgeschrieben. Das sind zwölf Seiten geworden. Aber die Schrift ist schön.«

Inge hob kurz die Augenbrauen. »Wir hätten da auch ein Lineal. Hinter dir in der obersten Schublade. Damit das Ermittlungsgesicht nicht so klebrig ist. Mit dem Messer habe ich Käsekuchen geschnitten.«

Karl nahm sich Zeit für die Vorbereitung, hoch konzentriert zog er auf jedem Blatt Tabellenlinien, die er anschließend beschriftete. Mit geneigtem Kopf legte er danach die Papiere nebeneinander und sah sich um. »Wir warten jetzt noch auf Charlotte, und dann gehen wir einen Fall nach dem anderen durch.«

Wie aufs Stichwort kam sie zurück, setzte sich und sagte: »Gisela hat die Visitenkarte nicht wiedergefunden. Irgendetwas mit M, hat sie gesagt. Leider hatte Gisela immer schon ein schlechtes Namensgedächtnis. Sie lässt aber alle schön grüßen.«

»Danke«, antwortete Karl und nahm den Stift. »Das hilft uns jetzt auch nicht viel weiter. Wir fangen trotzdem mit ihr an, also, Charlotte und Inge, ist euch noch irgendetwas zu dem Einbruch bei Gisela eingefallen?«

Giselas Bogen fiel dünn aus. Der Einbruch hatte am frühen Vormittag stattgefunden, sie waren durch die Terrassentür eingedrungen, hatten nichts gestohlen, weil sie vermutlich gestört wurden, aber alles durcheinandergebracht. Die Polizei hatte keine Spuren gefunden, dafür hatte die Versicherung bereits bezahlt.

Karl schrieb den Namen »Johanna Roth« auf den zweiten Bogen und sah Inge an. »Frau Roth«, sagte er erwartungsvoll. »Inge, du wolltest doch noch mal hin. Hast du dieses Mal was herausgefunden?«

»Ja.« Inge zog mit stolzer Miene einen Schreibblock aus der Schublade. »Und ich habe es hinterher sofort aufgeschrieben, damit ich nichts vergesse.« Sie rückte ihre Brille zurecht und räusperte sich. »Also: Der Einbruch fand am Nachmittag statt, während Johanna Roth einkaufen war. Als sie zurückkam, hat sie sich gewundert, dass die Terrassentür so komisch aussah. Sie war aufgehebelt. Gestohlen wurden siebzig Euro, die lagen auf dem Esstisch, und eine Stange Zigaretten, die in der Küchenschublade aufbewahrt worden waren. Sonst nichts. Es gab auch keine Spuren, und niemand hat etwas bemerkt.«

»Wieso bewahrt Frau Roth eine Stange Zigaretten in der Küchenschublade auf?« Charlotte hatte das mit gerunzelter Stirn gefragt. »Eine ganze Stange?«

»Die wollte sie ihrem Hausmeister zum Geburtstag schenken«, antwortete Inge. »Sie hat gesagt, er hätte sonst schon alles, und Geld wäre so unpersönlich.«

»Zigaretten nicht?« Karl schüttelte den Kopf. »Wie heißt denn ihr rauchender Hausmeister?«

»Keine Ahnung«, Inge guckte ihn ungeduldig an. »Das habe ich nicht gefragt. Beim letzten Mal hast du gesagt, dass es dich nicht interessiert, wie ihr Enkelkind heißt, aber jetzt willst du den Namen vom Hausmeister. Wie soll man denn da wissen, was nun wichtig ist und was nicht?«

»Das hat man im Gefühl, Inge«, belehrte Karl sie. »Aber du kommst schon noch dahinter. Gab es sonst noch Auffälligkeiten?«

Inge schüttelte ein bisschen beleidigt den Kopf. »Nö.«

»Gut, dann weiter. Charlotte oder Onno, was haben wir Neues von Helga Simon?«

Onno war mit der Antwort schneller als Charlotte. »Ja, ich war noch mal bei ihr.«

»Ach?« Interessiert sah Charlotte ihn an. »Wann denn?«

»Zwei Tage nach unserem Besuch. Ich habe ihr einen Kuchen gebacken und mitgebracht, sozusagen als Dankeschön, dass wir auch so nett bewirtet wurden.«

»Onno hat sich verguckt«, sagte Charlotte leise zu Inge, wandte sich wieder Onno zu und fragte lauter: »Und? Über was habt ihr so geredet?«

Mit einem verlegenen Lächeln drehte Onno seine Teetasse, so lange, bis Inge ihre Hand auf seinen Arm legte.

»Mach mich nicht nervös. Über was habt ihr denn nun geredet?«

»Über dies und das.« Onno brauchte eine kleine Pause, ungeduldig sahen ihn drei Augenpaare an. »Zum Beispiel, dass es schwierig ist, wenn man sich plötzlich wieder um ein Kind kümmern muss, man ist dem in unserem Alter gar nicht mehr richtig gewachsen und macht Fehler. Und eigentlich hatte man ja gedacht, die Brutpflege sei beendet, und nun fängt man wieder an, also, es ist schwierig …«

»Hä?« Karl starrte ihn verständnislos an. »Ich verstehe kein Wort. Kriegt Frau Simon ein Kind? Wie alt ist sie denn?«

Jetzt guckte Onno irritiert. »Sie ist siebenundsechzig. Das ist doch viel zu alt. Nein, ich habe von mir gesprochen. Dass Maren nun wieder da ist. Das ist für mich auch schwierig, wieder all die Sorgen und die Verantwortung, ihr fragt ja nie nach. Aber mit Helga … mit Frau Simon habe ich darüber geredet, sie war ja eine Zeitlang in Köln bei ihrer Tochter und hat mich gut verstanden.«

»Und was hat das jetzt mit dem Einbruch zu tun?« Karl suchte immer noch einen tieferen Sinn in Onnos Ausführungen und fand ihn nicht.

»Gar nichts«, war die freundliche Antwort. »Charlotte hat mich gefragt, worüber ich mich mit Frau Simon unterhalten habe. Über so etwas eben.«

Karl atmete tief ein und aus. Nach einem hilfesuchenden Blick an die Decke versuchte er es betont ernsthaft. »Interessant. Und habt ihr auch noch mal über den Einbruch gesprochen?«

»Ja«, nickte Onno, der sich überhaupt nicht aus der Ruhe bringen ließ. »Aber sie war ja gar nicht da, als es passiert ist. Sie geht nämlich jeden Tag schwimmen, immer um halb neun. Sie ist wirklich sehr fit.«

Er lächelte, bevor er weitersprach, Inge und Charlotte tauschten einen vielsagenden Blick.

»Als sie vom Schwimmen zurückkam, war die Terrassentür aufgebrochen. Die Diebe haben alle Schubladen aufgezogen, alle Schränke geöffnet und sogar die Toilette benutzt. Und wisst ihr, wie sie das bemerkt hat? Der Toilettendeckel und die Brille waren hochgeklappt!«

»Dann handelt es sich um einen Mann«, bemerkte Inge. »Ferkel. Da haben wir doch was.«

»Kann auch eine Finte sein«, meinte Karl. »Hat sie das der Polizei gesagt? Um Spuren zu sichern?«

Inge kicherte, Onno verstand nicht, warum, schüttelte aber den Kopf. »Sie hat sofort geputzt, weil sie es so unangenehm fand, und danach hat sie's vergessen. Kann ich aber verstehen. Sie hat der Polizei schon gesagt, dass hundert Euro gestohlen worden sind, sie hatte das Geld in kleinen Scheinen in einer Dose im Flur. Das war alles. Sonst fehlt nichts.«

»Aha.« Karl machte sich Notizen. »Das war's? Oder fällt dir noch was ein?«

»Sie isst gern Rouladen. Ich habe sie für Sonntag zum Essen eingeladen.« Inge und Charlotte starrten ihn neugierig an, Karl hingegen sagte: »Fein, ich komme auch, vielleicht können wir zusammen etwas mehr herauskriegen.«

»Das geht nicht«, antwortete Onno schnell. »Ich habe … mein Bräter ist nicht groß genug für mehrere Gäste. Ein anderes Mal vielleicht.«

Karl schüttelte den Kopf. »Du kannst dir doch einen von Inge oder Charlotte leihen, oder? Habt ihr auch nur so kleine Töpfe?«

»Ja.« Inge und Charlotte antworteten im Chor. Inge fuhr allein fort. »Aber du kommst vom Thema ab, Karl.

Was ist denn mit Eva Geschke? Von der hast du noch gar nichts erzählt. Ich musste früher los, ihr habt euch doch noch allein im Café unterhalten.«

Sie zwinkerte Onno zu und richtete dann ihre Aufmerksamkeit auf Karl, der sich entspannt zurücklehnte, bevor er seinen Bericht begann.

»Ja, die Frau Geschke.« Karl räusperte sich bedeutungsvoll und ließ die Blicke über die Runde schweifen. Er hatte sie alle im Griff, sie hingen an seinen Lippen. »Inge und ich waren ein gutes Team, wir haben die Befragung exzellent vorbereitet. Wir saßen ja dann im ›Café Wien‹, als Inge sich geschickt zurückgezogen hat. Ein gutes Gespür, meine Liebe, Frau Geschke wurde im Zweiergespräch sehr viel zutraulicher.«

»Hast du das geahnt?«, fragte Charlotte ihre Schwägerin erstaunt.

»Nö«, antwortete Inge. »Ich musste noch zur Reinigung und die macht um dreizehn Uhr zu.«

»Ist ja auch egal«, Karl zog seine Notizen näher heran und fuhr fort. »Es war jedenfalls sehr aufschlussreich. Eva Geschke kam vom …, wie nennt sich diese Sportart mit den Stöcken? Nordic irgendwas …«

»Walking«, ergänzte Charlotte. »Nordic Walking.«

»Genau, das macht sie wohl jeden Morgen, immer fünf Kilometer.« Karl nickte bestätigend. »So sieht sie ja auch aus, äußerst kernig, möchte man sagen.«

»Wie ein Dragoner«, erklärte Inge und erntete einen bösen Blick von Karl, der sich unterbrochen fühlte. Inge hob entschuldigend die Hände.

»Als sie wie üblich nach einer Stunde zurückkehrte, stellte sie die Spuren des Einbruchs fest. Übrigens ähnlich wie in den uns schon bekannten Fällen. Die Terrassentür war aufgehebelt, Schubladen waren aufgezogen, Schränke geöffnet und ausgeleert. Auch hier hält sich der Schaden in Grenzen, entwendet wurden lediglich knapp fünfzig Euro, zwei Mäntel und eine Flasche Whisky.«

»Was?«, fragte Onno erstaunt.

»Eine Flasche Whisky«, wiederholte Karl. »Und zwei Mäntel. Und fünfzig Euro.«

»Wer klaut denn zwei Mäntel?« Onno verstand gar nichts. »War das denn Pelz?«

»Nein«, Karl schüttelte den Kopf. »Es waren zwei Herrenmäntel. Die gehörten Frau Geschkes Sohn. Und das war auch der Grund, warum sie die Polizei so spät angerufen hat. Aufgrund der Beute hat sie nämlich zuerst befürchtet, dass ihr eigener Sohn bei ihr eingebrochen hat.«

»Der Jörg war als Jugendlicher nämlich schon kriminell«, ergänzte Inge. »Und jetzt ist er Autoverkäufer in Kiel. Hat sie uns erzählt. Aber angeblich ist er doch geläutert. Wie kommt sie denn auf ihn?«

Karl lächelte sie bedeutsam an. »Und genau dafür war es gut, dass du dann gegangen bist. Zu mir hat sie anscheinend sofort Vertrauen gefasst. Sie hat mir erzählt, dass sie ihrem Sohn nicht so ganz traut, weil er ein paar Mal Geld aus ihrem Portemonnaie geklaut hat. So ganz geläutert ist er nämlich nicht. Deshalb hat sie zuerst ihn angerufen. Weil es sowohl seine Mäntel waren, als auch sein Lieblingswhisky. Aber er hatte zu dem Zeitpunkt gearbeitet und war im Autohaus. Sie haben sich trotzdem gestritten, weil er sich über ihren Verdacht aufgeregt hat. Und deshalb hat Frau Geschke erst mal aus Wut staubgesaugt und erst später die Polizei benachrichtigt. Die dann, wen wundert es, nichts Verwertbares mehr gefunden hat. Auch keine Fingerabdrücke, keine anderen Spuren, nichts, nada, niente.«

»Wenn sie auch staubgesaugt hat …«, Charlotte sinnierte vor sich hin. »Aber dass man als Mutter seinem Kind nicht traut, ist ja auch furchtbar, oder? Ganz schrecklich.« Mit traurigen Augen leerte sie ihr Likörglas und stellte es langsam zurück auf den Tisch.

»Und das Schlimmste war, dass die Polizei sie auch noch gefragt hat«, Karl bemühte sich um einen ernsten Gesichtsausdruck. »Die haben das Vorstrafenregister von Jörg Geschke gesehen, der übrigens so einiges auf dem Kerbholz hat, und haben sie gleich mit dem Verdacht konfrontiert. Das war dann für Frau Geschke zu viel, und sie ist richtig unflätig geworden. Runge hat ihr mit einer Anzeige wegen Beamtenbeleidigung gedroht.« Jetzt grinste er. »Sie hat schon im Alltag einen eher herben Charme, und ich glaube, wenn sie unter Druck ist, dreht sie noch mal einen Gang auf. Die hat ihn bestimmt so richtig zur Schnecke gemacht.«

»Aber wieso ist sie denn so aus dem Häuschen gewesen«, fragte Onno, »wenn sie das doch auch selbst vermutet hat?«

»Als Mutter darf sie das«, erklärte ihm Charlotte sofort. »Aber ein Fremder doch nicht. Nur, weil der Jörg früher schwierig war, darf man ihn doch nicht gleich beschuldigen. Da verteidigt man als Mutter doch sein Kind.« Sie machte eine kleine Pause, bevor sie sich an Onno wandte. »Apropos Kind, was sagt denn Maren zu unseren Ergebnissen? Ich finde, wir waren gar nicht so schlecht bis jetzt.«

»Maren«, Onno kratzte sich am Kopf. »Also, sie ist nicht so richtig auf dem Stand unserer Ermittlungen.« Nach einem Hilfe suchenden Blick auf Karl, den der mit einem Nicken beantwortete, fuhr er zögernd fort: »Wisst ihr, wenn ich versuche, über Maren etwas herauszubekommen, dann hat sie immer ganz ausweichend geantwortet. So nach dem Motto: ›Papa, wir ermitteln, und ich kann dir doch keine internen Dinge erzählen.‹ Und jetzt habe ich mich mit Karl beraten und wir haben beschlossen, dass wir sie da komplett raushalten aus unseren Ermittlungen. Sonst kommt sie noch in einen Konflikt, weil Karl ja schon ein Hausverbot riskiert hat und sie alle vom Runge Redeverbot bekommen haben. Und deswegen müssen wir uns für eine Seite entscheiden. Kind her oder hin, sie steht auf der falschen Seite.«

»Onno«, entsetzt sah Inge ihn an. »Sie ist deine Tochter.«

Onno nickte. »Privat schon. Beruflich ist sie im Moment unser Feind.«

Charlotte und Inge schüttelten die Köpfe. »Also wirklich ...«, aber sie schwiegen.

Karl dagegen sagte: »Onno hat ganz recht. Glaubt bitte nicht, dass es uns leichtfällt, ich darf euch daran erinnern, dass Maren auch meine Patentochter ist. Aber da sie nun mal nichts sagen darf und will, müssen wir eben Prioritäten setzen. Ich weiß wirklich nicht, wie Runge es geschafft hat, meinen ganzen ehemaligen Mitarbeitern eine Gehirnwäsche zu verpassen, aber nicht einmal Benni will mir noch Informationen geben. Es ist nicht zu fassen. Und ich sehe überhaupt nicht ein, dass wir denen helfen. Also können wir die Fälle gleich lieber selbst aufklären. Oder sieht das jemand anders?«

Inge zuckte mit den Schultern. »Kommst du wirklich an niemanden mehr heran? Die schweigen alle aus Angst vor dem Chef?«

Karl und Onno sahen sich verschwörerisch an. Dann beugte Onno sich vor und sagte lächelnd: »Wir haben da eine Idee. Aber das muss unter uns bleiben, Maren wird mich sonst umbringen. Also, es gibt da einen sehr sympathischen Saisonpolizisten, Robert Jensen. Ich habe Maren neulich ihren Schlüssel ins Revier gebracht, den hatte sie mal wieder in der Tür stecken gelassen. Das macht sie dauernd. Es ist nicht zu fassen, ich ziehe den ständig ab. Und das als Polizistin. Jedenfalls, dabei habe ich die beiden zusammen gesehen. Der Jensen ist total in Maren verknallt, das ist eindeutig, und so, wie Maren geguckt hat, ist das nicht so einseitig. Das sieht man nur als Vater, sie tut so, als wäre sie nicht an ihm interessiert. Als Maren wegmusste, habe ich mich dem Jensen mal vorgestellt und ein bisschen nachgehakt. Ganz unauffällig natürlich. Und dann habe ich ihn zum Essen eingeladen. Vielleicht wird er langsam locker.«

»Und was sagt Maren dazu?«, fragte Inge neugierig.

»Weiß ich nicht«, treuherzig sah Onno hoch. »Werden wir sehen. Ich nehme an, sie freut sich. Glaube ich zumindest.«

Inge hielt seinem Blick stand und schüttelte dabei ganz leicht den Kopf. »Das ist Kuppelei.«

»Nur für den guten Zweck, Inge«, Karl legte seine Hand auf ihre. »Wir brauchen einen Informanten. Und vielleicht stiften wir ja auch noch eine schöne Sommerliebe an. Onno und ich tun, was wir können.«

G uten Morgen, Papa«, Maren hielt ihre viel zu wei-
te Schlafanzughose fest, als sie in die Küche kam.
»Morgens schon Bratengeruch, das ist ja furchtbar.«

Onno warf ihr nur einen kurzen Blick über die Schulter
zu und konzentrierte sich sofort wieder auf seinen Bra-
tentopf. »Erstens«, sagte er und stellte die Herdplatte auf
eine niedrigere Temperatur. »Erstens handelt es sich hier
nicht um einen Braten, sondern um Rouladen. Zweitens
ist es nicht mehr morgens, sondern schon mittags, und
drittens ist es meine Küche und nicht deine, also, wenn
du das nicht riechen magst, dann geh rüber. Hast du gut
geschlafen?«

»Ja, danke. Ich habe es nicht geschafft, irgendetwas
einzukaufen, und hatte die Hoffnung, ich bekomme vom
Kochclub-Champion ein Frühstück.« Maren schwenkte
die Teekanne. »Ist da noch was drin?«

»Natürlich«, Onno legte den Deckel auf den Topf und
wandte sich um. »Setz dich, ich decke dir den Tisch. Du
bringst mir sonst alles durcheinander. Willst du ein Rührei?«

»Gern«, Maren zog sich den Stuhl näher zum Tisch.
»Das ist ja wie im Hotel.«

»Eine Ausnahme«, antwortete ihr Vater und stellte eine
Pfanne auf den Herd. »Weil heute Samstag ist, aber gewöhn
dich gar nicht erst dran. Tomate und Schnittlauch im Ei?«

Während sie beeindruckt zusah, wie ihr Vater mit professionellen Handgriffen die Kräuter hackte, fiel ihr ein, dass er früher sogar bei den Schulbroten überfordert war. Damals hatte er nicht mal daran gedacht, die Käserinden abzuschneiden. »Dass du das alles kannst«, sagte sie. »Mama wäre fassungslos. Ich bin es übrigens auch noch. Früher hast du kaum was in der Küche gemacht.«

»Deine Mutter hat mich auch nicht gelassen«, antwortete Onno und schlug die Eier in eine Schüssel. »Das war gar nicht böse gemeint, sie wollte mir ja was Gutes tun. Und sie konnte so gut kochen. Aber so ist es eben, alles hat seine Zeit. Und jetzt mache ich es.«

Er goss die gerührten Eier mit Schwung in die Pfanne und rührte leise pfeifend um.

»Kommt Karl zum Essen?« Maren zog die Teekanne näher. »Oder machst du die Rouladen für uns?«

Onno stellte ihr eine Tasse und einen Teller hin. »Karl kommt nicht zum Essen. Ich bekomme morgen einen Gast. Ich koche schon vor.«

»Aha«, neugierig sah Maren ihn an. »Wer ist es denn?«

»Eine Dame.« Er drehte sich wieder zum Herd und rührte weiter. »Kennst du nicht.«

»Und wie heißt die Dame?« Maren rührte Zucker in den Tee, ohne den Blick von seinem Rücken zu nehmen. Er zog die Schultern zusammen, das hatte er früher schon gemacht, wenn ihm unbehaglich war. »Papa? Wer ist es?«

Onno ließ das fertige Rührei auf einen Teller gleiten, schnitt umständlich ein Brötchen auf und stellte alles vor Maren auf den Tisch. »Guten Appetit.«

»Jetzt setz dich doch dazu«, forderte sie ihn auf. »Oder soll ich hier allein essen? Wir können uns doch ein bisschen unterhalten, wir haben uns die ganze Woche kaum gesehen. Also, wer kommt denn nun zu Besuch?«

Langsam ließ Onno sich auf den Stuhl sinken, der am weitesten von ihr entfernt stand. »Eine alte Bekannte. Die Witwe von einem ehemaligen Kollegen, wir haben uns zufällig in, ähm, beim Einkaufen getroffen. Sie kommt vielleicht auch zum Chor. Sie überlegt noch.«

»Ach?« Maren grinste. »Ich dachte, du wolltest keine langweilige, alte Witwe, mit der du deine Pension teilen musst. Und trotzdem willst du sie jetzt mit einer Roulade locken?« Sie schob sich die erste Gabel voll Rührei in den Mund. Es war perfekt. »Kann sie denn singen, die Frau …«

»Simon«, ergänzte Onno verlegen. »Helga Simon.«

Marens Gabel schwebte zwischen Mund und Teller. Entgeistert starrte sie ihren Vater an. »Helga Simon?«

Onno nickte. »Kennst du sie noch?«

Langsam legte Maren die Gabel auf den Teller. »Papa. Helga Simon ist eines der Einbruchsopfer. Aber das weißt du ja bestimmt schon. Sag mal, was macht ihr eigentlich? Letzte Woche habe ich Karl mit Eva Geschke im ›Café Wien‹ gesehen, war das auch ein Zufall? Was macht Karl eigentlich?«

»Nichts weiter«, beeilte sich Onno zu sagen. »Frau Geschke arbeitet doch in der Stadtbücherei. Und Karl ist ja eine echte Leseratte.«

»Karl? Eine Leseratte?« Maren sah ihn entgeistert an. »Das ist ja mal ganz was Neues. Hör mal, Papa, ich will wirklich nicht mit dir streiten, aber lass dich bitte nicht von Karl zu irgendetwas hinreißen. Er ist pensioniert und höchst beleidigt, dass er nichts mehr mitbekommt. Ich habe mit Benni gesprochen, meinem Kollegen, der kennt Karl wirklich gut, und er macht sich mittlerweile schon Sorgen um ihn.«

»Sorgen um Karl?« Onno stand plötzlich auf. »Das ist ja lächerlich. Möchtest du noch Tee?«

»Jetzt lenk nicht ab und bleib einen Moment sitzen.« Maren starrte ihn so lange an, bis er ihrer Aufforderung nachkam. »Benni ist der Meinung, dass Karl sich gerade zu Tode langweilt. Gerda ist nicht da, und er hat anscheinend zu viel Zeit. Und er kann nicht loslassen, deshalb möchte er gern ein bisschen im Revier mitmischen. Aber das geht nicht, Papa, das verstößt auch gegen alle Vorschriften. Er muss lernen, sich ein Hobby zu suchen und seine Zeit neu einzuteilen. Das ist bestimmt nicht einfach, aber ihm bleibt nichts anderes übrig. Dabei kannst du ihm helfen, Papa, aber nicht, indem ihr euch in Ermittlungen einmischt, die euch nichts angehen. Wir spielen doch hier nicht Räuber und Gendarm, bei dem jeder mal drankommt. Also wirklich …«

Sie musste eine Pause machen, um sich nicht in Rage zu reden, und schloss kurz die Augen. Ihr Vater schwieg. Schließlich sah sie ihn wieder an und schüttelte dabei den Kopf. »Papa, bitte, haltet euch zurück. Ich bekomme sonst wirklich Schwierigkeiten. Wir werden schon rausfinden, wer für diese Einbrüche verantwortlich ist. Es ist ja nicht so, dass wir nicht ermitteln. Es ist unser Job.«

»Fertig?« Onno sah sie freundlich an. »Ich müsste nämlich mal aufstehen, um die Rouladen zu wenden.«

Maren nickte, während ihr Vater seelenruhig aufstand und zum Herd ging. »Weißt du«, sagte er beiläufig, »ich glaube, ihr macht euch zu viele Gedanken um Karl. Der hat nämlich genug Hobbys und kann sich sehr gut allein beschäftigen. Aber man kann ja schlecht während der Chorprobe ein Gespräch mit, sagen wir mal …, Gisela ablehnen, nur weil die zufällig gerade ausgeraubt wurde. Oder mit Frau Geschke, die nun mal in der Bücherei arbeitet. Soll er da sagen, er will nur mit ihrer Kollegin sprechen? Wegen eines Leihausweises? Das ist doch lächerlich. Ihr seht Gespenster. Sieh mal, ich bin auch am Anfang meiner Rente noch ab und zu zum Seenotretter gegangen, um die Kollegen zu besuchen. Die haben sich auch immer gefreut. Das lässt mit der Zeit sowieso nach, gerade, wenn immer mehr Kollegen kommen, die man gar nicht mehr kennt.«

Maren stocherte unkonzentriert in ihrem Rührei. »Papa, Karl besucht keine Kollegen, Karl schreibt Informationen aus Akten ab. Und zwar auf seine Arme. Ich habe es gesehen.«

»Apropos Kollegen«, Onno tat so, als hätte er den Einwand nicht gehört. »Dieser Robert Jensen ist ein Sympathischer, oder? Die Saisonpolizisten haben es ja auch nicht einfach. Sie kommen her, kennen niemanden, wissen abends nicht, wo sie hinsollen, haben bestimmt auch Heimweh, und so eine Saison kann lang sein.«

»Wie?« Mit gerunzelter Stirn sah Maren ihn an. »Was genau willst du mir jetzt sagen?«

Onno legte den Deckel wieder vorsichtig auf den Topf und drehte sich zu ihr. »Nichts Besonderes, Kind, nur, dass du jederzeit gern mal Kollegen zum Essen einladen kannst. Ich koche dann auch. Du musst nur einkaufen.«

»Schönen Dank. Robert Jensen wird bestimmt nicht mein Gast.«

Sie presste die Lippen zusammen, bevor sie etwas Unüberlegtes sagen konnte, Onno betrachtete ihr Mienenspiel interessiert. Sie hatte schon als Kind schmale Lippen bekommen, wenn sie ein Geheimnis hatte. Und sie musste ihn ja auch nicht einladen.

»Musst du ja nicht«, sagte er laut. »War nur ein Vorschlag. Bist du satt?«

»Ja, danke«, sie schob den Teller von sich. »Ich gehe dann mal duschen und fahre danach einkaufen. Brauchst du noch was?«

»Zwei schöne Flaschen Rotwein. Das wäre nett, dann brauche ich nicht los. Französischen gern. Die Flasche nicht unter fünfzehn Euro, lass dir keinen Fusel andrehen.«

Erstaunt stand Maren auf. »Französischen? Ich denke, du trinkst keinen Wein. Oder …? Ach so, dein Besuch.« Sie grinste und stellte das benutzte Geschirr auf die Spüle. »Dann hoffe ich mal sehr, dass Frau Simon wirklich als Gast kommt und nicht als Zeugin. Ansonsten, Papa, kriegen wir uns noch richtig in die Wolle.«

»Da kannst du ganz beruhigt sein.« Onno legte umständlich die Topflappen auf die Arbeitsplatte und strahlte Maren an. »Sie ist mein Gast.«

Sein Gesichtsausdruck und der Ton ließen Maren aufhorchen. »Alles in Ordnung, Papa?«

»Sicher.« Er nickte mit einer großen Ernsthaftigkeit. »Sehr in Ordnung. Und jetzt denk an den Wein, der Weinhändler hat nicht ewig geöffnet.«

Als Maren eine Stunde später vor dem Geldautomaten in der Sparkasse stand, legte sich plötzlich eine Hand auf ihre Schulter. »Hände hoch und heben Sie fünftausend Euro in kleinen Scheinen ab. Aber zack, zack!«

»Wie soll ich bitte Geld mit erhobenen Händen abheben?« Ungerührt schob Maren ihre Karte in den Automaten. »Rike, wenn du noch eine Karriere als Kriminelle starten willst, musst du auf die Feinheiten achten.«

»Okay«, Rike nahm ihre Hand weg und küsste die Freundin auf die Wange. »War ein Versuch. Und? Gibt es was Neues?«

»Noch einmal diese Frage, und ich schieße.« Maren drehte sich zu ihr um. »Onno hat mich zum Weinkaufen geschickt. Aber ich mochte ihn nicht nach Geld fragen. Wahrscheinlich hätte er es sowieso mit dem Frühstück verrechnet. Er hat mir nämlich Rührei gemacht. Und wir hatten ein seltsames Gespräch.«

»Ach ja? Worüber denn?«

Maren hob nur die Schultern und nahm die Scheine aus dem Automaten. »Die Rentner spielen Detektiv, befürchte ich. Aber mein Vater lässt nicht viel raus. Na, egal. Anderes Thema, bitte. Was machst du jetzt? Musst du gleich wieder los oder gehen wir einen Kaffee trinken?«

Mit einem Blick auf die Uhr schüttelte Rike bedauernd den Kopf. »Ich kann nicht, ich treffe mich gleich mit meiner Kollegin. Habe ich dir doch erzählt, das Kleid fürs Standesamt.«

»Ach ja.« Sie gingen langsam nebeneinander auf den Ausgang zu. »Wir sehen uns ja heute Abend. Was ziehst du an?«

»Hallo, Rike«, eine unscheinbare blonde Frau stand plötzlich vor ihnen und lächelte sie schüchtern an. »Wo ich dich gerade …, ach, Entschuldigung, ich bin einfach so dazwischengeplatzt.«

Die Arme wurde sofort feuerrot, wodurch ihre schlechte Haut noch mehr auffiel. Sie blickte unsicher und trat ungelenk einen Schritt zurück.

»Heike«, entspannt legte Rike ihr kurz die Hand auf den Arm. »Wie geht es dir? Maren, das ist Heike Gerlach, das ist Maren Thiele, meine älteste Freundin, die jetzt wieder auf der Insel wohnt.«

»Ach, Sie sind das.« Jetzt war Heikes Gesicht ganz fleckig und ihre Stimme sehr leise. »Ich habe schon von Ihnen gehört, Sie sind die Polizistin, nicht wahr?«

Erstaunt gab Maren ihr die Hand. »Spricht sich das so schnell rum?«

»Nein, nein«, beim Kichern hielt Heike sich die Hand vor den Mund. »Das hat mir Torben erzählt, also mein

Mann. Er hat Ihnen doch beim Umzug geholfen. Und danach ist das ja leider mit seiner Tante passiert. Also mit Elisabeth. Und da hat er Sie ja schon wieder getroffen. Ja, die Insel ist eben doch klein.«

Sie kicherte wieder und wandte sich an Rike. »Ich habe vorhin schon in der Praxis angerufen, ich habe ganz vergessen, dass heute ja Samstag ist. Und ich brauche ein Rezept. Aber da muss ich wohl Montag kommen, oder?«

Rike nickte. »Ich kann dich aber gleich ganz früh dazwischenschieben. Ansonsten musst du in die Klinik fahren. Wenn es dringend ist.«

»Nein, nein«, winkte Heike ab und schob sich eine dünne Haarsträhne aus dem verschwitzten Gesicht. »Ich komme Montag ganz früh. Also, dann einen schönen Tag.«

»Ja, dir auch. Und grüß Torben.«

»Der ist dauernd unterwegs.« Sie ließ ihre Blicke zwischen Maren und Rike wandern. »Er hat so viel zu tun. Aber wenn ich ihn sehe, dann sage ich es ihm. Wiedersehen.«

Sie hob schüchtern die Hand und ging.

»Was war denn das?«, fragte Maren erstaunt und folgte ihr noch mit Blicken. »Das ist Torbens Frau? Die habe ich mir ganz anders vorgestellt.«

»Ja, die Arme.« Rike sah in dieselbe Richtung. »Sie ist so unsicher. Und dann diese Haut und die Haare. Sie taucht auch nie irgendwo auf, sitzt fast nur zu Hause. Aber sie ist seit zwanzig Jahren mit Torben verheiratet. Und findet ihn immer noch toll.«

»Bedauernswert«, Maren schüttelte mitleidig den Kopf. »Glaubst du, dass Torben treu ist?«

»Solange er Sina nicht sieht«, antwortete Rike achselzuckend. »Keine Ahnung. So, ich muss jetzt aber los, wir sehen uns heute Abend!«

Ein lauer Samstagabend,
an dem man nur aus der Ferne Fetzen von Musik hört

Der aufdringliche Parfümgeruch stieg ihm sofort in die Nase, als er den Flur betrat. So, wie es roch, waren alle Kleidungsstücke, die übereinander an der Garderobe hingen, damit getränkt. Er schüttelte sich, atmete flacher und stieg die Treppe nach oben. Im ersten Zimmer stand ein antiker Schreibtisch, die Schubladen waren nicht ganz zugeschoben. Ein Bündel Geldscheine war zu sehen, er griff danach und steckte sie in seine Jackentasche. Dann schlenderte er langsam durch die anderen Zimmer. Es sah genauso aus wie erwartet. Das ganze Haus war vollgestopft mit geschmacklosen, aber teuren Dingen. Nichts davon würde viel Geld bringen, wenn man es verkaufte, eigentlich konnte man das ganze Zeug nur an den Straßenrand stellen und hoffen, dass sich Geschmacksverirrte erbarmen würden. Das Schlafzimmer wurde von einem Himmelbett dominiert, es sah aus wie in einem orientalischen Puff. Auf der Fensterbank lag achtlos jede Menge Schmuck, ein paar Armbänder, Ketten, Ohrringe, zwei Uhren. Eine der Uhren war eine Rolex, er ließ sie in die andere Jackentasche gleiten. Auf einer Kommode stand eine ganze Batterie von Parfümflaschen, er schob sie langsam mit dem Arm von der Platte, zwei Flakons gingen kaputt, als sie auf dem Holzboden landeten. Er schob die Scherben mit dem Fuß zur Seite, als er zum Kleiderschrank ging und die Tür aufschob. Kleider, Jacken,

Blusen, alles durcheinander, nichts sortiert, vollgestopft bis oben hin. Auf der anderen Seite lag die Unterwäsche, mit spitzen Fingern griff er danach und ließ sie auf den Boden fallen. Ganz unten lag eine Mappe, er nahm sie heraus und sah hinein. Sein Gesicht verzog sich, es waren erotische Aufnahmen der Hausherrin, anscheinend professionell gemacht, trotzdem fand er sie grausam. Welke Haut, roter Lippenstift, knappe Dessous, eines der Bilder steckte er an den großen Spiegel. Der Fotograf war doch bestimmt viel zu teuer gewesen, als dass man diese Kunstwerke unten im Schrank vergammeln lassen sollte.

Als er im Badezimmer den Medikamentenschrank inspizierte, hörte er plötzlich ein Geräusch und hielt den Atem an. Sehr langsam richtete er sich auf und lauschte. Die Haustür wurde geöffnet, jemand kam mit schnellen Schritten durch den Flur und die Treppe hinaufgelaufen. Hohe Absätze knallten auf das teure Holz, jetzt waren sie ganz nah. Er lehnte sich eng an die Wand und atmete ruhig weiter. Die Schritte hielten an der Tür zum Schlafzimmer, er hörte einen Schrei, jetzt hatte sie wohl die Unterwäsche auf dem Boden gesehen. Hysterische Ziege, sie hörte gar nicht auf zu schreien. Er schloss die Augen und wartete ab. »Nein, nein, nein«, keifte sie. »Welcher Idiot …? Ich bring dich um …, was soll ich …? Verdammt …«

Sie trat gegen die Tür oder den Schrank, für einen kurzen Moment herrschte Ruhe, dann kamen die Schritte näher, gingen am Badezimmer vorbei und zurück zur Treppe. Sie würde die Polizei rufen, das hatte er im Gefühl. Das ging aber nicht. Als er die Tür plötzlich aufstieß, schrie sie wieder kurz auf. Dann weiteten sich ihre Augen. Zunächst erschrocken, dann erleichtert. »Du?«, fragte sie. »Wie bist du denn …?« Als sie seinen Gesichtsausdruck bemerkte, verstummte sie und bewegte sich langsam rückwärts in Richtung Treppe. Er folgte ihr im kleiner werdenden Abstand, ohne etwas zu sagen. Ihr Blick ging an ihm vorbei, dann zurück zur Treppe. Jetzt stand er vor ihr, sehr nah, direkt an der Treppe. Ihr Parfümgeruch hüllte ihn ein, ihm wurde schlecht. Sie beugte ihren Kopf nach hinten und sah ihn mit halb geschlossenen Augen an. »Was willst du von mir?«

Er dachte an die Fotos aus dem Schrank und musste fast lachen. Sie musste es gespürt haben, ihr Gesicht verzerrte sich, sie holte Luft. Bevor sie anfangen konnte zu schreien, hatte er sie an den Oberarmen gepackt. Sie wehrte sich, wandt sich, zappelte, er wollte sie ja gar nicht anfassen, nicht festhalten, also spannte er sich an und ließ sie plötzlich los. Nach einem kleinen Stoß. Einem ganz kleinen.

Mit dem Rucksack unter dem Arm ging er langsam die Treppe runter. Sie lag noch halb auf der Treppe, halb auf dem Flur, durch den Sturz hatte sich ihr Rock hochgeschoben, aus Ohr und Nase liefen blutige Rinnsale. Ihre Augen waren offen, der Blick wie der einer Puppe. Er betrachtete sie von oben. Manchmal war man einfach zur falschen Zeit am falschen Ort.

Die Haustür war nur angelehnt, der Schlüsselbund steckte von außen. Er zog ihn ab, schloss die Tür sorgfältig und verließ das Haus so, wie er gekommen war: durch die aufgehebelte Terrassentür. Draußen blieb er einen Moment stehen, sah sich um, holte tief Luft und warf die Schlüssel in einem hohen Bogen über das Grundstück. Dann lächelte er.

Derselbe Abend,
immer noch laue Luft, aber lautere Musik

Maren beugte sich zu Rike und deutete auf die Uhr. »Es ist halb zehn, wenn du deinen Traumtypen nicht verpassen willst, solltest du mal in Richtung Eingang gehen.«

Rike nickte mit betonter Lässigkeit. Kein Mensch musste mitkriegen, dass sie im Begriff war, vor einem Treffen mit einem Mann, den sie kaum kannte, ihre Nerven zu verlieren. »Ja, danke, ich sehe mich mal nach ihm um. Bleibst du hier stehen?«

»Ja«, Maren grinste sie an. »Ich bin viel zu neugierig, um mich von der Stelle zu bewegen. Hoffentlich ist der Wundermann pünktlich. Bis gleich.«

»Hey«, die Stimme ertönte so unvermittelt, dass Maren zusammenzuckte. »Da steht sie und lächelt.«

»Robert«, Maren fuhr herum und sah zuerst ihn und dann Katja Lehmann. »Ihr seid ja auch da.«

»Sehr gut beobachtet«, antwortete er und stellte sich dicht neben sie. »Man merkt sofort deine Ermittlererfahrung.« Er streckte Rike die Hand entgegen. »Hallo, ich bin Robert Jensen. Und das ist meine Kollegin Katja.«

»Freut mich«, Rike musterte erst beide, dann ihn neugierig. »Rike Brandt. Ich habe schon viel von dir gehört.« Sie ignorierte Marens zornigen Blick und lächelte. »Ich muss schnell nachsehen, ob meine Verabredung schon eingetroffen ist, wir sehen uns, bis gleich.«

Sie sahen ihr nach, wie sie mit langen Schritten zum Eingang lief, und Maren wünschte sich, sie könnte einfach hinterherlaufen, weg von Robert und ihrem Durcheinander im Kopf.

»Robert, ich hole uns schon mal ein Bier, okay?« Katja Lehmann musste sich näher zu Robert beugen, um die Musik zu übertönen. »Bleiben wir hier?«

Maren fühlte einen Stich, als sie die beiden zusammen betrachtete. Katja Lehmann war nicht nur hübsch und nett, sie war auch fünfzehn Jahre jünger als Maren. Und sie fand Robert allem Anschein nach toll, das war überhaupt nicht zu übersehen. Maren warf einen kurzen Blick auf Robert, der in Zivilkleidung noch viel besser aussah als in Uniform, und jetzt sagte: »Ich komme gleich nach, geh schon mal vor.« Dann wandte er sich wieder an Maren. »Ich finde das super, dass du hier bist. Vielleicht stimmt der beginnende Sommer dich ja etwas milder und du trinkst nachher was mit mir?«

»Ich bin mit Rike hier. Und ich bleibe nicht so lange, weil ich morgen Frühdienst habe. Und du hast ja eine Begleitung. Also, viel Spaß.«

Es gibt Momente, in denen man sich selbst nicht leiden kann. So ein Moment war dieser. Maren fühlte sich falsch, bekam sich nicht sortiert und sagte Dinge, die sie gar nicht sagen wollte. Robert schien das nicht zu merken. Statt sich einfach auf dem Absatz umzudrehen, beugte er sich nach vorn, strich ihr sanft mit dem Daumen über die Wange und sagte leise: »Sei doch nicht immer so stachelig, ich weiß, dass du was anderes denkst, wir sehen uns.« Erst dann ging er.

Sie sah ihm entgeistert hinterher. Es war unmöglich, sie wollte noch nicht einmal daran denken. Er war zu jung, ein zu schlechter Autofahrer, dazu noch ein Kollege, und trotzdem träumte sie immer noch von der Nacht mit ihm. Aber was sollte es bringen? Im September war er wieder weg, während sie blieb. Was sollte das denn werden? Eine Fernbeziehung? Sie wollte ja eigentlich überhaupt keine Beziehung. Und schon gar nicht mit jemandem, der so jung war. Sie würde einfach genauso weitermachen wie in den letzten Tagen. Ihm aus dem Weg gehen. So gut es ging. Und ...

»Maren?« Unbemerkt war Rike zurückgekommen und tippte ihr leicht an die Schulter. »Das ist meine Freundin Maren Thiele, das ist Andreas von Wittenbrink.«

»Oh«, sofort sprang Maren auf und streckte ihre Hand aus. »Freut mich.« Erst dann sah sie ihn richtig an. Er war groß, wirkte sympathisch, gute Figur, stilvolle Kleidung – aber er war alt. Viel zu alt. Mindestens fünfzig! Verblüfft fragte sich Maren, was Rike an ihm fand. Sie riss sich zusammen, bemühte sich um ein Lächeln und sagte: »Das freut mich. Ich ..., ich wollte gerade etwas zu trinken holen, soll ich Ihnen was mitbringen? Rike, dir auch?«

»Das übernehme ich«, er legte die Hand kurz auf Rikes Rücken. »Was möchtet ihr?«

»Ein Bier bitte, Maren, du auch?«

Maren schüttelte den Kopf. »Ein Wasser«, dann schob Andreas sich durch die Menge in Richtung Bar. »Was ist?« Rike beugte sich zu Seite. »Du guckst so komisch.«

»Ich habe ihn mir jünger vorgestellt«, antwortete Maren. »Der ist doch mindestens Anfang fünfzig.«

»Ja, und?« Rike runzelte die Stirn. »Sag mal, was hast du eigentlich für ein Problem mit dem Alter? Robert ist dir zu jung, Andreas zu alt – meinst du wirklich, das Alter ist so kriegsentscheidend?« Sie schüttelte genervt den Kopf. »Du machst dir das Leben wirklich schwer. Apropos, wo ist dein Robert denn?«

Maren winkte ab. »Mit Katja abgezogen. Es tut mir leid, ich wollte dir nicht den Abend versauen. Es war nicht so gemeint, also, das mit seinem Alter. Aber er sieht sympathisch aus.«

Der Kommentar sollte als Schadensbegrenzung wirken, Rike ging auch nicht näher darauf ein, sondern ließ ihre Blicke suchend über die Menschenmenge wandern. »Ist es so voll an der Bar? Ach, ich sehe ihn. Und da ist auch Robert. Jetzt kommen sie beide.«

Tatsächlich tauchte Robert mit Handy am Ohr direkt hinter Andreas auf, der zwei Bier- und eine Wasserflasche zwischen den Fingern balancierte. Robert steckte das Handy weg und beugte sich zu Maren. »Ich hoffe, du hast noch nichts getrunken, wir haben einen Einsatz.«

»Was?« Erstaunt sah sie ihn an. »Ich habe keinen Dienst. Was soll das?«

»Komm«, er zog sie mit sich. »Alles Weitere auf dem Weg.«

Auf dem Weg zum Ausgang drehte Maren sich noch mal zu Rike um, doch die hatte nur noch Augen für Andreas. Der allerdings hob den Kopf und sah Maren über Rikes Kopf hinweg an.

Katja Lehmann stand schon an ihrem Auto. Als sie Maren und Robert entdeckte, öffnete sie sofort die Tür und stieg ein. »Los, beeilt euch«, rief sie ihnen zu. »Runge hat noch mal angerufen, er gibt uns zehn Minuten.«

»Was, zum Teufel …«, begann Maren, wurde aber von Robert unsanft in den Wagen geschoben, den Katja sofort startete.

»Runge hat einen Anruf aus Flensburg bekommen«, erklärte er, während er sich auf dem Beifahrersitz anschnallte. »Ein Rockerclub plant anscheinend eine Störaktion auf der Insel. Sie sind mit dem letzten Autozug angekommen, Runge befürchtet, dass sie das Sommerfest hier oder das Hafenfest in List aufmischen wollen. Alle verfügbaren Kollegen müssen aufs Revier. Höchste Alarmbereitschaft.«

Maren lehnte ihren Kopf an die Scheibe. Und das auf dieser friedlichen Insel.

»Gehen wir ein Stück? Irgendwie wird es mir hier zu laut«, Andreas hatte sich sehr nah an Rike gelehnt, sie roch sein Aftershave und spürte sofort erhöhten Pulsschlag.

»Gern.«

Sie drängten sich an den Besuchern vorbei und erreichten endlich den Parkplatz, weit genug weg von den dröhnenden Bässen und dem lauten Stimmenwirrwarr.

»Herrlich«, Andreas atmete tief durch. »Ich glaube, ich bin zu alt für diese Musik und diesen Geräuschpegel. Hast du Lust, noch irgendwo in Ruhe etwas trinken zu gehen?«

In diesem Moment sah Rike die Blaulichter von mehreren Wagen auf der nahe gelegenen Straße. Sie zuckte zusammen. »Was ist da denn los?«

Andreas hob die Schultern. »Vielleicht musste deine Freundin deshalb so schnell weg. Die suchen wohl jemanden.«

Skeptisch schüttelte Rike den Kopf. Sie war davon ausgegangen, dass Robert etwas von Maren wollte und sie deshalb mitgezogen hatte. Rike hatte nichts von dem, was er zu Maren gesagt hatte, verstanden. Und es hatte sie auch nicht sehr interessiert. Stattdessen war sie nur damit beschäftigt gewesen, endlich mal wieder verliebt zu sein.

»Da muss was passiert sein«, bemerkte sie jetzt. »Das sieht nach Großaufgebot aus.«

Andreas legte einen Arm um sie. »Das steht morgen

in der Zeitung«, sagte er beruhigend. »Wir rufen uns ein Taxi, fahren zurück nach Westerland und suchen uns irgendeine ruhige Bar. Du kannst deine Freundin ja morgen fragen, was das für ein Einsatz war.«

Unsicher verharrte Rike in ihrer Bewegung, dann spürte sie den leichten Druck seiner Hand. Und gab sich diesem Gefühl hin. Nichts außer ihnen war im Moment wichtig.

Maren gähnte, als sie sich unbeobachtet fühlte, und streckte ihren Rücken durch. Es war kurz vor eins, in ein paar Stunden würde ihr regulärer Dienst beginnen, und wenn Robert jetzt ohne Neuigkeiten zurückkam, würde sie hier im Stehen einschlafen. Bis auf ein paar betrunkene junge Frauen, die anscheinend einen Junggesellinnen-Abschied feierten, und einer letzten Clique in der Bootshalle waren keine Auffälligkeiten zu beobachten. Es war den ganzen Abend tote Hose gewesen, sie wollte nicht darüber spekulieren, ob das Ganze einfach falscher Alarm gewesen war, aber sie hatten hier nicht ein einziges Motorrad gesehen. Geschweige denn eine Rockertruppe, die die Insel aufmischen wollte.

Robert kam mit langen Schritten über den Platz gelaufen und sprach in sein Funkgerät, bevor er zu ihr kam. »Wir brechen ab«, sagte er. »In Rantum gab es auch keine Störungen und hier ist gleich sowieso Schluss. Benni und Katja sind schon los. Wir fahren zurück aufs Revier.«

Maren gähnte noch einmal und nickte. »Gut. Besser so als anders. Dann lass uns mal fahren.«

Sie ging an ihm vorbei, er hielt sie fest. »Warte mal«, sagte er leise. »Ich wollte dir noch was sagen.«

»Ja?« Maren blieb stehen und wartete. Robert heftete seinen Blick auf sie, beugte sich runter und küsste sie. »Das«, meinte er. »Und da du heute Nacht nicht ganz so unfreundlich bist, könnten wir jetzt noch was trinken gehen. Ich muss das ausnutzen, du machst ja freiwillig keinen Dienst mehr mit mir.«

»Ich habe gleich Dienst«, Maren hielt seinem Blick stand. »Frühdienst. Vergiss es.«

»Nein«, entgegnete er lächelnd. »Das werde ich nicht tun. Ganz und gar nicht. Verschieben vielleicht, aber auf keinen Fall vergessen. Komm, ich fahre dich nach Hause und schreibe dann noch den Bericht. Dafür kannst du dich gern bei nächster Gelegenheit revanchieren.«

Rike stützte sich auf ihren Ellenbogen, um Andreas besser ansehen zu können. Sein Gesicht war entspannt, er atmete langsam und sehr regelmäßig. Vorsichtig strich Rike mit ihrem Zeigefinger über seine Wange, spürte die Bartstoppeln, fuhr über seine Lippen, seine Ohren. Er wachte nicht auf, drehte seinen Kopf nur ein bisschen mehr zu ihr. Sie nahm die Hand weg und betrachtete ihn verwundert. Hatte sie das wirklich gemacht? Mit einem Mann geschlafen, den sie kaum kannte, mit dem sie erst ein paar Stunden verbracht hatte, aber der sie so anzog, dass ihr komplettes Inneres sich in Auflösung befand? Sie hatte. Und sie würde es sofort wieder tun. Ihr Blick fiel auf den Wecker, es war fast fünf. Und Sonntag. Sie könnte also theoretisch noch stundenlang hier liegen und diesen Mann anschauen. Und sich immer weiter freuen. Und in einer Glücksblase schwimmen, weil er ihr einfach so über den Weg gelaufen war.

Die ganze Nacht war wie ein kitschiger Popsong gewesen. Erst das Fest, dann die Bar in Westerland, der Spaziergang auf der Promenade, bewaffnet mit einer Flasche Wein, die sie in der Bar viel zu teuer gekauft und mitgenommen hatten. Der Strandkorb, in dem plötzlich sein Gesicht ganz nah war, die Küsse, die Unlust, diesen Abend zu beenden, und später die Fortsetzung bei ihr. Es war alles so unwirklich.

Sie hatten auch geredet, viel sogar, aber Rike hätte gar nicht mehr genau sagen können, worüber sie gesprochen hatten. Er war Surfer, das erinnerte sie noch, hatte in Hamburg studiert und war schon lange in diesem Architekturbüro. Seine Eltern lebten nicht mehr, er hatte auch keine Kinder und keine Frau. Das waren die einzigen Informationen gewesen, die Rike wirklich haben wollte. Keine Kinder, keine Frau. Das hatte sie behalten.

Er drehte sich plötzlich auf die Seite und stöhnte. Sie strich mit dem Finger beruhigend über seinen nackten Rücken, die Atemzüge wurden wieder ruhig.

Behutsam schlüpfte sie aus dem Bett und lief auf Zehenspitzen ins Badezimmer. Als sie auf der Toilette hockte, fiel ihr ein, dass sie immer noch nicht wusste, was Maren zu dem übereilten Aufbruch getrieben hatte. Sie würde es ihr schon erzählen. Falls sie sich überhaupt sehen würden. Im Moment konnte sie sich gar nicht vorstellen, dass Andreas gleich gehen könnte. Und hoffte, dass sie den ganzen Sonntag in diesem Bett bleiben würden. Vorsichtig schob sie sich unter die Decke und presste sich an seinen Rücken. Im Schlaf zog er ihre Hand vor seinen Bauch, Rike schloss glückselig die Augen.

Charlotte musterte die Auswahl ihrer Tischdecken mit kritischem Blick, bevor sie sich für eine cremefarbene entschied. Sie war sehr edel, jetzt musste sie nur noch die passenden Kerzenleuchter vom Boden holen, dann konnte sie sofort zu Onno fahren. Er hatte sie gestern Abend angerufen und sie verlegen gefragt, ob sie ihm vielleicht aus der Klemme helfen könne. Er habe doch Helga Simon zum Essen eingeladen, und sie hätte doch so ein gemütliches Haus, deshalb würde sie bestimmt auch Tischdecken und Kerzen und so was mögen, das hätte er aber alles gar nicht. Und jetzt wollte er Charlotte fragen, ob sie ihm vielleicht behilflich sein könnte. Er würde so gern alles ein bisschen hübsch machen. »Weißt du«, hatte er gesagt. »Wenn Karl zum Essen kommt, dann ist ja die Tischdekoration nicht so wichtig, der will ja nur satt werden, aber die Frau Simon ..., also, du weißt schon, was ich meine, oder, Charlotte?«

Sie wusste es natürlich. Nach Gretas Tod hatten Inge und sie Onno geholfen, Gretas Kleidung auszusortieren. Onno hatte sie darum gebeten, nachdem er in seiner Trauer zuerst die gesamte Tisch- und Bettwäsche weggegeben hatte. So sinnlos das damals gewesen war, hatte ihn das schon völlig überfordert. Charlotte sah immer noch sein trauriges Gesicht vor sich, es hatte ihr fast das Herz zerrissen.

Und jetzt wollte er wieder Tischdecken, es war so schön. Und deshalb hatte sie auch noch ein paar Ranunkeln aus dem Garten gepflückt und eine passende Vase rausgesucht. Wenn Onno schon nach all den Jahren mal wieder ein Rendezvous hatte, dann musste man auch dazu beitragen, dass es schön wurde. Dafür waren schließlich Freunde da. Sie war ganz gerührt, dass Onno sich solche Mühe machte, Heinz wäre da nie drauf gekommen. Der hätte einfach den Topf mitsamt einem alten Holzbrett mitten auf den Tisch gestellt. Dieses Getue mit Tischdecke fand er ja immer überflüssig.

Dabei fiel ihr ein, dass er noch anrufen wollte, um ihr zu sagen, mit welchem Zug sie in Westerland ankommen würden. Das hatte er noch gar nicht gemacht. In diesem Moment klingelte das Telefon. Na bitte, nach jahrzehntelanger Ehe hatte man eben telepathische Fähigkeiten.

»Guten Morgen, Charlotte, hast du schon mit Heinz gesprochen?«

»Hallo, Inge, nein, ich dachte, er wäre es jetzt.«

Ihre Schwägerin setzte sich am anderen Ende in den Sessel neben dem Telefon. »Er hat vorhin bei dir angerufen, hat Walter gesagt. Aber du bist nicht drangegangen. Er hat aber nicht auf den Anrufbeantworter gesprochen.«

»Das macht er nie.« Charlotte klemmte sich den Hörer zwischen Ohr und Schulter, um die Tischdecke vorsichtig in eine Tüte zu schieben. »Er hat Angst vor seiner eigenen Stimme, falls er es selbst abhören muss.«

»Und deswegen ruf ich dich jetzt an.« Inge räusperte sich und fuhr dann bedeutsam fort: »Sie kommen nämlich heute nicht zurück. Christine hat sich, und jetzt reg dich nicht auf, soll ich an dieser Stelle sagen, irgendein Band im Knie gerissen. Jetzt kann sie nicht Auto fahren und läuft mit so einer Krücke durch die Gegend und ...«

»Es heißt Gehhilfe«, korrigierte Charlotte und strich die Tüte glatt. »Und worüber soll ich mich aufregen?«

»Hörst du mir überhaupt zu? Du sollst dich *nicht* aufregen. Darüber, dass dein Kind sich verletzt hat.«

Charlotte hockte sich auf die unterste Treppenstufe und nahm das Telefon ans andere Ohr. »Ein Band im Knie gerissen? Muss das operiert werden?«

»Es kann sein, dass es so zusammen wächst. Mit Glück.«

»Und was wollen Heinz und Walter jetzt dabei machen? Sie durch die Gegend tragen?« So ganz war die Botschaft offenbar noch nicht in ihr Hirn vorgedrungen.

Inge antwortete: »Sie ist jetzt noch mal im Krankenhaus. Sicherheitshalber. Nur, um ganz sicherzugehen, dass sie nicht operiert werden muss. Deshalb hat Heinz hier angerufen. Sie haben beschlossen, erst mal dazubleiben. Damit sie Christine fahren können. Und einkaufen und so. Christine hat ja noch nicht einmal einen Fahrstuhl im Haus.«

»Ach Gott«, jetzt begriff Charlotte erst das Ausmaß. »Ich muss sie nachher gleich anrufen. Das Knie ist ja schon schlimm genug, aber dazu auch noch Walter und Heinz in der Wohnung ... Und sie selbst kann nicht weg ... Vielleicht fahre ich besser hin.«

Inge protestierte sofort. »Warte mal. Wie soll das denn gehen? Wenn du hinfährst, kommen Heinz und Walter sofort zurück, weil Heinz ja euren Garten nicht so lange allein lässt. Dann ist Heinz allein, ich muss wieder für ihn kochen und alles Mögliche machen, Walter sitzt nur noch bei euch, damit sein Schwager nicht so lange allein ist, und wenn ihnen langweilig wird, wollen sie mit uns ermitteln. Da habe ich überhaupt keine Lust zu.«

»Du redest von deinem Bruder, Inge.«

»Ja eben. Ich kenne ihn ja gut genug. Und sie haben ja

schon mitbekommen, dass Karl sich um die Einbrüche kümmert, da hängen sie sich doch sofort rein.«

Charlotte nickte, obwohl Inge es nicht sehen konnte. »Stimmt. Gibt es denn da was Neues?«

»Ja, deshalb rufe ich auch an. Ich habe Elisabeth gestern Vormittag getroffen. Auf dem Markt. Und sie hat festgestellt, dass beim Einbruch doch noch etwas gestohlen wurde. Nämlich ihre schönste Kette. Die kennst du auch, so eine goldene mit einem Rubinherz. Sie hatte sie nicht im Schmuckkästchen, sondern sie lag in einem Reparaturtütchen vom Juwelier in der Küche. Deshalb hat sie die Kette erst nicht vermisst. Jetzt ist es ihr wieder eingefallen. Das weiß Karl noch gar nicht. Und ich habe sogar noch ein Foto von Elisabeth mit der Kette. Das könnte doch die Zeitung auch abdrucken. Die haben ja sowieso schon berichtet und Zeugen gesucht.«

»Das ist eine gute Idee. Karl wird begeistert sein«, Charlotte zog sich am Treppengeländer hoch. »Ich fahre jetzt zu Onno und bringe ihm Tischdecken und Kerzenständer. Ich komme auf dem Rückweg zu dir.«

»Gut«, Inge machte eine kleine Pause, bevor sie fragte: »Und was machen wir jetzt mit Christine?«

»Ich rufe sie nachher an.« Charlotte überlegte einen Moment. »Und dann werde ich ihr sagen, dass sie da durchmuss. Man wächst an seinen Aufgaben. Und wenn es mit Heinz und Walter überhaupt nicht mehr geht, dann muss ich eben hinfahren. Aber sie soll es erst mal versuchen. Sie hat schon mal einen ganzen Urlaub allein mit ihrem Vater überlebt, sie hat Übung. Das wird sie schon hinkriegen. Also, Inge, bis später.«

Gegen Mittag stellte Karl das Fahrrad am Bahnhof ab und schlenderte langsam über den Platz. Er wollte sich die Sonntagszeitungen holen, dafür musste er eigentlich nicht extra zum Bahnhof fahren, aber das Polizeirevier lag direkt gegenüber. Vielleicht hatte er Glück und traf zufällig einen der ehemaligen Kollegen, die nicht Runges Gehirnwäsche zum Opfer gefallen waren. In einer Stunde war Schichtwechsel, es könnte gut sein, dass der ein oder andere im Zug saß, der gleich eintreffen würde. Eine ganze Reihe der Kollegen wohnte ja auf dem Festland. Er betrat die Bahnhofshalle und durchquerte sie. In der Bahnhofsbuchhandlung stand eine blonde Frau hinter der Kasse, die erfreut den Kopf hob, als sie Karl erkannte. »Herr Sönnigsen, Sie waren ja lange nicht hier. Wie geht es Ihnen als Pensionär?«

»Frau Schröder, das ist ja nett.«

Während seiner Dienstzeit war Karl zweimal in der Woche hier gewesen, um für Gerda Zeitschriften zu kaufen. Nachdem er in Pension gegangen war, hatte seine Frau die beiden Hefte abonniert. Jetzt kamen sie mit der Post und waren ein weiterer Baustein, sich überflüssig zu fühlen. Karl sah Frau Schröder an. »Zumindest bin ich dabei, es zu lernen. Also das Leben im Ruhestand, das ist gar nicht so einfach. Und meine Frau ist gerade zur Reha in Bayern, sie hat eine neue Hüfte bekommen. Und hier? Wie geht es Ihnen?«

Frau Schröder lehnte sich nach vorn. »Muss ja, nicht wahr? Aber eigentlich wie immer, viel Arbeit, aber das ist besser als zu wenig. Weil ich Sie gerade sehe, was war denn gestern Abend auf der Insel los? Ich bin noch mit dem Hund gegangen und auf dem Weg nach Hause war überall Polizei. Sie kriegen doch bestimmt noch alles mit, was haben die denn gesucht? Das sah ja gefährlich aus.«

Karl war sofort hellwach, blieb äußerlich wie immer gelassen. »Darüber darf ich Ihnen leider nichts sagen,

Frau Schröder, das sind ja laufende Ermittlungen. Aber es wird sicherlich in den nächsten Tagen in der Zeitung stehen. So, und ich muss unser nettes Gespräch jetzt abbrechen, ich habe noch eine ganze Menge auf dem Zettel. Also, schönen Tag noch.«

Als er den Laden verließ, rief sie ihm hinterher: »Wollten Sie nichts kaufen?«

»Nein, nein«, Karl tippte sich an die Schläfe. »Nur mal Guten Tag sagen.«

Im Blumenladen nebenan kaufte er einen kleinen Blumenstrauß und marschierte auf dem direkten Weg ins Polizeirevier. Manchmal musste man auch ein Risiko eingehen.

Als er am Zebrastreifen stand und wartete, dass die Ampel umsprang, stand plötzlich Rike neben ihm. »Hallo, Karl«, sagte sie und deutete auf die Blumen. »Kommt Gerda zurück?«

»Nein«, Karl ließ den Strauß sinken und sah sie verlegen an. »Den wollte ich Maren schenken, sie ist heute genau einen Monat hier.«

»Stimmt das?«, fragte sie skeptisch. »Ich glaube, du hast dich verrechnet. Es sind doch erst drei Wochen.«

»Ach, jetzt sei mal nicht päpstlicher als der Papst.« Karl lächelte den Einwand weg. »Und du? Was machst du hier am heiligen Sonntag?«

Die Ampel sprang auf Grün, Karl zögerte, folgte dann aber doch Rike über die Straße. »Ich wollte auch zu Maren«, antwortete sie. »Sie musste gestern ganz plötzlich weg, ich wollte hören, wie es ihr geht.«

»Das passt ja gut«, abrupt blieb Karl auf der Straße stehen. »Dann kannst du ja …« Ein Autofahrer, der ungeduldig Zeichen gab, hupte, Rike drehte sich um. »Karl, was machst du denn? Geh doch weiter.«

Sie wartete, bis er, nach einem entschuldigenden Winken Richtung Fahrer, aufgeschlossen hatte. »Was passt gut?«

»Dass du Maren fragen willst, was gestern Abend los war. Das interessiert mich nämlich auch. Aber ich habe ein kleines Problem mit dem blöden Runge, wenn der jetzt auch da ist, könnte das ein großes Problem werden. Also wäre es das Sinnvollste, wenn du mit meinen Blumen zu Maren gehst, sie fragst und mir hinterher alles erzählst. Aber hör mal: Frag genau nach, jedes noch so kleinste Detail ist wichtig.«

Kopfschüttelnd blickte Rike ihn an. »Du mischst dich ein bisschen zu viel ein, oder? Das habe ich schon von Maren gehört. Warum tust du das?«

Karl hielt ihrem Blick selbstbewusst stand. »Erstens, weil ich es muss, und zweitens, weil ich es kann. Die kriegen doch die Einbrüche nicht aufgeklärt, und mittlerweile ist ein Teil meines eigenen Bekanntenkreises betroffen. Also, mach dir keine Gedanken um mich, sondern lieber um die Gefährdung auf unserer Insel. Und jetzt frag sie und komm gleich wieder. Ich warte hier in dem Lokal, dann können wir hinterher zusammen eine Tasse Kaffee trinken. Ich lade dich ein. Bis gleich. Und denk dran, auch die Details.«

Er drückte ihr die Blumen in die Hand, drehte sich auf dem Absatz um und verschwand hinter der Kneipentür.

»Guten Morgen«, Rike blieb vor dem Tresen stehen und wartete, bis der junge Polizist, der am Schreibtisch saß, Notiz von ihr nahm. »Ich möchte zu Maren Thiele, ist sie noch da?«

»Worum geht es denn?« Er griff schon zum Telefon.

»Mein Name ist Rike Brandt, ich bin eine Freundin von Frau Thiele. Es geht auch ganz schnell.«

»Maren, hier ist eine Frau Brandt für dich ... okay.«
Er legte den Hörer auf und wandte sich zu Rike. »Sie kommt.« Dann vertiefte er sich wieder in seine Unterlagen.

»Hey«, nur wenige Sekunden später stand Maren vor ihr. »Was machst du denn hier? Am Sonntag? Ist was passiert?«

»Ja, ich ...« Rike warf einen Blick auf den jungen Polizisten. »Ich ...«

Maren verstand sofort. »Komm eben mit durch. Ich habe sowieso gleich Dienstschluss, das ist das Angenehme am Frühdienst, ich muss nur noch einen Bericht zu Ende schreiben, setz dich doch kurz dazu.«

Sie ging vor in ein Büro, schloss die Tür hinter ihnen und grinste auffordernd. »Also, erzähl. Wie war es mit deinem Andreas?«

Rike lehnte sich an die Fensterbank und suchte nach den richtigen Worten. »Ja, wie war's?« Nach einer kleinen Pause fing sie an zu strahlen. »Es war super. Ich habe ihn gerade eben zum Bahnhof gebracht. Er hat morgen in Hamburg im Büro eine Besprechung und kommt dann am Mittwoch wieder.«

»Oh«, verblüfft ließ Maren sich auf den Schreibtisch sinken. »Er hat bei dir übernachtet? Das ging ja schnell!«

»Ja, und es war richtig.« Rike ließ sich die rosa Wolke nicht kleinreden. »Er ist wirklich das Beste, was ich in den letzten Jahren getroffen habe. Da bin ich mir ganz sicher. Ich wusste überhaupt nicht mehr, wie viel leichter das Leben wird, wenn man so voll Gefühl ist. Es war schade, dass du ihn gar nicht richtig kennenlernen konntest. Was war denn los? Ich habe mir Sorgen gemacht.«

Maren winkte ab. »Zum Glück war es blinder Alarm.

Runge hatte einen Tipp bekommen, dass ein Rockerclub auf dem Weg war. ›Kutten‹, wie er es ausdrückte. Deshalb gab es Alarm, weil befürchtet wurde, dass sie hier Ärger machen wollten. In Wahrheit handelte es sich lediglich um neun ältere Herren, die Harleys fahren und den fünfundsechzigsten Geburtstag ihres Kumpels heute in dessen Ferienvilla in Keitum gefeiert haben.« Sie verbiss sich ein Grinsen. »Zwei von ihnen waren Richter, sie haben sich sehr verständig bei unseren Kontrollen gezeigt. Runge hat trotzdem den Tippgeber heute Morgen rundgemacht. Hast du sogar beim Abschied Blumen bekommen?«

Rike griff sofort nach dem Strauß, den sie gedankenlos auf die Fensterbank gelegt hatte. »Nein, der ist von Karl für dich. Weil du heute einen Monat hier bist.«

»Das stimmt doch gar nicht«, erwiderte Maren sofort. »Es sind gerade mal drei Wochen. Was wollte er denn in Wahrheit?«

»Wissen, was gestern Abend los war«, Rike zuckte mit den Achseln. »Ich habe ihn an der Ampel hier unten getroffen. Er wollte zu dir, weiß aber genau, dass er das nicht soll. Und dann hat er mich eben geschickt. Mit seinem unnachahmlichen Charme. Und jetzt wartet er in der Kneipe auf meinen Rapport. Mit Details. Was soll ich ihm erzählen?«

»Gar nichts.« Maren stieß sich vom Schreibtisch ab und stellte sich neben Rike. »Du hast nichts aus mir herausbekommen. Ich will doch nicht, dass Karl Ärger bekommt, so langsam macht er mich wahnsinnig.«

»Und die Blumen?«

»Die darf ich nicht annehmen, das sollte Karl eigentlich wissen. Wenn er auf Zack ist, dann schenkt er sie dir. Sag mal, wollen wir besser später telefonieren? Ich werde nämlich gleich abgelöst und muss ja noch diesen Bericht schreiben. Auffahrunfall am Autozug. Das einzige Ereignis heute. Ruhiger Sonntag.«

»Okay, ich melde mich nachher. Bis später.« Rike hob die Blumen zum Gruß und verschwand.

Karl sprang sofort auf, als sie die Kneipe betrat, sich kurz umsah und dann gleich auf ihn zukam. »Und?«, er stützte sich mit den Armen auf den Tisch. »Sag.«

»Nichts«, Rike sah ihn harmlos an. »Sie darf mir nichts sagen und auch keine Blumen annehmen. Was du übrigens wissen solltest. Aber schöne Grüße. Du, ich habe eigentlich keine Zeit für einen Kaffee, ich muss los.«

Karl hatte genervt die Augen gerollt und dabei die Hand ausgestreckt. »Ich sage es dir, der Runge arbeitet mit Gehirnwäsche. Sie darf nichts sagen, pah. Na, gut, irgendwie kriege ich es schon raus. Rike?«

Zögernd betrachtete sie seine ausgestreckte Hand. Förmliche Verabschiedungen waren sonst nicht Karls Art, trotzdem schob sie ihre Hand in seine, er zog sie sofort weg. »Die Blumen«, meinte er knapp. »Maren durfte sie doch nicht annehmen. Dann will ich sie wiederhaben.«

»Also wirklich, Karl«, Rike reichte ihm kopfschüttelnd den Strauß. »Du bist ein richtiger Klotz. Schönen Sonntag noch.«

Verblüfft starrte er ihr hinterher. Manchmal verstand er diese jungen Frauen überhaupt nicht.

Ist das Karl?« Inge schob die Gardine ein Stück zur Seite.
»Tatsächlich. Das passt ja gut, dann können wir ihm
gleich das Foto von Elisabeth zeigen.«

Sie stand auf und ging mit schnellen Schritten durch den
Flur. Bevor er klingeln konnte, hatte sie schon die Haustür
geöffnet. »Das trifft sich gut, dass du vorbeikommst«, rief
Inge ihm entgegen und beobachtete verwundert, wie er
einen Blumenstrauß, der locker in eine Zeitung gewickelt
war, mit leichter Gewalt aus dem Gepäckträger befreite.
»Es gibt was Neues.«

Auf dem Weg zur Haustür fummelte Karl umständlich
das Zeitungspapier ab und reichte Inge den etwas mit-
genommenen Strauß. »Bitte, meine Liebe, ein kleiner
Sonntagsgruß. Ist das Charlottes Auto? Oder sind eure
Männer schon wieder da?«

»Unsere Männer müssen Christine betreuen, die hat
sich was im Knie gerissen und kann nicht laufen.« Inge
folgte ihm langsam bis ins Wohnzimmer, in dem Charlotte
schon an der Tür stand. »Hallo, Karl, wir haben schon
versucht, dich zu erreichen, aber du warst ja unterwegs.
Was ist denn mit den Blumen passiert?«

»Die waren auf dem Gepäckträger«, Karl legte das
zerknitterte Zeitungsblatt auf den Tisch und setzte sich.
»Man muss ja auf dem Rad die Hände frei haben. Ich war
in Westerland und wollte mit Maren über den Polizei-

einsatz gestern Abend sprechen, aber das Gespräch kam nicht zustande. Macht aber nichts, weil ich anschließend am Bahnhof einen jungen Kollegen getroffen habe, der gerade mit dem Zug aus Niebüll zum Dienst kam. Den kannte ich schon, als der noch nicht wusste, dass er mal Polizist werden würde. Der hatte wenigstens einen Funken Loyalität im Leib und hat mir alles erzählt. Stellt euch vor, da sprengt der Runge fast die Geburtstagsfeier eines Fünfundsechzigjährigen, bloß weil das Geburtstagskind, ein sehr wohlhabender Radiologe übrigens, eine Harley Davidson fährt. Das ist doch ein Ding! Anstatt sich um die Einbrüche zu kümmern, ruft Runge alle verfügbaren Kräfte zusammen, weil er glaubt, dass ein verbotener Rockerclub hier Krieg will. Lachhaft. Neun respektable Herren auf Motorrädern, mehr nicht.«

»Na ja«, entgegnete Inge, die mittlerweile eine Vase aus dem Schrank geholt hatte und jetzt auf dem Weg zur Blumenrettung in die Küche war. »Besser eine Kontrolle zu viel als eine zu wenig.«

»Auf wessen Seite stehst du denn jetzt?«, rief ihr Karl hinterher.

»Ich habe das gar nicht mitbekommen«, warf Charlotte ein. »Ich meine: den Polizeieinsatz. Hast du was gesehen? Wo war das denn?«

»Ich habe davon gehört«, antwortete Karl. »Immer aufmerksam durchs Leben, Charlotte, das ist meine Devise.«

Die Blumen sahen auch in der Vase armselig aus, Inge stellte sie trotzdem auf den Tisch. »Bist du mit dem Fahrrad überhaupt am Auto von Frau Holler vorbeigekommen? Charlotte hat es fast geschrammt. Die Holler hat es so blöde geparkt, als wäre sie besoffen gewesen.«

»Tatsächlich?« Karl versuchte, von seinem Platz aus nach draußen zu sehen. »Ist mir gar nicht aufgefallen.

Wenn sie unter Alkoholeinfluss gefahren sein sollte, musst du das melden.«

»Karl«, tadelnd schüttelte Charlotte den Kopf. »Inge verpfeift doch keine Nachbarn, auch wenn sie so unsympathisch sind wie Jutta Holler. Aber geparkt hat sie trotzdem rücksichtslos. Ich habe ihr einen Zettel an die Scheibe gemacht.«

»Der Wagen steht seit gestern Abend da. Wenn der morgen früh nicht umgeparkt ist, dann werde ich bei ihr klingeln. Ich komm so nicht aus der Garage raus, die steht ja mit dem Heck auf meiner Auffahrt.« Inge schnaubte. »Der erzähle ich was. Die hat Glück, dass Walter noch nicht da ist.«

»Jetzt reg dich nicht auf«, beruhigte sie Charlotte. »Erzähl Karl lieber die Idee mit der Kette.«

»Ja, die Kette.« Sofort sprang Inge wieder auf und nahm ein Foto vom Tisch. »Sieh mal, Karl. Das habe ich auf dem letzten Chorball gemacht, Elisabeth Gerlach neben Walter. Und sie trägt hier ihre liebste Kette, siehst du?«

Sie tippte aufgeregt mit dem Zeigefinger auf Elisabeths Dekolleté. »Und jetzt hat Elisabeth festgestellt, dass die Kette seit dem Einbruch verschwunden ist. Was hältst du von der Idee, dass wir das Foto zur Zeitung bringen, damit die das veröffentlichen?«

Karl nahm das Foto in die Hand. »Hat sie das schon der Polizei mitgeteilt?«

»Nein«, triumphierend lächelte Inge ihn an. »Ich habe ihr gesagt, dass ihr das noch nicht einfallen soll, wir würden uns erst mal beraten. Das fand sie gut.«

»Hm.« Karl überlegte, Inge und Charlotte warteten ab. Dann räusperte er sich. »Ich muss erst nachdenken, wie wir mit diesem Indiz umgehen. Ich nehme das Foto mal zu unseren Unterlagen.« Er steckte es sorgsam weg, dann stützte er das Kinn auf die Hand. »Wie findet ihr es denn, dass Onno Alleingänge macht?«

»Was für Alleingänge?« Erstaunt sah Inge ihn an. »Davon weiß ich nichts.«

»Na ja, dieses geheime Treffen mit Helga Simon. Ich weiß gar nicht, was das soll. Wie sind ein Team, das haben wir doch gemeinsam beschlossen, da kann doch nicht einer plötzlich ausscheren. Und ...«

»Karl, bitte«, unterbrach ihn Charlotte. »Das Treffen ist keineswegs geheim, sonst wüsstest du ja gar nicht davon. Und ich gehe nicht davon aus, dass Onno Helga Simon im Zuge unserer Ermittlungen befragt. Die sprechen über ganz andere Dinge.«

»Ach ja? Worüber denn?« Karl sah verständnislos hoch. »Onno weiß doch gar nicht, wie man so ein Zeugengespräch sensibel führt. Seine bisherigen Ergebnisse waren ja nicht so toll, das habt ihr ja gemerkt. Wir würden zu zweit viel mehr herausfinden.«

Inge lächelte erst Charlotte, dann Karl an. »Karl Sönnigsen, du bist auf der falschen Fährte. Es geht nicht um den Einbruch. Es geht um etwas ganz anderes. Hast du Onno nicht angesehen, als er von seinem ersten Treffen mit Helga Simon gesprochen hat? Seine Augen haben geglänzt.«

»Ja, der hat doch Heuschnupfen, da tränen ihm die Augen immer so.«

Seufzend legte Charlotte Karl die Hand auf den Arm. »Ach, Karl. Wie auch immer, möchtest du zum Kaffee bleiben? Ich habe Kuchen mitgebracht. Inge? Sollen wir nicht mal einen Kaffee kochen? Was machst du denn da?«

Inge stand am Fenster, hatte die Gardine zur Seite geschoben und starrte hinaus. »Das ist wirklich unmöglich«, sagte sie laut. »Gerade eben ist ein Mofafahrer fast gegen Jutta Hollers Auto geknallt. Und wenn gleich was passiert, ist es auch noch auf unserem Grundstück. Ich gehe jetzt rüber und sag ihr, dass sie den Wagen wegfahren soll. Diese blöde Ziege. Sie hat nur Glück, dass Walter noch nicht hier ist. Der hätte schon lange einen Abschleppdienst angerufen.«

Sie griff nach ihrem Hausschlüssel und marschierte energisch zum Nachbarhaus.

Inge klingelte erst kurz, dann lang, danach hielt sie den Knopf gedrückt. Es passierte nichts. Sie legte das Ohr an die Tür, aber nicht ein Geräusch war zu hören. Ungeduldig trat sie zurück und ging die drei Stufen wieder hinunter. Jutta Holler war nicht da. Inge zögerte kurz, dann lief sie über den Rasen und umrundete das Haus. Auch hier war nichts zu sehen. Sie ging an den bodentiefen Fenstern vorbei, klopfte an die Scheiben und versuchte, ins Hausinnere zu sehen. Nichts rührte sich. Inge atmete tief durch. Auf der Terrasse entdeckte sie benutzte Gläser, die noch auf dem Tisch standen. So, wie sie es sich gedacht hatte, die Holler hatte mal wieder mit irgendeinem Mann eine wilde Party gefeiert und lag wahrscheinlich immer noch im Bett. Und das Auto versperrte weiterhin Inges Auffahrt. Bis die Gnädigste mal wieder nüchtern war. Vielleicht war die Idee mit dem Abschleppwagen doch nicht so schlecht. Inge wollte sich gerade wieder umdrehen und zurückgehen, als ihr Blick auf die Terrassentür fiel. Sie stand offen. Das Scharnier war verbogen, es sah nicht so aus, wie es aussehen sollte. Inge beschloss, dass sie besser Verstärkung holen sollte.

»Du kannst doch nicht einfach reingehen«, flüsterte Charlotte, die dicht an Karls Rücken klebte.

»Warum flüsterst du denn?«, fragte Karl zurück, wickelte seine Hand in ein Taschentuch und stieß die Terrassentür ein Stückchen weiter auf. »Selbst der Bundespräsident ruft zu Zivilcourage auf.«

»Aber wir können doch nicht gleich hier eindringen«, protestierte Inge schwach.

»Ich dringe nicht ein, ich gehe ordentlich durch die offene Terrassentür ins Haus.« Karl hatte die Tür ganz aufgedrückt. »Ihr bleibt vielleicht doch besser hier stehen.«

Charlottes Stimme war immer noch gepresst. »Sollen wir nicht lieber die Polizei anrufen?«

»Das dauert zu lange.« Karl flüsterte jetzt auch. »Hier ist Gefahr in Verzug.«

Karl durchquerte das Wohnzimmer auf Zehenspitzen und öffnete die Tür zum Flur vorsichtig einen Spalt. Er brauchte nur eine Millisekunde, um das, was er da sah, richtig einzuordnen. Langsam schloss er wieder die Tür und drehte sich zu Charlotte und Inge um, die ihn gebannt anstarrten. »Wir müssen doch die Polizei anrufen. Und die sollten die Kollegen von der Kripo verständigen. Und einen Krankenwagen. Das ist hier nicht nur ein Einbruch.«

Sönnigsen, Sie müssen hier nicht mehr warten, wir haben alles im Griff.« Peter Runge, dessen ungesunde Gesichtsfarbe ein Hinweis für seinen Stressfaktor war, baute sich vor Karl auf. »Sie haben alles zu Protokoll gegeben, haben die Absperrung begutachtet, den Abtransport der Toten gesehen, jetzt können Sie sich auf den Heimweg machen.«

»Herr Runge«, mit verschränkten Armen blieb Karl auf der Bank vor Inges Haus, von wo aus er den besten Blick auf das Holler'sche Grundstück hatte, sitzen. »Ich störe Sie doch gar nicht. Ich besuche lediglich eine alte Freundin, nämlich die Frau Müller, die zufällig in der Nähe eines Tatorts wohnt. Ich sitze hier schön in der Sonne und keinem Menschen im Weg. Sie können mir das nicht verbieten.«

Peter Runge öffnete den Mund und schloss ihn sofort wieder. Er würde sich nicht von diesem sturen Pensionär provozieren lassen, das käme ja überhaupt nicht infrage. Er schnaubte auf, drehte sich auf dem Absatz um und stapfte wütend zum Nachbargrundstück.

»Der platzt gleich«, mutmaßte Inge, die mit einem Glas Eierlikör in der Hand neben die Bank getreten war, und sah ihm hinterher. »Rutsch doch mal, ich will auch was sehen.« Karl machte ihr Platz, ohne den Blick von der Absperrung zu nehmen. »Ich bin gespannt, wer gleich aus

Flensburg kommt«, sagte er. »Ich habe das Gefühl, dass ich heute einen Lauf habe. Dann kenne ich die Kollegen.«

Inge nickte und nippte am Glas. »Willst du wirklich keinen Eierlikör? Im Film brauchen die Zeugen doch immer einen Schnaps. Nach so einer Entdeckung.«

»Ich bin so was gewöhnt. Und Tatorte auch.« Karls Stimme klang abgeklärt. »So schnell haut mich nichts um. Wo ist denn Charlotte?«

»Die kocht Kaffee«, Inge sah ihn an. »Macht dir so was gar nichts aus? Also, ich konnte Jutta Holler wirklich nicht leiden, sie war eine böse Frau, aber wenn man dann hört, dass sie tot ist, fühlt man sich ja doch irgendwie schlecht.«

»Du hast sie doch nicht erschlagen«, antwortete Karl. »Oder? Sag die Wahrheit.«

»Karl. Bist du verrückt? Wenn uns jemand hört.«

»Habe ich was verpasst?« Plötzlich stand Charlotte mit einem Tablett in den Händen vor ihnen. »Lohnt es sich noch, einen Stuhl zu holen, oder sind die drüben fertig?«

»Ich warte noch auf die K Eins und die K Sechs«, sagte Karl und erntete verständnislose Blicke. »Die Spurensicherung und die Mordkommission. Aus Flensburg. Die müssten jeden Moment eintreffen. So lange bleibe ich noch und warte.«

»Dann hole ich mir einen Stuhl«, entschied Charlotte. »Inge, noch ein Eierlikörchen?«

Maren drehte sich langsam auf die Seite, um das Ziffernblatt ihres Weckers erkennen zu können. Sie hatte tatsächlich fast drei Stunden geschlafen. Sie schwang die Beine aus dem Bett und streckte sich. Geweckt hatte sie ihr Hunger. Als sie vorhin vom Dienst nach Hause gekommen war, hatte Onno in seiner Küche gestanden und Gläser poliert. Verlegen hatte er sie begrüßt und gesagt, dass er im Moment keine Zeit für sie hätte. »Du siehst müde aus, Kind«, hatte er gemeint. »Leg dich doch hin, du hast doch jetzt frei. Ich muss hier noch meine Vorbereitungen machen, ich bekomme nachher Besuch.«

»Ach ja, Helga Simon«, hatte Maren gesagt und erstaunt bemerkt, dass ihr Vater rot wurde. »Dann will ich mal nicht stören.«

Er hatte noch nicht mal versucht, sie zu überreden, sich doch einen Augenblick zu setzen und vielleicht eine Tasse Kaffee mit ihm zu trinken. Stattdessen hatte er stumm weiter Gläser poliert.

Jetzt stellte sich Maren ans Fenster und sah auf den Deich. Es war schon seltsam. Sie hatte diese Versetzung beantragt, weil sie der Überzeugung war, dass ihr Vater einsam und unglücklich war und sein Leben ohne ihre Mutter überhaupt nicht in den Griff bekam. Bei ihren Besuchen hatte sie nur die eigenwillige Garderobe und seine stille Art registriert. Hatte sie ihn eigentlich einmal gefragt, womit er seine Zeit verbrachte oder ob er glücklich war? Hatte sie nicht. Sonst wäre sie jetzt nicht so überrascht, dass er mitnichten der einsame alte Mann war, für den sie ihn gehalten hatte. Er war längst Kochclub-König, dafür hatte er sogar einen Pokal bekommen für die besten Tapas – damit hatte er sogar einen Spanier abgehängt, der früher Koch gewesen und erst als Rentner in den Kochclub eingetreten war. Nach dieser Niederlage war der Spanier nicht mehr gekommen. Das hatte Charlotte ihr neulich erzählt. Im Moment übte Onno Sushi. Das war der nächste Wettbewerb, den der Club ausrichtete. Und den Onno gewinnen wollte. Und jetzt auch noch die Einladung an Helga Simon. Maren war nicht klar, inwieweit dieser Abend Karls Idee gewesen war, der immer noch in der polizeilichen Ermittlungsarbeit herumpfuschte, oder ob ihr Vater sich tatsächlich für die freundliche Helga Simon interessierte. Das wollte sie sich heute Abend mal ansehen. Schließlich wohnte sie hier, da lief man sich schon mal über den Weg.

Sie schlüpfte in eine ausgewaschene Sporthose, zog ein nicht ganz sauberes T-Shirt über den Kopf, band sich die Haare zum Pferdeschwanz, die Flipflops lagen noch vor dem Bett, dann schlenderte sie langsam um das Haus herum und blieb erstaunt stehen. Im Garten standen plötzlich ein weißes Zeltdach, darunter ein kleiner Tisch, zwei Stühle, ein Sektkühler, zwei Gläser und ein Strauß Ranunkeln. Langsam ging sie weiter und trat ins Haus. Hier war im Esszimmer gedeckt. Eine cremefarbene Tischdecke, passende Stoffservietten, Kerzenständer, das gute Geschirr und noch ein Strauß Blumen. Maren klappte den Mund wieder zu und ging in die Küche. Onno stand mit Schürze am Herd, es roch so gut, dass Marens Magen laut knurrte. Ihr Vater drehte sich um. »Na? Ausgeschlafen?«

Sie nickte und fragte: »Das sieht aus, als würdest du gleich eine Hochzeit ausrichten. Tischdecken, Blumen, Kerzen, Sektkühler, wer hat das denn alles gezaubert?«

»Ich.« Onno ging auf sie zu und schob sie sanft zur Seite, um an den Einbauschrank zu kommen. »Aber Charlotte hat mir ein paar Sachen geliehen. Du stehst im Weg, setz dich mal hin, da ist auch noch Kaffee in der Kanne.«

Sie folgte der Aufforderung und setzte sich. »Ich habe so einen Hunger. Wenn ich jetzt Kaffee trinke, wird mir übel.«

Etwas ratlos sah er auf sie hinunter. »Hast du nichts mehr im Kühlschrank? Du kannst dir ein Käsebrot machen, was anderes ist jetzt schlecht. Mein Besuch kommt in einer halben Stunde, das gart hier alles auf den Punkt, auf allen Flammen.«

»Dann Käsebrot. Obwohl es hier so gut riecht.«

Onno legte ein Holzbrett, Käse, Butter und zwei Tomaten auf den Tisch, zog ein Messer aus der Schublade und setzte sich dazu. »Soll ich es dir machen?«

Erstaunt sah sie ihn an. »Papa, ein Käsebrot kriege ich gerade noch so hin. Aber danke.«

Er heftete seine Augen konzentriert auf ihr Messer. Als Maren beim Streichen innehielt, hob er den Blick und sagte: »Könntest du mir einen Gefallen tun?«

»Sicher. Was denn?«

Onno verlagerte sein Gewicht auf dem Stuhl und schob ihr die Tomate näher ans Brett. »Also, ich habe …, vielleicht könntest du mal mit nach oben kommen, wegen des Hemdes …?«

»Soll ich es dir bügeln?«

»Nein, nein, das ist alles gebügelt, das mache ich immer sofort. Ich weiß nicht so genau, was zusammen schön aussieht. Also, soll ich eine blaue Hose und ein gestreiftes Hemd anziehen oder lieber das gelbe mit der schwarzen Hose …? Ich kenne mich in so modischen Sachen nicht so gut aus. Wenn du mir dabei helfen könntest, wäre das gut.«

Maren musste sich räuspern. Da saß ihr ernsthafter Vater, von dem sie gedacht hatte, er wäre ein alter, einsamer Mann, hatte zwei Tage gekocht, Tische gedeckt, sich Gedanken gemacht – und alles, was er jetzt brauchte, war Hilfe bei der Auswahl seiner Garderobe. Sie hatte ihn wahnsinnig gern. Entschlossen biss sie von ihrem Käsebrot ab, um Zeit zu gewinnen, kaute, schluckte und sagte dann mit fester Stimme: »Natürlich. Ich esse schnell auf und dann suche ich dir was raus. Du wirst umwerfend aussehen. Frau Simon kann sich auf den Abend freuen. Hoffentlich weiß sie das alles zu schätzen.«

Onno wurde wieder rot, nickte aber mit leichtem Lä-

cheln und stand auf. »Davon bin ich überzeugt. Aber können wir das nicht sofort machen? Sie kommt ja gleich.«
Er hatte glänzende Augen.

»Okay.« Maren biss noch einmal ab und folgte ihm. An der Tür drehte er sich zu ihr um und sagte: »Und vielleicht könntest du dich auch ein bisschen hübsch machen. Und kämmen. Du musst ihr nicht in diesen alten Sportklamotten und mit wirren Haaren begegnen. Das macht nicht so einen guten Eindruck.«

»Papa.« Maren ging kopfschüttelnd an ihm vorbei. »Meine Adoption ist dann erst der nächste Schritt. Überstürzt es nicht.«

Karl sprang auf, als er die Frau erkannte, die aus dem dunklen Passat mit Flensburger Nummer ausstieg. »Ich wusste es, ich habe einen Lauf. Das ist die wunderbare Anna Petersen.«

Die blonde, schlanke Frau in Jeans und Lederjacke unterhielt sich mit den Polizisten, die an der Absperrung standen, einer von ihnen hob das Band an und ließ sie durch. Ein weiterer Polizist in Zivil folgte ihr, Karl stand immer noch da und sah begeistert hin.

»Du kennst sie?«, fragte Inge interessiert und reckte den Hals, um an Karl vorbeisehen zu können. »Sieht nett aus. Und die ist Kommissarin? Die ist doch viel zu jung, um Mörder zu fassen.«

»Sie ist eine der Besten.« Karl setzte sich wieder. »Und, ich glaube, ich kann es so sagen, sie hatte immer schon eine Schwäche für mich.«

Inge und Charlotte wechselten einen vielsagenden Blick. »Na dann«, sagte Charlotte. »Ich fahre jetzt trotzdem mal nach Hause. Man sieht ja nicht viel von dem, was da drinnen passiert. Und außerdem müsste einer von uns Onno diese Neuigkeiten erzählen, der weiß noch von nichts.«

»Der hat ja heute was Besseres zu tun.« Karl klang beleidigt. »Wenn wir ihm das morgen erzählen, reicht es auch noch. Und ich gehe jetzt mal rüber und begrüße Anna Petersen. Sie muss mich sowieso als Zeugen befragen.«

Charlotte wartete, bis er die Gartenpforte hinter sich geschlossen hatte. »Manchmal benimmt sich Sherlock wie ein Mädchen. Nur weil Onno ihn nicht mit zum Essen eingeladen hat, ist er jetzt zickig.«

Inge zuckte mit den Achseln. »Er kriegt sich schon wieder ein. Jetzt lenkt ihn erst mal die hübsche Kommissarin ab. Die kommt bestimmt auch noch zu mir, wir sind doch auch Zeugen. Oder? Willst du nicht doch bleiben?«

»Nein.« Entschlossen schüttelte Charlotte den Kopf. »Es ist fast sechs Uhr. Ich will gleich mal Heinz anrufen und fragen, was mit Christines Knie ist. Er hat bestimmt schon versucht, mich zu erreichen, ich war ja den ganzen Tag unterwegs. Wir können nachher telefonieren. Also, bis dann.«

Sie ging langsam zur Pforte und drehte sich noch mal um. »Und heute Morgen haben wir uns noch aufgeregt, weil Jutta Holler ihren Wagen so blöde geparkt hat. Da darf ich gar nicht drüber nachdenken.«

»Dann lass es.« Inge hob die Hand. »Trink noch einen Eierlikör. Und, Charlotte?«

»Ja?«

»Erzähle den Männern lieber noch nichts. Sonst machen sie sich Sorgen.«

Sie winkte ihrer Schwägerin hinterher und ging nachdenklich zurück ins Haus. Charlotte hatte ja recht. Es war gruselig. Da lag Jutta Holler tot in ihrem Haus, und sie hatten ahnungslos nur ein paar Meter weiter gesessen. Und über die Einbrüche geredet wie über eine spannende Fernsehserie. Und jetzt war das Böse so nah herangekommen. Mit einer Toten. Inge bekam eine Gänsehaut und blieb im Flur stehen. Ob Sina schon Bescheid wusste? Auch wenn Jutta Holler eine unmögliche Person gewesen war, sie war trotzdem Sinas Mutter. In Filmen gaben sich die Polizisten immer Mühe bei der Überbringung schlechter Nachrichten, hoffentlich war es im echten Leben genauso. Inge beschloss, auf Karl zu warten, um es mit ihm zu besprechen. Und außerdem war ihr noch etwas eingefallen, was sie ihm unbedingt mitteilen musste. Und das am besten, bevor die hübsche Kommissarin sie befragen würde.

»So, und jetzt gehe ich in meine Wohnung und sehe mir einen Krimi an«, sagte Maren unter dem eigens aufgebauten, romantischen Zeltdach und stellte ihr leeres Glas vorsichtig auf die schöne Tischdecke. »Ich wünsche einen guten Appetit und einen schönen Abend.« Sie hatte keine Ahnung, was genau ihr Vater hier gemixt hatte, aber diese zwei Gläser hatten es in sich gehabt. Vielleicht wollte er Helga Simon willenlos machen. Maren unterdrückte ein albernes Kichern.

»Ach, essen Sie nicht mit uns?«, fragte Helga Simon erstaunt. »Obwohl es in der Küche riecht wie in einem Sternerestaurant? Da entgeht Ihnen aber bestimmt etwas.«

»Maren hat schon gegessen«, beeilte sich Onno zu sagen, nicht ohne seiner Tochter einen drohenden Blick zuzuwerfen. »Sie kann das späte Essen nicht so gut vertragen. Empfindlicher Magen.«

»In Ihrem Alter?« Helga Simon sah Maren unsicher an. »Und dann sehen Sie sich abends Krimis an? Ich mag keine Toten im Fernsehen.«

»Besser im Fernsehen als während der Dienstzeit«, antwortete Maren und stand auf. Sie schwankte ein bisschen. Als sie Helga Simons erschrockenes Gesicht sah, ergänzte sie: »War ein schlechter Witz, ich bin Polizistin. Entschuldigung. Es hat mich gefreut, Sie kennenzulernen, Frau Simon. Bis bald mal.« Sie streckte ihr die Hand entgegen, Helga Simon hatte einen festen Händedruck und ein sympathisches Lächeln. »Ja, bis bald, Maren. Und Ihnen auch einen schönen Abend.«

»Ja, wir können dann auch ins Haus gehen«, kürzte Onno die Verabschiedung ab. »Ich habe hier nur den Aperitif geplant. Helga?«

Er reichte ihr den Arm, verblüfft sah Maren ihnen hinterher und wurde unsanft von einem ankommenden Auto gestört, das den Kies auf der Einfahrt beim Bremsen hochspritzen ließ. Und dann auch noch hupte.

Sie fuhr herum, wollte diesem Idioten zurufen, dass er gerade einen romantischen Moment zerstört hatte, weil auch Helga und Onno sofort stehen geblieben waren, um zu sehen, welcher Trottel da plötzlich aufgetaucht war, als sie das Auto erkannte. Und auch den aussteigenden Fahrer. Sie hätte gleich beim Bremsmanöver darauf kommen können: Robert.

Maren wandte sich an ihren Vater und Helga, Onno hatte Robert schon lächelnd gegrüßt und seinen Weg fortgesetzt. Erstaunt ging Maren ihrem Kollegen entgegen. »Was machst du denn hier? Und wieso hat Benni dir seinen Wagen geliehen? Weiß der, wie du Auto fährst?«

Robert sah gut aus in seiner Jeans und der Wildlederjacke. Maren schloss kurz die Augen und versuchte, an etwas Unangenehmes zu denken. Ihr fiel so schnell nichts ein. Ärgerlich. Sie öffnete die Augen, er stand jetzt dicht vor ihr und sah immer noch so gut aus. Und er roch ganz wunderbar. Wenn er jetzt auch noch das Richtige sagen würde, hätte sie unter Umständen ein Problem. Ein großes Problem.

»Sei froh, dass du heute Frühdienst hattest«, sagte er statt einer Begrüßung. »Hast du es schon gehört?«

»Dass ich Frühdienst hatte? Ja.« Maren ging einen Schritt zurück, um einen Abstand zu schaffen, der sie nicht auf komische Gedanken brachte. »Woher weißt du überhaupt, wo ich wohne?«

»Dein Vater hat es mir gesagt. Letzte Woche, als er mich zum Essen eingeladen hat. Während wir beide ja immer noch keinen Termin ausgemacht haben.«

»Mein … Vater?« Maren musste sich verhört haben. »Zum Essen? Dich? Warum?«

»Das ist doch jetzt egal.« Robert hatte den Abstand wieder verringert und behielt seine ernste Miene. »Ich wollte dir nur kurz mitteilen, dass wir gestern Abend einen weiteren Einbruch hatten. Es war dasselbe Muster, allerdings mit einem Unterschied: Es gibt eine Tote.«

»Wann und wo? Und wer ist die Tote?« Maren war zu sehr Polizistin, als dass sie sich von unnötigen, privaten Dingen vom Wesentlichen ablenken ließ. Und sie fühlte sich sofort fast nüchtern. »Komm rein.«

Kurz danach saßen sie sich in Marens Wohnzimmer gegenüber. Robert hatte alles inspiziert: den hellen Holzboden, auf dem sich zwei Ledersofas gegenüberstanden, den kleinen Kachelofen, das helle Bücherregal, die antike Kommode, auf der ein großes Bild von Greta stand, hatte die Fensterbänke vor den Sprossenfenstern registriert, die üppigen Pflanzen darauf und die bunten Flickenteppiche. »Du hast es wirklich schön hier«, sagte er anerkennend. »Passt zu dir, alles sehr nordisch. Nordisch gemütlich, nicht unbedingt nordisch unterkühlt.« Er heftete seinen

Blick auf Maren, sie zwang sich, ihm nicht auszuweichen. »Also, schieß los. Was ist passiert?«

»Du kennst alle Beteiligten«, antwortete Robert. »Deshalb wollte ich es dir selbst erzählen. Das Opfer heißt Jutta Holler.«

Maren zog hörbar die Luft ein. »Scheiße. Ich bin mit ihrer Tochter Sina zur Schule gegangen.«

»Ja, ich weiß«, nickte Robert. »Das hat mir Karl erzählt.«

»Karl? Wieso Karl? Was hat der denn schon wieder mit dem Fall zu tun?«

»Er hat die Tote gefunden. Und die Kollegen angerufen.«

»Nein!« Fassungslos starrte Maren ihn an. »Das glaube ich jetzt nicht. Wie hat er das denn hinbekommen? Wann war denn das genau?«

»Heute Mittag. Er war bei der Nachbarin zu Besuch. Inge Müller. Und die hatte gerade Besuch von ihrer Schwägerin, Charlotte Schmidt. Frau Müller hat sich geärgert, weil Jutta Holler ihren Wagen halb bei Müllers auf der Auffahrt geparkt hat. Deshalb ist sie rübergegangen, hat dabei die aufgehebelte Terrassentür gesehen und Karl geholt. Und der hat dann die Tote gefunden. Und uns alarmiert.«

Maren biss sich auf die Unterlippe. Karl, Charlotte und Inge. Da fehlte nur noch ihr Vater, und die Clique war komplett. Zum Glück hatte Onno heute ja was anderes zu tun gehabt. »Warst du mit am Tatort?«

Robert nickte. »Die Kripo ist auch gleich mitgefahren, Karl hat am Telefon ja schon genaue Anweisungen erteilt. Wir haben alles abgesichert, und dann kamen nach fünf Minuten schon die Schaulustigen. Die mussten wir auch noch in den Griff bekommen. Bis auf Karl und seine beiden Chorschwestern ist es uns auch gelungen. Nur die drei blieben auf der Bank vor Frau Müllers Haus sitzen und sahen die ganze Zeit zu.«

Maren stöhnte, sie hatte das Bild vor sich. Insgeheim bedankte sie sich bei Helga Simon, sonst wäre ihr Vater auch dabei gewesen. »Na ja, viel konnten sie ja hinter der Absperrung nicht sehen. Aber dafür ist Karl sicher ein guter Zeuge?«

»Und wie.« Robert grinste. »Zumal eine Anna Petersen von der Flensburger Mordkommission die ermittelnde Kommissarin ist. Und Karl kennt sie von früher. Er ist sofort auf sie los, und sie hat sich tatsächlich gefreut, ihn zu sehen. Natürlich auch, weil er ein so guter Zeuge ist. Sie haben sich für heute Abend zum Essen verabredet. Als Runge das mitbekommen hat, ist er fast kollabiert.«

Maren rieb sich die Stirn. »Wie ist Jutta Holler denn gestorben?«

»Die Leiche wird noch obduziert. Aber allem Anschein nach ist sie die Treppe runtergestürzt. Es sieht nach Genickbruch aus, wir müssen aber auf den Bericht warten.«

»Vielleicht hat sie den Einbrecher überrascht?«

Robert zuckte mit den Achseln. »Wie gesagt, der Bericht kommt morgen. Jetzt ermitteln die Flensburger.«

»Und Karl«, entfuhr es Maren, die sich dafür auf die Lippe biss.

»Wieso ermittelt er?« Robert sah sie erstaunt an.

Maren hielt seinem Blick lange stand. Dann zog sie ihre Beine auf die Couch. »Du kennst ihn ja nicht. Aber wenn Karl rein zufällig mit sämtlichen Betroffenen der Einbrüche Kaffeetrinken geht, sie an ihren Arbeitsplätzen belästigt oder sie im Krankenhaus besucht, dann macht er das nicht, weil er Vater Teresa ist, sondern weil er das Gefühl hat, dass wir keine Ahnung von Ermittlungsarbeit haben. Und weil er Runge für unfähig hält. Ich habe ihm schon hundertmal gesagt, dass er den Blödsinn lassen soll, aber er denkt gar nicht dran. Und jetzt ist er auch noch Zeuge. Das wird furchtbar.«

»Aber er mag Anna Petersen«, erinnerte sie Robert. »Und er hält sie für eine der Besten, das hat er mir vorhin gesagt. Dann überlässt er ihr doch sicher die Ermittlungen?«

Maren zog äußerst skeptisch die Augenbrauen hoch. »Das ...«

Ein lautes Klopfen an der Haustür unterbrach sie. Maren stand auf, um zu öffnen, Onno stand mit einer Flasche Rotwein vor ihr. »Ist dein Besuch noch da?«

»Ja.« Einen kurzen Moment war sie versucht, ihm zu erzählen, was sie gerade erfahren hatte, sie konnte sich gerade noch zurückhalten. Er gehörte schließlich auch zu den Hobbydetektiven. Aber vielleicht war er gerade deswegen da. Und Karl, Inge und Charlotte waren schon auf dem Weg. »Was gibt es denn?«

»Nichts.« Onno lächelte und schwang die Flasche. »Wir haben zu viel Rotwein, und ich dachte, vielleicht möchtest du mit deinem netten Kollegen noch ein Schlückchen trinken?«

»Wie bitte?«

»Rotwein«, Onno wiederholte das Wort langsam. »Wenn Menschen, die sich mögen, zusammensitzen, dann trinkt man manchmal ein Glas Rotwein zusammen.«

Robert war unbemerkt hinter sie getreten. Maren zuckte zusammen, als sie plötzlich seine Stimme hörte. »Guten Abend, Herr Thiele, ich wollte gerade wieder los.«

»Aber warum denn? Ich dachte, Sie besuchen meine Tochter. Und die Essenseinladung steht ja auch noch aus. Was halten Sie denn von morgen Abend? Ich wollte Sushi machen, mögen Sie das?«

»Papa, was, um alles …«

»Sehr gern«, Robert beugte sich nach vorn, um Onno die Hand zu schütteln. Der drückte ihm sofort die Flasche Wein in die Hand.

»Ja, dann bis morgen. Und ein schönes Glas Rotwein könnt ihr auch noch trinken. Versuchungen sollte man nicht widerstehen, man hat keine Ahnung, wann sie wiederkommen. Schönen Abend noch.«

Er drehte sich auf dem Absatz um und ging. Maren schluckte eine Antwort runter, während Robert ihr die Hand auf die Schulter legte und sie sanft zu sich drehte. »Komm«, sagte er leise. »Das ist doch eine gute Gelegenheit, einiges zwischen uns zu klären.«

Ergeben schloss sie die Tür und folgte ihm zurück ins Wohnzimmer.

Robert verteilte den Rest der Flasche auf ihre beiden Gläser. Er hatte Maren mit keinem Wort unterbrochen, keine Frage gestellt, keine Kommentare abgegeben. Er hatte einfach nur zugehört. Und Maren hatte ohne Punkt und Komma erzählt. Unsortiert und so, wie es ihr gerade einfiel. Von Henry und seinem Betrug, vom Tod ihrer Mutter, von ihrer Rückkehr auf die Insel, von der armen Gudrun, die nichts mehr von ihr wissen wollte, nachdem sie den viel zu jungen Christoph kennengelernt hatte, nur weil sie Angst hatte, er würde Maren anbaggern, womit sie auch recht haben sollte, genau das war nämlich bei einer zufälligen Begegnung der drei passiert, von Onno, von Karl und seinen Ermittlungen, von ihrem Herzklopfen beim Seminar und dem Schock, als sie am nächsten Tag Roberts Geburtsdatum gesehen hatte, von Anna Petersen und Katja Lehmann, die altersmäßig besser zu ihm passen würde und vermutlich sowieso in ihn verknallt war, von Helga Simon und den glänzenden Augen ihres Vaters und dem Cocktail, den er vorhin gemixt hatte und auf den jetzt dieser Rotwein geflossen war.

Ihr Monolog wurde von einem schweren Schluckauf beendet.

»Du musst an etwas Schönes denken«, empfahl ihr Robert. »Dann geht er weg.«

»Klug… Scheißer«, war Marens hicksende Antwort, selbst der Rotwein nützte nichts. Sie schloss die Augen und versuchte, sich auf etwas Schönes zu konzentrieren, und als Robert sich vorbeugte, um sie zu küssen, war der Schluckauf beendet.

Maren hielt die Augen geschlossen, auch als der Kuss immer länger dauerte und Roberts Hand sich plötzlich auf ihrem Bauch befand. Als er sich kurz von ihr löste, murmelte sie: »Schieb es auf den Alkohol, mein Problem mit deinem Alter ist nicht gelöst.«

»Muss es ja auch nicht«, antwortete er leise, bevor er sie wieder küsste. »Darum kümmern wir uns später.«

»Das lässt sich nicht lösen.« Ihre Augen blieben geschlossen, ihre Haltung entspannt. »Das kannst du vergessen.« Gleichzeitig legte sie ihre Hand um seinen Nacken und zog ihn näher zu sich heran.

Maren stand auf, als die blasse, ganz in Schwarz
gekleidete Sina das Revier betrat. »Sina. Es tut
mir sehr leid.« Sie ging auf sie zu und blieb unschlüssig
vor ihr stehen. Dann legte sie ihr kurz die Hand auf den
Arm.

»Danke.« Sina lächelte gequält. Ihre Stimme war belegt.
»Ich bin …, ich soll mich bei Frau …, ich habe den Namen vergessen, melden.« Unvermittelt schluchzte sie und
drückte sich ein gebrauchtes Taschentuch vor den Mund.
»Entschuldigung, aber ich …« Sie verstummte, während
ihr die Tränen in die Augen stiegen. »Es ist so …«

»Furchtbar«, half Maren. »Ich weiß. Ich bringe dich
zu Frau Petersen, sie leitet die Ermittlungen. Möchtest du
einen Kaffee? Oder ein Wasser?«

Sina schüttelte den Kopf. »Nein. Ich möchte nur wissen, was passiert ist.« Sie folgte Maren durch den Flur,
bis zu einem Besprechungszimmer. Maren klopfte kurz,
bevor sie die Tür öffnete. Anna Petersen erhob sich sofort
und kam ihnen entgegen. Maren deutete auf Sina. »Das
ist Sina Holler, Sina, das ist Hauptkommissarin Anna
Petersen.«

»Mein Beileid, Frau Holler.« Annas Händedruck war
fest, Sina sah sie nur kurz an, dann liefen schon wieder
die Tränen. »Danke«, schluchzte sie. »Was ist denn genau …?«

Behutsam schob Anna Petersen sie in Richtung eines Stuhls. »Setzen Sie sich doch. Ich weiß, dass es für Sie schwierig ist, aber wir müssen Ihnen einige Fragen stellen. Meinen Sie, dass Sie das schaffen?«

Langsam setzte Sina sich, wischte die Tränen weg und nickte. »Es geht schon.« Sie warf einen flehenden Blick auf Maren, die an der Tür stehen geblieben war. Anna Petersen folgte dem Blick und sagte: »Frau Thiele, ich hätte Sie gern dabei.«

Etwas erstaunt wartete Maren, bis Anna Petersen auf einen Stuhl neben sich deutete. Ohne lange Vorrede wandte sie sich dann an Sina. »Frau Holler, wann haben Sie denn das letzte Mal mit Ihrer Mutter gesprochen?«

Sina faltete die Hände auf dem Tisch und antwortete leise: »Am Freitag. Gegen Abend. Ich habe sie angerufen, um ihr zu sagen, dass ich am nächsten Wochenende komme.«

Anna nickte. »Und hat Ihre Mutter irgendetwas Ungewöhnliches erzählt? Ist ihr etwas aufgefallen? Fühlte sie sich zum Beispiel beobachtet?«

Sina überlegte, dann schüttelte sie den Kopf. »Ich …«, sie stockte, dann schluchzte sie wieder auf und sagte: »Ich weiß immer noch nicht, was genau passiert ist. Die Polizisten in Hamburg haben mir nur gesagt, dass es einen Unfall mit Todesfolge oder so ähnlich gegeben hat. Und dass bei uns eingebrochen wurde. Mehr weiß ich auch nicht.« Ihre Stimme war lauter geworden. Die Tränen liefen wieder.

Anna Petersen wechselte einen kurzen Blick mit Maren. Die beugte sich vor und fragte: »Sina, möchtest du nicht doch einen Kaffee oder ein Glas Wasser?«

Sina schüttelte den Kopf. »Nein. Ich will nur wissen, was passiert ist.«

Anna Petersen nickte. Dann sagte sie: »Ihre Mutter hatte ihren Wagen so geparkt, dass das Heck auf der Ausfahrt der Nachbarn stand. Frau Müller wollte Ihre Mutter bitten, den Wagen wegzufahren. Auf ihr Klingeln wurde nicht geöffnet, und beim Rundgang um das Haus hat die Zeugin dann die offene Terrassentür gesehen. Sie hat zwei Bekannte, die bei ihr zu Besuch waren, dazu geholt. Und die haben Ihre Mutter dann leblos unten auf der Treppe aufgefunden.«

Sina schluchzte laut auf.

Anna Petersen sah sie unverwandt an und schob ihr ein Päckchen Taschentücher hin. »Geht es?«

»Ja. Danke.« Sina nickte schwach und räusperte sich. »Woran ist sie denn gestorben?«

Anna Petersen zog eine schmale Akte näher zu sich und schlug sie auf. »Die Todesursache ist vermutlich ein Genickbruch, den sich Ihre Mutter beim Sturz zugezogen hat. Sie war allem Anschein nach sofort tot. Allerdings sind dem Gerichtsmediziner Hämatome an den Oberarmen aufgefallen, es liegt also im Bereich des Möglichen, dass dieser Sturz kein Unfall war. Das wird aber noch näher untersucht. Inwieweit dieser Sturz mit dem Einbruch in ihrem Haus im Zusammenhang steht, das werden die weiteren Ermittlungen ergeben.« Sie hob den Blick von der Akte. »Der Todeszeitpunkt liegt am Samstag zwischen achtzehn und neunzehn Uhr.«

Sina schlug die Hände vors Gesicht. »Samstag schon?« Sie schluchzte laut. »Und dann liegt sie da auch noch die ganze Nacht …«

Maren stand auf. »Ich hole dir ein Glas Wasser.«

Benni sah hoch, als Maren die Küche betrat. »Und«, fragte er. »Wie geht es ihr?«

»Schlecht«, Maren nahm ein Glas aus dem Schrank. »Die klappt uns gerade völlig zusammen.«

»Na ja«, Benni hob die Schultern. »Es ist ja auch schrecklich. Kennst du sie eigentlich?«

»Ich bin mit ihr zur Schule gegangen.« Sie zog eine Wasserflasche aus dem Kasten und ging wieder zur Tür. »Ach, übrigens, falls Karl hier nachher noch als Zeuge auftaucht: Ich muss ihm noch was sagen.«

Benni sah sie unbewegt an. »Er war schon hier. Um acht. Brachte belegte Brötchen, damit wir in Ruhe ermitteln können, jetzt ginge es ja um Mord, und deshalb sollen wir keine Zeit vertrödeln, indem wir uns beim Bäcker in die Schlange stellen. Und er wollte seiner Anna schnell Guten Morgen sagen.«

»Seiner Anna?«

»Ja. Seiner Anna. Die kennen sich von früheren Fällen, und sie hat offenbar noch nicht so richtig überrissen, was es mit seiner Einmischung auf sich hat. Allerdings hat Runge sofort nach Karls Besuch um ein Vieraugengespräch mit ihr gebeten, man ahnt ja, worum es da ging. Das Ergebnis hat sich aber noch nicht rumgesprochen.«

Maren stöhnte auf, dann schüttelte sie den Kopf. »Ich werde wahnsinnig. Ich muss zurück.«

Im Besprechungsraum hatte sich Sina inzwischen beruhigt und mit einem dankbaren Blick das Wasser getrunken. Anna Petersen wartete einen Moment, dann überflog sie ihre Notizen.

»Ihre Mutter hat sich Ihnen gegenüber also nicht anders als sonst geäußert. Und auch nichts von neuen Bekanntschaften oder seltsamen Begegnungen erzählt. Ihr ist demnach nichts Besonderes aufgefallen. Hatte sie eigentlich einen Lebenspartner?«

Sina zog die Augenbrauen hoch. »Nein. Sie wollte nach dem Tod meines Vaters keinen neuen Mann, hat sie mal gesagt. Allerdings hatte sie ständig irgendwelche ... Kurzaffären. Sie ist ..., war ja sehr attraktiv. Und lebenslustig. Und vermögend. Aber es war nie etwas Ernsthaftes dabei.«

»Aha. Wissen Sie denn, ob es in der letzten Zeit jemanden gab?«

»Ja. Einen Karsten. Den Nachnamen weiß ich aber nicht. Er hat wohl eine Wohnung in Kampen, ist Architekt und kommt aus Berlin. Und er fährt einen weißen Porsche. Mehr kann ich Ihnen nicht sagen. Ein Schmierlappen, übrigens, aber das waren die meisten.« Sie biss sich auf die Lippe.

»Kennen Sie den Freundeskreis Ihrer Mutter? Gibt es Kollegen, beste Freundinnen?«

»Meine Mutter hatte keine Freunde.« Sina nahm sich ein neues Taschentuch und wischte sich wieder über die Augen. »Sie war lieber für sich. Und Kollegen hatte sie keine, sie hat ja nie gearbeitet. Brauchte sie ja auch nie.«

Jetzt liefen ihr wieder Tränen übers Gesicht. Maren beugte sich nach vorn und wollte ihr Wasser einschenken, Sina legte die Hand über das Glas.

»Nein, danke. Wie viele Fragen haben Sie denn noch? Ich würde jetzt gern nach Hause. Ich kann nicht mehr.«

Anna wechselte einen Blick mit Maren und schob ihre Notizen zur Seite. »Wir können an dieser Stelle erst mal aufhören, Frau Holler, ich kann verstehen, dass das schwer für Sie ist. Einer der Kollegen wird Sie nach Wenningstedt fahren. Ich gebe Ihnen meine Karte, und wenn Ihnen noch etwas einfällt, dann können Sie mich jederzeit anrufen.« Sie schob eine Visitenkarte über den Tisch, die Sina in ihre Tasche schob.

»Danke«, sagte sie leise. »Ich möchte lieber mit dem Taxi fahren, nicht mit einem Polizeiwagen. Ich gehe rüber zum Bahnhof, da stehen ja genug.«

»Kann ich verstehen.« Maren stand langsam auf. »Ich bringe dich raus.«

Dankbar lächelte Sina sie an, dann gab sie Anna Petersen die Hand und ging langsam zur Tür.

»Ach, Frau Thiele?«

Maren drehte sich an der Tür um und sah Anna Petersen fragend an. »Ja?«

»Kommen Sie bitte gleich noch mal zurück. Ich müsste kurz mit Ihnen sprechen.«

Maren nickte und folgte Sina zum Ausgang. Kurz danach kehrte sie in den Besprechungsraum zurück. Anna Petersen hatte mittlerweile zwei Tassen und eine Thermoskanne Kaffee auf den Tisch gestellt. Als Maren wieder vor dem Tisch stand, deutete Anna auf den Stuhl. »Setzen Sie sich, Frau Thiele, ich wollte ein paar Dinge mit Ihnen besprechen.«

Gespannt ließ Maren sich auf den Stuhl sinken. Anna rührte in ihrem Kaffee und lächelte sie offen an. »Ich komme gleich zur Sache. Was ist denn hier im Revier eigentlich los? Ich war gestern Abend mit Ihrem Patenonkel Karl essen, wir kennen uns seit meinen Anfängen bei der Kripo, und ich habe immer viel von ihm gehalten. Er hat mir von dieser Einbruchsserie erzählt. Und heute Morgen hatte ich ein seltsames Gespräch mit Polizeihauptkommissar Runge, der sich über Karl und seine angeblichen Einmischungen beschwert hat. Ich würde jetzt gern alles geordnet und ohne Emotionen hören. Gibt es Ihrer Meinung nach einen Zusammenhang zwischen den Einbrüchen und dem Tod von Jutta Holler? Und was haben wir an Erkenntnissen über die anderen Einbrüche?

Ich habe hier die Akten, vielleicht können Sie mir mal sagen, wieso Karl Sönnigsen so auf die Ermittlungsarbeit der Kollegen schimpft?«

Maren warf einen Blick auf die Akten, dann sah sie Anna Petersen an. »Wie soll ich das am besten erklären? Ich bin ja erst seit drei Wochen hier und habe das alles selbst noch nicht so richtig verstanden.«

»Karl ist Ihr Patenonkel und hat Sie ein paar Mal erwähnt. Sie wären neben Benni Schröder die Einzige, die in der Lage ist, komplizierte Zusammenhänge und kriminelle Gefahren zu sehen und aufzudecken. Dieses Revier sei führungslos, ideenlos und ständig auf der falschen Spur. Das sind harte Vorwürfe, finde ich, was sagen Sie denn dazu?«

Maren schluckte. Was sollte sie jetzt sagen, ohne schlecht über Karl oder auch ihren Chef zu reden? »Ja, also«, fing sie zögernd an. »Karl ist ja noch nicht so lange pensioniert und hat vielleicht noch Probleme mit dem Loslassen. Das kann ich auch verstehen, aber er kann sich natürlich mit seinem neuen Status als Zivilist nicht in laufende Ermittlungen einmischen. Er ist schließlich nicht mehr der Revierleiter, daran muss er sich aber noch gewöhnen.«

»Runge hat sich über Karl beschwert«, entgegnete Anna. »Nicht nur bei mir, sondern auch in Kiel. Ich mag ihn, also Karl, und ich will nicht, dass er Schwierigkeiten bekommt. Anscheinend hat er tatsächlich auf eigene Faust Befragungen bei den Einbruchsopfern durchgeführt. Dabei wurde er auch noch von irgendwelchen Freunden unterstützt. Das geht natürlich nicht. Das habe ich ihm auch gesagt. Er wollte mir aber nicht sagen, wer ihn bei seiner Detektivarbeit begleitet.« An dieser Stelle machte sie eine Pause und lächelte Maren harmlos an. Dann wurde sie wieder ernst. »Haben Sie eine Ahnung, wer hier noch so ermittelt?«

Maren deutete ihren Gesichtsausdruck richtig. »Also, ich bin es nicht«, stellte sie fest. »Allerdings ist mein Vater Karls bester Freund. Ich habe ihn gewarnt. Mit sehr viel Nachdruck. Und mit Karl kann ich gern auch noch mal reden. Aber wenn ich noch etwas sagen darf?«

Anna nickte.

»Polizeihauptkommissar Runge übertreibt vielleicht ein wenig. Es ist nicht so, dass Karl hier dauernd herumschnüffelt und alle von der Arbeit abhält. Und die Androhung des Hausverbotes fanden wir alle etwas übertrieben. So schlimm ist er ja gar nicht.«

Anna lächelte. Sie schob ihren Stuhl zurück und stand auf. Unvermittelt streckte sie ihre Hand aus. »Ich heiße Anna«, sagte sie beiläufig. »Und ich habe auch nicht angenommen, dass du gegen Vorschriften verstößt. Aber wir sollten ein Auge auf Karl und seine Freunde haben. Es muss ja nicht sein, dass so etwas die ganze Atmosphäre auf dieser Dienststelle belastet.«

»Klar, das habe ich schon richtig verstanden.« Maren ergriff Annas Hand. »Heute Abend macht mein Vater Sushi. Eine Premiere, bisher hat er nur geübt. Neben Karl sind auch Inge Müller und Charlotte Schmidt eingeladen. Falls du Lust hast, um acht?«

Zur selben Zeit,
ein Dorf weiter

Inge ging langsam den Weg zur Pforte entlang und bemühte sich, im Nebenhaus etwas zu erkennen. Es war
aber nichts zu sehen, alle Fenster und Türen waren geschlossen. Vermutlich war Sina Holler noch gar nicht da.
Oder sie durfte noch nicht ins Haus.

Inge schloss den Briefkasten auf und entnahm ihm die
›Sylter Zeitung‹. Eine kleine Meldung fiel ihr sofort ins
Auge: »Erneuter Einbruch – diesmal mit Todesfolge«. Das
wusste sie ja bereits. Jetzt würde sie sich einen Kaffee
machen, die Zeitung lesen und auf heute Abend warten.
Da waren sie bei Onno eingeladen, er wollte was Besonderes machen, und Karl konnte alle auf den neuesten
Stand bringen. Er hatte ja zum Glück einen engen Draht
zu der Kommissarin, Inge war schon sehr gespannt.

Sie legte die Zeitung auf den Küchentisch, bevor sie die
Kaffeemaschine vorbereitete. In Bezug auf die Zeitung
war es eigentlich ganz schön, dass Walter nicht da war.
Inge las nämlich am liebsten den Regionalteil, den wollte
Walter aber auch immer als Erstes. Und weil Inge fried-
liebend war, fing sie deshalb mit dem Blick in die Welt
an, um erst danach die dann meistens marmeladenfle-
ckigen Regionalseiten zu bekommen. Jetzt konnte sie es
so machen, wie sie wollte. Mit einem Lächeln und noch
im Stehen strich sie die Nachrichten der Insel glatt und
schnappte nach Luft. Mitten auf der Seite prangte ein Foto

von dem Mann, den Inge vor dem Haus von Jutta Holler gesehen hatte. Eindeutig. Sie erkannte ihn sofort wieder. Obwohl er seinen schönen Mantel nicht trug. Sie überflog den Text unter dem Bild und holte das Telefon. Bei Karl meldete sich nur der Anrufbeantworter, dasselbe passierte bei Charlotte. Auch Onno ging nicht ran. Verärgert legte Inge den Hörer wieder auf die Station. Was war das denn für eine Haltung? Keiner war da, dabei wusste man doch aus den Fernsehkrimis, dass gerade die ersten Stunden nach den Taten bei der Aufklärung die wichtigsten waren. Und was machte die Ermittlungsgruppe? Sie waren alle unterwegs und nicht erreichbar. Nicht zu fassen!

Zehn Minuten später trommelte Inge unruhig mit den Fingern auf dem Zeitungsausschnitt. Das war doch jetzt eine brandheiße Spur! Sollte sie die Polizei anrufen? Ihr Blick blieb auf der Eierlikörflasche haften, die noch vom gestrigen Tag auf der Arbeitsplatte stand. Kurz entschlossen goss sie sich ein kleines Glas ein und trank. Und es half tatsächlich. Inge kam zu der Überzeugung, dass es ein Fehler wäre, jetzt überstürzt zu handeln und die Arbeit ihres Ermittlungsteams in Gefahr zu bringen. Sie lächelte, weil sie es in Gedanken so gut und in Karls Sinn formuliert hatte. Stattdessen würde sie heute Abend bei Onno diesen Zeitungsartikel aus der Tasche ziehen und die anderen damit schwer beeindrucken. Und dann wäre sie die Heldin. Zufrieden mit dieser Vorstellung, spülte sie das Glas aus und stellte es auf die Arbeitsplatte. Beim Blick aus dem Fenster überlegte sie, ob die Beamten wohl die Terrassentür repariert hatten, nicht, dass gleich der nächste Einbruch stattfinden würde. Das fiel unter Nachbarschaftshilfe, fand sie, es machte ihr ja keine große Mühe. Sie griff nach ihrem Schlüssel und verließ das Haus.

Langsam lief sie auf dem gepflasterten Weg zum Holler'schen Haus. Vorn sah alles verschlossen aus, die Absperrung hatten sie schon wieder entfernt. Anscheinend konnte man das Haus jetzt wieder betreten, Inge war gespannt, wann Sina ankommen würde. Vielleicht könnte sie ihr ein Stück Kuchen rüberbringen, immerhin war ihre Mutter ermordet worden. Inge nahm sich vor, freundlich zu Sina zu sein, schließlich war das Kind jetzt Vollwaise. Das war ja auch nicht schön.

Sie überquerte den Rasen und betrachtete die Rückseite des Hauses. Alle Fenster waren verschlossen, auch die Terrassentür war notdürftig repariert. Sie umrundete das Haus, stellte nichts Auffälliges fest und ging langsam zurück. Die vertrockneten Hortensien von Jutta Holler sahen schlimm aus, Inge widerstand der Versuchung, sie zu gießen. Das ging sie ja nun wirklich nichts an. Überhaupt müsste der gesamte Garten mal in Ordnung gebracht werden. Walter regte sich jeden Sommer darüber auf. Er behauptete, dass das Unkraut, das in ihrem Garten auftauchte, einzig und allein aus dem Holler'schen Garten zu ihnen hinüberkroch. Inge sagte nie etwas dazu. Stattdessen freute sie sich, dass ihre eigenen Pflanzen so schön wuchsen.

Auch jetzt ging sie stolz an ihren üppigen Hortensien vorbei. Walter, der sich ständig über die Umweltsünden auf der Insel aufregen konnte, kippte massenweise Blaukorn in die Beete. Deswegen waren die Hortensien auch so groß, und nicht, wie Walter behauptete, weil er mit den Pflanzen redete. Was er unter Reden verstand: Vor einigen Wochen hatte sie ihn beobachtet, wie er die Hortensien anpöbelte, weil Borussia Dortmund verloren hatte. Unverdient. Da war Blaukorn vielleicht doch die sanftere Lösung.

Sie blieb einen Moment vor dem Rosenbeet stehen und besah sich die Knospen. Plötzlich bemerkte sie ein Glitzern im Beet. Sie trat ein Stück vor und spähte unter die Rosen, die übrigens auch dringend mal gegossen werden sollten. Irgendetwas lag da, was nicht dort hingehörte. Erst dachte sie an ein Stück Alufolie oder Metall, und als sie sich bückte, um an den Gegenstand zu gelangen, erkannte sie es. Es war ein Schlüsselbund, an dem ein Anhänger glänzte. Ein kleiner Schutzengel aus Kristall, der neben drei Schlüsseln und einem silbernen »J« hing. J wie Jutta. Inge richtete sich langsam wieder auf. Sie hatte einen richtigen Lauf, das war schon wieder ein Mosaiksteinchen, das wichtig für die Ermittlungen werden würde. Sie griff in ihre Jackentasche, holte etwas daraus hervor, womit sie die Schlüssel aus dem Beet fischen konnte. Dieser Schutzengel hatte ja nicht besonders viel genützt. Konnte er auch nicht, wenn er hier lag. Wie immer er da hingekommen war. Nur gut, dass wenigstens einer der Ermittler hier eine so gute Arbeit leistete. Karl würde begeistert sein.

In ihrem Haus klingelte das Telefon. Inge beeilte sich, ins Haus zu kommen. Es wurde auch Zeit, dass einer von ihnen zurückrief, ihr war es ganz egal, ob Karl, Charlotte oder Onno, aber mit all diesen neuen, wichtigen Erkenntnissen konnte sie ganz schlecht bis heute Abend warten.

»Na, endlich«, rief sie ins Telefon und riss sich sofort zusammen, als sie die Stimme erkannte.

»Ingelein, es tut mir leid, ich konnte nicht früher anrufen, hier herrschten Chaos und Besorgnis.«

»Warum Besorgnis?« Inge ging langsam mit dem Telefon ins Wohnzimmer. »Muss Christine jetzt doch operiert werden?«

»Nein«, antwortete Walter. »Das wohl nicht. Aber es ist auch so schlimm genug. Sie kann ja gar nicht gehen. Nicht mal zum Einkaufen. Humpelt nur durch die Gegend und wird immer gleich unwirsch. Aber jetzt ist sie gerade noch mal zum Arzt gefahren. Mit einer Freundin. Sie wollte nicht, dass wir mitkommen. Wahrscheinlich möchte sie ihren Vater schonen. Heinz ist ja so sensibel.«

Heinz sensibel. Und Christine unwirsch. Inge hatte grenzenloses Mitleid mit ihrer Nichte. Christine stellte sich nie an, zumindest nicht, wenn es um Schmerzen ging. Sie konnte da einiges aushalten. Aber ihren Vater und ihren Onkel in der Wohnung, die wahrscheinlich alles vom Sofa aus kommentierten, das war eine ganz andere Nummer. Der nächste Satz von Walter war die Bestätigung. »Sie lässt sich auch gar nichts sagen. Ich wollte ihr in aller Ruhe die richtige Handhabung der Gehhilfen zeigen, ich kann das ja und ich fand, es sieht bei ihr komisch aus. Aber sie hört ja gar nicht zu.«

Inge war verwundert. »Du bist doch noch nie mit Gehhilfen gelaufen.«

»Doch.« Walters Antwort kam prompt. »Als Charlotte ihre Knie-Operation hatte, haben wir sie doch in der Reha besucht, da habe ich das mal probiert.«

»Du hast die Handgriffe mit Schaumstoff umwickelt, weil Charlottes Hände wehtaten.«

»Ja. Und danach musste ich es selbst ausprobieren.«

»Walter.« Inge stöhnte auf. »Du kannst nicht mit Gehhilfen laufen. Zum Glück brauchtest du das auch noch nie. Was willst du Christine denn erzählen? Da wäre ich an ihrer Stelle auch unwirsch.« Sie machte eine kleine Pause. Dann fragte sie vorsichtig: »Was war noch?«

»Ach«, sie sah seine ausweichende Miene direkt vor sich. »Wir haben die eine oder andere kleine Reparatur in der Wohnung vorgenommen. Da hat es ein paar Missverständnisse gegeben. Ist auch egal. Und bei euch? Was gibt es Neues?«

»Nichts«, sagte Inge schnell. »Alles wie immer.«

»Aber wir haben hier im Internet die ›Sylter Zeitung‹ gelesen. Da stand doch wieder was von einem Einbruch. Mit Todesfolge. Hast du nichts davon gehört?«

Inge war die miserabelste Lügnerin der Welt. Sie hatte das noch nie gekonnt. Sie fing an, zu stottern und albern zu lachen, wenn sie lügen musste. Das durfte ihr jetzt nicht passieren.

»Apropos, Walter«, sagte sie stattdessen. »Bei unserem letzten Telefongespräch war Christines Knie ja wichtiger, deshalb bin ich noch gar nicht zu meinem eigentlichen Thema gekommen. Was hast du dir bloß dabei gedacht, Gerda anzurufen? In der Reha? Um ihr einen solchen Schwachsinn zu erzählen? Von wegen, Karl und ich. Woher hast du überhaupt ihre Telefonnummer gehabt?«

»Was hat das denn mit dem Einbruch zu tun?« Walter klang irritiert.

»Nichts«, antwortete Inge schnell. »Gar nichts. Das mit Gerda ist viel ärgerlicher.«

»Du hast aber ›apropos‹ gesagt. Und ich habe vorher vom Einbruch geredet. Wieso ›apropos‹?«

»Walter, lenk nicht ab. Das ist einfach so eine Redensart. Jedenfalls war mir dein Anruf bei Gerda wahnsinnig peinlich. Was soll sie denn denken? Dass ich mich nach über vierzig Jahren mit Karl verlustiere? Wie kannst du nur so was machen? Du musst doch mal dein Gehirn einschalten, bevor du solche Gerüchte in die Welt setzt. Ich konnte Karl am nächsten Tag gar nicht angucken. Wirklich, Walter, das war völlig daneben.«

In Walters Stimme lag etwas Lauerndes. »Am nächsten Tag? Ihr seht euch jetzt täglich? Statt einmal die Woche im Chor? Das ist ja auch seltsam, findest du nicht?«

Inge biss sich auf die Lippe. Sie durfte nichts verraten,

nichts sagen über die Einbrüche, ihre Ermittlungen und auf keinen Fall den Tod von Jutta Holler ausplaudern. Sonst drehte Walter durch. Ob aus Sorge, aus Angst oder aus Verärgerung, dass er nichts mitbekommen hatte, war egal. Er würde garantiert einen Aufstand machen.

»Da ist gar nichts seltsam. Onnos Tochter, Maren, ist doch wieder da, deshalb hat ..., hat er uns alle einge... geladen.«

Es war noch nicht mal eine richtige Lüge, und trotzdem stotterte sie. Aber am Telefon bekam Walter das anscheinend nicht mit. Auch nicht, dass die Begründung völlig idiotisch war. Onnos Tochter war der Grund, dass Karl und sie sich ständig sahen? Walter war doch kein Trottel. Inge biss sich auf die Unterlippe. Aber sie hatte Glück. Im Hintergrund hörte sie plötzlich Christines Stimme, dann die von Heinz. Wieder Christine, diesmal lauter. »Fragt mich doch einfach, Herrgott, das kann doch nicht so schwer sein.«

»Walter, was ist denn bei euch los?«

Walters Stimme war unsicher. »Du, Ingelein, hier gibt es gerade wieder ein Missverständnis. Ich muss mich mal eben darum kümmern. Wir telefonieren wieder, nicht wahr?«

Bevor die Verbindung unterbrochen wurde, hörte Inge noch Christine brüllen: »Ich brauche keine Gardinenstangen, hört ihr, ich brauche sie nicht, ihr könnt die sofort wieder abbauen und die Löcher zuspachteln ...«

»Also, Inge, tschüss denn, bis bald.«

Inge starrte auf den Hörer, bevor sie ihn wieder auf die Station legte. Ihre Nichte hatte überall Jalousien, weil sie Gardinen hasste. Wenn die Männer ihr vor jedes Fenster Gardinenstangen geschraubt hatten, war das tatsächlich ein Missverständnis.

Immer noch Montag,
unter zartblauem Himmel mit Schleierwölkchen

Auf dem Weg zum Taxistand wurde Sina schwindelig. Sie blieb stehen, bis es besser wurde, und ging dann langsam weiter. Im Bahnhof gab es einen Kiosk, sie würde sich was zu trinken kaufen, das kleine Glas Wasser im Revier war nicht genug gewesen.

An der Kasse stand eine Frau, auf dem Namensschild stand »Frau Schröder«.

»Moin«, sagte Frau Schröder eine Spur zu laut. »Ein Wasser, und kommt da noch was dazu?«

»Eine ›Sylter Zeitung‹«, antwortete Sina automatisch. Sie hatte auf der Titelseite die kleine Meldung gesehen.

Frau Schröder tippte sofort darauf. »Ja, stellen Sie sich vor, was hier passiert ist. Sind Sie ein Gast? Dann dürfen Sie nicht glauben, dass so etwas ständig passiert. Wir sind hier ein Hort der Glückseligkeit. Und dann so was. Tja, ich sag immer, böse Leute gibt es wirklich überall. Drei Euro sechzig, bitte.«

Sina suchte in ihrem Portemonnaie nach Kleingeld, sie hatte schon wieder viel zu wenig Geld dabei. Das musste sich ändern.

Kurz bevor der Taxifahrer in Wenningstedt in die Zielstraße einbog, tippte Sina ihm auf die Schulter. »Lassen Sie mich bitte hier vorn an der Ecke raus.«

»Aber wir sind doch gar nicht …«

»Hier vorn an der Ecke.« Sie sagte es so bestimmt, dass er fast eine Vollbremsung machte. Sina reichte ihm einen Zehn- und einen Fünfeuroschein und sagte lässig: »Stimmt so.« Es war ihr letztes Geld. Ab hier würde sie zu Fuß gehen müssen.

Sie lief die Westerlandstraße entlang, vorbei am Mittelweg und an der Strandstraße. An ihrer linken Hacke bildete sich langsam eine Blase, sie war diese blöden Fußmärsche nicht mehr gewohnt, und in diesem Augenblick schwor sie sich, dass sie sich auch nicht mehr daran gewöhnen wollte. Aber das würde jetzt ja auch nicht mehr nötig sein.

Sina verkniff sich ein Lächeln, das passte schließlich nicht zu einer Tochter in Trauer. Und Wenningstedt war nun mal ein Dorf, es konnte gut sein, dass ihr irgendeine neugierige, klatschsüchtige Nachbarin entgegenkam. Die sollte nur das blasse Gesicht und die tränenverschmierte Wimperntusche sehen. Sina drückte sicherheitshalber noch ein paar Tränen raus, sie hatte das immer schon gekonnt, auf Knopfdruck heulen. Dieses Talent steckte in den Genen von Jutta.

Zum Glück war keiner der Nachbarn zu sehen, als Sina die Treppen zum Holler'schen Haus emporstieg. Sie fischte ihren Hausschlüssel aus der Tasche und schloss auf. Ein komischer Geruch empfing sie, muffig, parfümiert und staubig. Sina durchquerte den Flur und das Wohnzimmer und riss alle Fenster auf. Die Terrassentür ließ sich nicht öffnen, Sina fiel es erst wieder ein, als sie erfolglos am Griff zog. Die Polizisten hatten sie nur notdürftig verschlossen. Anscheinend musste sie sich selbst um die Reparatur kümmern. Aber zunächst hatte sie etwas anderes zu tun.

Langsam ging sie zurück in den Flur und blieb an der Treppe stehen. Hier irgendwo musste Jutta gelegen haben, auf dem Parkett klebten noch Markierungsstreifen. Sie würde irgendjemanden engagieren müssen, der hier einmal richtig putzte. Es war ein komisches Gefühl. Die tote Jutta, auf dem Boden liegend. Wie sie wohl ausgesehen hatte? Geblutet hatte sie anscheinend nicht viel, zumindest waren keine großen Flecken auf dem Holzboden zu sehen.

Mit einem Schaudern stieg Sina über die Reste der Markierungen und machte sich auf den Weg nach oben. Sie würde mit Juttas Schlafzimmer anfangen und sich Schublade für Schublade vornehmen. Erst mal brauchte sie Bargeld und dann einen Überblick, wie ihre finanzielle Zukunft jetzt aussah. Als sie die erste Schublade aufzog, fing sie an zu lächeln.

Eine ganze Weile später war das Lächeln verschwunden, die schwarze Bluse verschwitzt, die Hose staubig und Sinas Laune im Keller. Sie hatte alles Mögliche in Juttas Schlafzimmer gefunden, neben unendlichen Mengen an Wäsche, Kleidung, Modeschmuck, Nippes und anderen geschmacklosen Dingen knapp neunhundert Euro, aber überhaupt nichts, was man schnell und sicher zu Geld machen könnte. Sie wischte sich die klebrigen Hände an der Hose ab und sah sich im Schlafzimmer um. Es war und blieb ein hässliches Zimmer, die Entrümpelungsfirma würde eine Menge zu tun haben. Aber vorher musste Sina alles durchsehen, es würde in diesem Chaos Tage dauern.

Das Handyklingeln war eine willkommene Unterbrechung, Sina hoffte, dass es Torben war. Die Nummer im Display war eine andere.

»Ja?«

»Sina?« Die männliche Stimme am anderen Ende hatte ihr jetzt gerade noch gefehlt. »Wieso meldest du dich nicht richtig?«

»Mir geht's nicht gut«, Sina hauchte die Antwort und ließ wieder Tränen fließen. »Meine Mutter ist tot.«

»Ach? Ja, tut mir leid.« Dr. Uwe Faust machte eine kleine Pause, bis er sagte: »Trotzdem, Sina, ich habe die Nase voll. Entweder bezahlst du jetzt deine Schulden, oder ich zeige dich an. Und ich bin so großzügig, dass ich die tausendachthundert Euro Lackschaden, den du an Manuelas Wagen verursacht hast, nicht einrechne.«

»Das kannst du mir auch gar nicht beweisen«, unterbrach Sina ihn schnippisch, bevor sie sich wieder auf ihre Situation besann. Lieber wieder Tränen. »Und wie kannst du mich jetzt im Moment mit so einem Kleinscheiß belästigen? Ich habe es doch gerade gesagt, ich habe meine Mutter verloren.«

»Kleinscheiß?« Ihr ehemaliger Liebhaber lachte zynisch. »Liebe Sina, soll ich dir vorrechnen, was ich von dir bekomme? Zehntausend Euro, die ich dir geliehen habe, sechstausendachthundert Euro für das Ausbessern des Parketts, die Reparatur der Arbeitsplatte und den Neuanstrich in meiner Wohnung, Schadensbehebung einer deiner Wutanfälle. Ich rede jetzt nicht von den Dingen, die du dir bei deinem Auszug unter den Nagel gerissen hast, dann wäre die Summe noch sehr viel höher.«

»Das waren Geschenke.« Sinas Stimme zitterte. »Du kleinlicher Idiot.«

»Geschenke?« Uwe Faust blieb gefährlich ruhig. »Du hast die Hälfte der Möbel mitgenommen. Und Teppiche und Lampen, ich kann mich nicht erinnern, dir solche Geschenke gemacht zu haben. Du, ich habe es satt. Du kannst mich nicht mehr erpressen, meine Frau weiß Bescheid. Ich will das Geld, und ich will, dass du endgültig aus meinem Leben verschwindest. Ansonsten, wie gesagt, zeige ich dich an. Mir reicht's.«

Sina atmete geräuschvoll durch die Nase. »Ich habe wirklich wichtigere Dinge zu tun, als mich mit dir Sparbrötchen rumzuschlagen. Mach mir eine schriftliche Aufstellung, dann überweise ich dir dein blödes Geld. Schick es mir an die Adresse auf Sylt, erst mal bleibe ich auf der Insel. Und leg dich gehackt, du warst der langweiligste Liebhaber, den ich je hatte.«

Wütend beendete sie das Telefonat. Was bildete sich dieser Idiot ein? Einer Trauernden solch ein Gespräch aufzuzwingen. Unmöglich. Sie würde trotzdem nicht sofort bezahlen. Er sollte sich ruhig noch ein bisschen aufregen. Vielleicht zahlte sie später aus Spaß noch Zinsen dazu. Das könnte sie sich jetzt ja leisten.

Aber erst musste sie noch die Bankunterlagen und Konten ihrer Mutter finden. Da oben nichts deponiert war, würde sie sich jetzt das Wohnzimmer vornehmen. In irgendeinem Schrank mussten doch Ordner stehen. Oder Kisten mit Akten. Bislang hatte Sina noch nicht einmal die Kontonummern.

In einer kleinen Kommode wurde sie endlich fündig. Die Schublade ließ sich zwar kaum aufziehen, weil Jutta Holler alle möglichen Schriftstücke einfach brutal hineingestopft hatte, aber zumindest ließ sie sich so weit öffnen, dass Sina an eine durchsichtige Mappe gelangen konnte, in der sie die Kundenkarten der verschiedenen Banken entdeckte. Beim Herausreißen sprang die ganze Lade auf, ein Schwung Papier ergoss sich auf den Boden. Sina ging in die Hocke und blätterte alles hektisch durch, es war ein einziges Chaos. Garantiescheine von irgendwelchen Haushaltsgeräten, Überweisungsduplikate, Versicherungspolicen, Gebrauchsanweisungen, handgeschriebene Zettel,

Rechnungskopien. Sie würde Ewigkeiten brauchen, um das alles zu sortieren. Und fühlte sich in diesem Moment total überfordert.

Frustriert erhob sie sich und ließ die Blätter, die sie noch in der Hand hatte, achtlos auf den Boden fallen. Was sie jetzt brauchte, war ein Glas Wein und etwas zu essen. Und ein Shoppingerlebnis. Bargeld hatte sie, also würde sie jetzt mit dem Taxi nach Westerland fahren und sich einen schönen Nachmittag machen. Das hatte sie sich verdient. Und danach würde sie Torben bitten, ihr bei diesem Chaos zu helfen. Er kannte sich bestimmt auch damit aus.

»Es tut mir leid, Frau Holler, aber ohne eine Vollmacht kann ich Ihnen kein Geld von diesem Konto auszahlen.«

Sina starrte die Blondine im dunkelblauen Hosenanzug an. Sie hörte wohl nicht richtig. Diese Banktrulla lächelte dämlich, Sina stieg die Hitze ins Gesicht.

»Ich muss aber Geld abheben. Es sind Rechnungen zu bezahlen. Meine Mutter ist tot, sie kann das ja wohl schlecht selbst erledigen. Und wie geht es jetzt weiter?«

»Ich brauche einen Erbschein. Oder eine notariell beglaubigte Abschrift des Testaments. Sonst kann ich da leider nichts machen.«

»Dann nicht.« Sinas Wut war so groß, dass sie sich einfach auf dem Absatz umdrehte und die Bank verließ. Draußen setzte sie sich auf eine Bank und vergrub das Gesicht in den Händen. »Scheiße, Scheiße, Scheiße«, sagte sie laut und trat mit dem Fuß gegen den Mülleimer neben der Bank. Sie brauchte Geld, und zwar sofort. Ein Passant sah sie irritiert an. Sina starrte wütend zurück: »Ist was?«, fauchte sie ihm hinterher. Sollte er sich doch um seinen eigenen Kram kümmern.

Jutta Holler hatte Konten bei drei verschiedenen Banken. Es war doch nicht möglich, dass Sina nirgendwo an Geld kam. Schließlich gehörte ihr doch jetzt alles. Sie würde sich nicht von einer arroganten Blondine in einem schlecht sitzenden Hosenanzug fertigmachen lassen. Entschlossen schulterte sie ihre Handtasche und ihre Einkaufstüten und machte sich auf den Weg zur nächsten Bank.

Trotz Tränenausbrüchen und einem Fast-Nervenzusammenbruch blieben auch die beiden anderen Bankangestellten unerbittlich. Sie bestanden auf diesem Erbschein, hatten kein Verständnis für ihre verzweifelte Situation, faselten nur irgendetwas von einem Notar oder dem Amtsgericht und verweigerten die Auszahlung. Der letzte Bankaffe hatte sie sogar aufgefordert, die Bank zu verlassen, nachdem sie ihm lautstark gesagt hatte, was sie von ihm hielt. Es war das Letzte.

Inzwischen musste sie die Tränen gar nicht mehr simulieren, sie liefen ihr vor lauter Wut übers Gesicht. Blind vor Tränen war sie durch die Friedrichsstraße gelaufen. Das zuständige Amtsgericht war in Niebüll, wie sollte sie denn da hinkommen? Und sie hatte noch nicht mal eine Ahnung, was für Unterlagen sie brauchte. Einen Totenschein? Den Polizeibericht? Warum hatte ihr diese Kommissarin denn nichts gesagt? Die hatte nur bescheuerte Fragen gestellt, ihr aber überhaupt nicht geholfen. Sina musste sich doch auch irgendwie um die Beerdigung kümmern. Was sollte sie denn dem Bestattungsunternehmer sagen? Und wann? Und als ob das nicht alles wäre, wollte auch noch dieses Arschloch von Dr. Uwe Faust sechzehntausendachthundert Euro von ihr.

Sina blieb stehen, um sich zu beruhigen. Sie musste jetzt überlegen, was sie tun könnte. Ein Notar. Sie musste erst mal zu einem Notar gehen, und zwar sofort. Das hatte dieser Banktyp gesagt. Weil sie sonst nicht an ihr Erbe kam. Das ihr zustand. Sie riss ihr Smartphone aus der Tasche und tippte »Notar – Sylt« ein. Gleich bei der ersten Nummer meldete sich eine Frauenstimme. Ob es von der Wut über die Banken oder von der Erfolglosigkeit dieses Vormittags kam, Sina brach sofort in echte Tränen aus. »Ich …, ich brauche ganz dringend einen Termin«, stammelte sie. »Es ist wirklich furchtbar wichtig.«

Die Frauenstimme klang mitfühlend. »Um was geht es denn?«

»Meine Mutter ist tot. Sie ist ermordet worden. Jutta Holler. Ich weiß nicht, was ich jetzt tun soll.«

»Um Himmels willen«, am anderen Ende wurde erschrocken nach Luft geschnappt. »Bleiben Sie dran, bitte, ich verbinde Sie mit Dr. Luetge.«

Zehn Minuten später hatte Sina für den nächsten Vormittag einen Termin.

Onno legte das letzte Paar Stäbchen auf den langen Tisch und trat zufrieden ein Stück zurück, um sein Werk zu betrachten. Es sah hervorragend aus, sehr fein, nicht zuletzt, weil ihm Charlotte in ihrer Großzügigkeit ihre Tischdecken noch für diesen Abend überlassen hatte. Onno nahm sich vor, sich von Maren eine Tischdecke zum Geburtstag zu wünschen, sie fragte doch immer nach einer Idee für ein Geschenk, und jetzt hatte er eine. Genau so eine Decke wollte er haben. Groß, weiß und gestärkt. Es war einfach schade, dass er damals in seiner Trauer Gretas schöne Tischwäsche weggegeben hatte. Aber das ließ sich jetzt nicht mehr ändern. Und jetzt sollte er nach vorn sehen. Maren sollte am besten Charlotte fragen, wo es solche Decken gab.

»Das sieht ja aus wie in einem Restaurant!« Inge kam erstaunt ins Zimmer. »Dein Schlüssel steckt von außen. Ich habe aber gerufen«, sagte sie und trat neben ihn. »Sehr schön. Hat Maren das gemacht?«

»Nein, das war ich.« Onno nahm ihr eine Flasche Wein und ihre Jacke ab. »Wir haben neulich im Kochclub Tische gedeckt. Also, wir haben es geübt. Gefällt es dir?«

»Ja.« Inge nickte. »Sogar sehr.« Sie gab Onno einen leichten Klaps auf den Arm. »Ist das Charlottes Decke? Die kommt mir so bekannt vor.«

»Ja. Die Kerzenständer gehören ihr auch. Sie hat sie mir

geliehen, weil ich gestern doch Helga Simon zum Essen eingeladen habe. Die Blumen hat sie mir auch vorbeigebracht. Die sind doch noch in Ordnung, oder?«

Inge musterte die etwas schlaffen Ranunkeln und das trübe Blumenwasser und zuckte mit den Achseln. »Schön sind die nicht mehr.« Als sie Onnos enttäuschtes Gesicht bemerkte, sagte sie schnell: »Ich gehe mal durch deinen Garten, vielleicht kann ich die Dekoration etwas auffrischen.«

Sie schoss aus dem Zimmer, Onno sah sie durchs Fenster durch den Garten gehen. »Siehst du, Greta«, sagte er an das gerahmte Bild gewandt, das auf der Kommode stand. »Jetzt pflückt endlich mal wieder jemand Blumen im Garten. Und ich verspreche dir, dass ich mich ab sofort auch wieder mehr um deine Pflanzen kümmern werde.«

Er musterte abschließend den gedeckten Tisch, bevor er zur Tür ging. Vor dem Bild blieb er einen Moment stehen, legte seinen Finger auf Gretas Wange und sagte leise: »Du findest doch Helga Simon auch nett, oder?« Er wartete einen Moment, bis er nickte. »Ich wusste es.« Dann ging er in den Flur, um Inges Jacke auf einen Bügel zu hängen.

Kurze Zeit später stand Inge an der Spüle und ordnete die frischen Blumen in eine Vase. »Wann kommen denn die anderen?«, fragte sie und sah sich nach Onno um, der eine Ingwerwurzel in Scheiben schnitt. »Ich habe etwas ganz Wichtiges zu erzählen.«

»Was denn?« Onno sah kaum hoch.

Inge steckte die letzte Blume hinein und drehte sich rasch zu ihm. »Ich wollte eigentlich warten, bis alle da sind, aber ich bin so aufgeregt. Also, ich habe einen Schlüsselbund in Jutta Hollers Garten gefunden, und dann geht es um diesen Mann, der …«

»Was machst du denn in Jutta Hollers Garten?« Onno

hob jetzt erstaunt den Kopf. »Dann gib ihr doch den Schlüssel. Wenn er in ihrem Garten lag, wird er ihr auch gehören.«

»Wie? Ihr geben?« Jetzt war Inge überrascht. Sie starrte Onno an und hatte plötzlich einen Gedanken. »Sag mal, hast du eigentlich gestern oder heute noch gar nicht mit Maren oder Karl gesprochen?«

»Bei Maren war es spät, gestern Abend«, lächelte Onno. »Sie hatte ja Besuch von dem netten Robert Jensen. Und heute Morgen ist sie ganz früh zum Dienst, sie war gar nicht mehr bei mir. Sie muss aber auch gleich kommen. Und Karl ist anscheinend noch beleidigt, weil ich ihn gestern nicht mit zum Essen eingeladen habe. Aber Helga Simon war doch da, und du weißt ja, wie Karl ist, er hätte die ganze Zeit nur mit ihr über die Einbrüche geredet, das wollte ich nicht. Weißt du, wir haben ja viel von früher …«

»Sag mal, Onno«, unterbrach ihn Inge. »Weißt du überhaupt, was am Samstagabend passiert ist?«

»Da war das Sommerfest«, antwortete Onno gleichmütig. »Und Maren hatte anschließend einen Einsatz wegen irgendwelcher Mopedfahrer. War aber blinder Alarm.«

»Jutta Holler lag tot in ihrem Haus«, platzte Inge heraus. »Wir haben sie Sonntag gefunden. Also, Karl, Charlotte und ich. Hast du denn die Zeitung heute noch nicht gelesen? Da gab es schon eine Meldung, ein Einbruch mit Todesfolge. Es stand nur nicht dabei, wer die Tote war. Jetzt ist die Kripo da und die Spurensicherung und das ganze Programm. Hat dir das niemand gesagt?«

Schockiert legte Onno das Messer beiseite und drehte sich zu ihr um. »Jutta Holler? Nein. Das darf ja nicht wahr sein. Ich habe die Zeitung überhaupt noch nicht gelesen, ich habe ja die ganze Zeit gekocht. Und das in deinem Nachbarhaus? Das ist ja ein Ding! Und wer war das?«

»Also, ich glaube, dass …, wie soll ich anfangen? Ich habe heute in der Zeitung ein Bild gesehen, von einem Mann, und der …«

»Hallo, ihr zwei!« Charlottes durchdringende Stimme ließ Inge zusammenfahren. »Die Tür stand auf, oh, das sieht ja gut aus.« Sie war vor dem Küchentisch stehen geblieben, auf dem mehrere Platten mit Sushi standen. Charlotte beugte sich nach vorn, um sie besser betrachten zu können. »Meine Güte«, ihre Stimme klang ehrfürchtig. »Nigiri-Sushi, Maki-Sushi, Sashimi, Hoso-Maki …, du hast ja alles gemacht. Dann brauche ich ja zum Sushi-Wettbewerb gar nicht mehr anzutreten. Wie lange hast du denn geübt?«

Onno wippte geschmeichelt auf den Zehenspitzen. »Och, ich glaube, mir liegt diese japanische Küche einfach.«

Inge hatte kein Wort verstanden von dem, was Charlotte gerade gesagt hatte. Als ob es im Moment nichts Wichtigeres gäbe. Diese Kochclub-Arie ging ihr sowieso langsam auf die Nerven. Mit Onno und Charlotte konnte man gar nicht mehr richtig essen gehen, weil sie alles, was auf den Tisch kam, sofort sezierten, um es nachzukochen. Viermal im Jahr gab es einen Kochwettbewerb, bei dem Charlotte und Onno immer abwechselnd gewannen. Sie waren so furchtbar ehrgeizig. Inge war im letzten Jahr mit ihrem Tafelspitz gnadenlos untergegangen, danach hatte sie den Kochclub verlassen. Gegen die beiden Köche hier hatte man sowieso keine Chance.

»Und wegen dieser Fischrollerei hat Onno noch nicht mal mitbekommen, dass Jutta Holler tot ist«, warf sie jetzt ein, um wieder zum Thema zurückzukommen. »Stell dir das mal vor.«

»Aber Wasabi und Sojasauce musst du noch anrichten«, sagte Charlotte, ohne den Blick von den Platten zu nehmen. »Oder hast du das vergessen?«

»Natürlich nicht«, Onno deutete auf mehrere kleine Schälchen, die auf der Fensterbank standen. »Die sind schon gefüllt.«

Inge wurde ärgerlich und wiederholte lauter: »Hallo. Charlotte. Er wusste nicht, dass Jutta Holler tot ist. Onno hatte keine Ahnung.«

»Ach?« Jetzt endlich sah Charlotte erst sie und dann Onno an. »Wirklich nicht? Ja, das ist ein Ding, oder? Da hast du echt was verpasst. Aber das hat Inge dir bestimmt schon alles geschildert. Ich bin gespannt, was Karl gleich erzählt, der kennt ja die Kommissarin gut und wollte mit der essen gehen. Jetzt sitzt er endlich wieder an der richtigen Informationsquelle. Wo bleibt er eigentlich?«

Onno wirkte plötzlich ganz schuldbewusst. »Jetzt, wo du das sagst ... Ich habe ja gar nicht mit ihm gesprochen, weiß er eigentlich, dass wir heute Sushi essen? Charlotte, das haben wir beide doch im Kochclub besprochen, letzte Woche. Hast du Karl Bescheid gesagt?«

»Nein, nur Inge«, antwortete Charlotte und sah ihn an. »Dann ruf ihn schnell mal an, sonst ist er total beleidigt.«

Während Onno ins Wohnzimmer ging, um zu telefonieren, sahen Inge und Charlotte Robert Jensen auf einem Fahrrad kommen. Robert stellte sein Rad ab, strich seine Haare glatt und kam aufs Haus zu. Eine Sekunde später klingelte es. »Tür ist offen«, rief Inge, ohne sich von der Stelle zu bewegen. Kurz darauf stand er vor ihnen und sah sich unsicher um. »Guten Abend«, er streckte die Hand aus. »Robert Jensen, ich wollte zu Herrn Thiele. Er hat mich zum Sushi-Essen eingeladen.«

»Er telefoniert gerade.« Neugierig sah Charlotte ihn an.

»Ach, Sie müssen der neue Kollege von Maren sein, oder? Charlotte Schmidt.« Sie gab ihm die Hand. »Und das ist meine Schwägerin Inge Müller. Wir singen mit Onno und Karl im Chor.«

Robert schüttelte Charlotte die Hand und wandte sich Inge zu. »Angenehm. Ist Maren noch nicht da?«

»Nö.« Inge musterte ihn von Kopf bis Fuß. »Wir sind die Ersten.«

»Karl setzt sich aufs Rad, er war gar nicht mehr beleidigt.« Onno war zurück, verharrte kurz an der Tür und ging sofort auf Robert zu. »Robert, das ist ja schön, dass Sie es einrichten konnten. Maren muss auch jeden Moment kommen, dachte ich zumindest.« Er runzelte die Stirn. »Wobei ich gerade erfahren habe, dass bei euch ja jede Menge los ist. Die tote Jutta Holler. Gibt es da schon was Neues?«

Robert hob die Schultern. »Herr Thiele, da darf ich leider nicht …«

»Sag doch bitte Onno: ›Herr Thiele‹ klingt so alt.«

Robert sah ihn einen Moment irritiert an. »Ja …, also ich darf jedenfalls nicht …«

»Na, macht nichts«, Onno lächelte ihn entwaffnend an. »Karl kommt ja gleich, der hat mir gerade eben gesagt, dass er mit der Kommissarin gesprochen hat, da weiß er sicher mehr. Kommt ihr mit rüber? Wir können uns ja schon mal setzen.«

Sie hatten gerade Platz genommen, als Inge sich an die Stirn griff und wieder aufsprang. »Meine Tasche ist noch im Flur«, sagte sie entschuldigend und verließ den Raum. Charlotte sah ihr hinterher. »Die klaut doch keiner«, rief sie ihr nach und wandte sich wieder den Platten mit den Sushis zu. »Sieht ja sagenhaft aus, Onno. Ich glaube, Inge hat Tupperdosen in der Tasche und sackt nachher die

Reste ein. Falls es überhaupt welche gibt. Warten wir auf Karl, oder kann ich schon mal eines probieren?«

Sie hatte schon die Stäbchen in der Hand und ließ sie über der Platte schweben.

»Fangt an«, gestattete Onno. »Ich bin ja auch gespannt, was du sagst.«

»So.« Inge war zurück, stellte ihre Handtasche neben sich auf den Boden und setzte sich wieder. »Ich habe nämlich zwei Dinge dabei, die ich euch unbedingt zeigen muss. Aber ich wollte warten, bis Karl …« Sie unterbrach den Satz, weil ihr Blick plötzlich auf Robert fiel. Gehörte er jetzt zum Feind oder zu ihnen? Sie würde abwarten, was Karl dazu sagte. »Wir dürfen anfangen?«

»Onno.« Charlotte hielt die Augen geschlossen und kaute mit Inbrunst. »Das ist sensationell.«

Onno nickte zufrieden. »Fein. Weißt du, Robert, wir kochen zusammen in einem Club, und demnächst machen wir einen Sushi-Wettbewerb. Hast du Maren erst auf der Insel kennengelernt?«

»Nein.« Robert hatte gerade geschluckt und war verblüfft, wie gut es schmeckte. »Das ist wirklich super. Maren und ich haben uns letztes Jahr auf einer Weiterbildung zum ersten Mal getroffen. Dass wir uns hier wieder begegnet sind, war reiner Zufall.«

»Zufälle gibt es nicht.« Inge begriff in diesem Moment, warum Onno diesen gut aussehenden Polizisten eingeladen hatte. Er passte gut zu Maren, fand sie, die beiden gaben ein hübsches Paar ab. Und Onno hatte vermutlich keine große Lust, sich dauernd um seine Tochter zu sorgen. Die in ihrem Alter nun wieder Kind im Haus war. »Ich glaube, das ist alles Bestimmung.« Hoffentlich kam Karl bald. Sie waren schließlich nicht nur zum Essen hier. Es ging um einen Todesfall, es gab eine Menge zu besprechen. Und sie wusste immer noch nicht, ob Robert auf der richtigen Seite stand. Bis Karl hier war, würde sie nichts sagen, sondern sich einfach aufs Essen konzentrieren. Inge fischte das nächste Röllchen von der Platte und sah Charlotte mitleidig an. So, wie es aussah, würde Onno den Wettbewerb ganz klar gewinnen, ihre Schwägerin sollte sich da mal lieber keine Hoffnungen mehr machen.

Charlotte legte ihre Stäbchen jetzt zur Seite. »Tja, Onno«, sagte sie schließlich. »Das ist mal eine Vorlage. Aber ich habe ja noch ein paar Tage Zeit. Wo bleibt Karl denn? Und Maren?«

Als hätte er auf das Stichwort gewartet, polterte jemand in den Flur. »Hallo, ich bin da!« Karl klopfte beim Eintreten erst an den Türrahmen, dann Onno auf die Schulter: »Mahlzeit allerseits.«

Dann nickte er Charlotte und Inge zu, blieb vor Robert stehen und grinste. »Ach? Schon Familienanschluss? Was gibt es denn?«

Robert klappte den Mund wieder zu, Karl Sönnigsen hatte auch keine Antwort erwartet. Robert hoffte nur, dass Maren bald käme, langsam fühlte er sich hier etwas komisch.

Nachdem Karl kurz die Platten gemustert hatte, drehte er sich um und ging in die Küche. Man hörte eine Schranktür auf- und zugehen, dann kehrte er mit einer Scheibe Schwarzbrot in der Hand zurück.

»So«, sagte er gut gelaunt und legte das Brot auf den Teller. »Es ist ja einiges passiert. Ich war gestern Abend noch eine Kleinigkeit mit Anna Petersen essen, das ist die leitende Kommissarin aus Flensburg, falls es hier am Tisch noch jemanden gibt, der das nicht weiß. Ich habe ihr in aller Ruhe gesagt, was hier im Revier alles schiefgelaufen ist. Ich glaube, sie war entsetzt. Robert, eure Gurkentruppe unter diesem unsäglichen Runge hat ja nicht ansatzweise die Ergebnisse ermittelt, die nötig gewesen wären, um diese schlimme Tat am Samstag zu verhindern.«

Statt zu protestieren, beobachtete Robert gebannt, wie Karl sich fünf Sushis nebeneinander auf die Brotscheibe legte und sie mit dem Messer flach drückte.

»Und um es ganz klar auszudrücken: Ich glaube, wir holen Anna zu uns ins Boot. Ich habe vorhin mit ihr telefoniert, sie kommt auch gleich noch. Maren hat sie eingeladen, es wird jetzt alles ein bisschen professioneller.«

Er nahm das Besteck zur Hand und fing an, die platt gedrückten Sushis auf Schwarzbrot zu essen. »Oh, lecker. Ist das Matjestartar?«

Eine Antwort blieb aus. Nach einem Moment fragte Onno: »Kann mich jetzt vielleicht mal jemand auf den neuesten Stand bringen?«

»Nach dem Essen.« Karl hob die Gabel zum Mund. »Kann ich ein Bier haben? Das ist mir zum Fischbrot lieber als so ein Wein.«

»Sushibrot«, korrigierte Charlotte. »Du isst gerade Sushibrot. Stimmt, dazu kannst du auch ein Bier trinken. Das ist dann auch egal.«

Onno war schon unterwegs in die Küche. Als er aus dem Fenster sah, stieg Maren gerade aus ihrem Wagen aus. Die Beifahrertür wurde geöffnet, die blonde Frau in Marens Alter wirkte sympathisch und musste Anna Petersen sein. Onno ging ihnen mit der Bierflasche in der Hand entgegen.

Keine Stunde später waren die Platten leer. Die Gespräche beim Essen kreisten jedoch nicht um die aktuellen Ereignisse auf der Insel. Stattdessen hatten Anna und Karl erzählt, wie sie sich vor zehn Jahren kennengelernt hatten. Annas erster

Fall hatte sie nach Sylt geführt, ausgerechnet über Pfingsten, eine Zeit, in der die Insel immer brechend voll war. Es war damals nicht nur Annas erster Fall, sondern auch ihr erster Besuch auf Sylt. Deshalb hatte sie sich auch nicht rechtzeitig um ein Hotelzimmer gekümmert und musste mit einem winzigen Loch in einer kleinen Pension vorliebnehmen. Völlig überfordert von dem unfreundlichen Pensionswirt und dem dunklen, hässlichen Zimmer, hatte sie zu Karl gesagt, dass sie überhaupt nicht verstehen könne, dass Menschen hier freiwillig Urlaub machten. Das ließ Karl nicht auf sich sitzen, kurzerhand wurde Anna im Gästezimmer des Sönnig'schen Hauses untergebracht, bekam von Gerda den Kaffee ans Bett und geschmierte Klappstullen für den Tag gebracht. Seitdem war Anna ein Fan der Insel und auch ab und zu ein Kaffeegast von Gerda Sönnigsen.

Jetzt lehnte Anna sich seufzend zurück und tupfte ihren Mund mit der Serviette ab. »Herr Thiele ...«

»Anna«, unterbrach Karl sie. »Du kannst einfach ›Onno‹ sagen, meine Freunde sind auch deine Freunde.«

Mit einem leichten Lächeln sagte sie: »Onno, das waren die besten Sushis, die ich seit Langem gegessen habe. Großartig.«

»Dass ihr den Fisch so ohne Brot mögt.« Karl schüttelte den Kopf. »Nur wegen diesem Trennkostquatsch. Das schmeckt doch gar nicht. Na ja, wie auch immer. Wir sind mit dem Essen fertig. Jetzt mal ran an die Buletten. Was gibt es an neuen Erkenntnissen?«

Robert sah Maren irritiert an. Die zuckte mit den Schultern. Sie hatte während des gesamten Essens in einer Wolke gesessen. Robert in dieser vertrauten Umgebung wirkte überhaupt nicht fehl am Platz oder seltsam. Nach dem letzten Abend und dem klärenden Gespräch fühlte sich das alles so richtig an, so vertraut auf der einen Seite – gleichzeitig aber pochte ihr das Herz bis zum Hals, und ob sie wollte oder nicht: Sein Anblick hier, in dieser Umgebung, hatte sie gerade total durcheinandergebracht. Am liebsten hätte sie ihn ständig berührt, ihm immerzu gesagt, was sie alles an ihm mochte, wie besonders er war. Aber natürlich riss sie sich zusammen und strengte sich an, sich nichts anmerken zu lassen. Sie war gerade erst wieder auf die Insel gezogen, sie war zehn Jahre älter, er würde nach der Saison wieder gehen, sie würde bleiben, sie wollte nicht verliebt sein, das machte einen ja doch nur unkonzentriert und emotional, sie wollte sich auf ihren Job konzentrieren, auf ihr neues Leben, und da passte er nun mal nicht hinein. Vielleicht würde sie in einem anderen Leben auch wieder mit ihm ins Bett gehen, nur jetzt und zu diesem Zeitpunkt käme das nicht infrage. Das hatte sie ihm gestern Abend schon gesagt, er hatte es sogar verstanden. Hatte er zumindest behauptet, bevor er nach einem letzten Kuss gegangen war.

Sie hob den Kopf und konzentrierte sich jetzt auf Anna, die Karl gerade auf irgendeine Frage antwortete. »Karl, du weißt doch genau, dass ich euch keine Auskunft über laufende Ermittlungen geben kann. Das muss ich dir doch nicht erklären.« Plötzlich musste sie niesen und hob Hilfe suchend den Kopf. »Hat vielleicht irgendjemand ein Taschentuch?«

Sofort riss Inge ihre Handtasche hoch, öffnete sie mit einer schnellen Handbewegung und konnte nicht verhindern, dass sie von ihrem Schoß rutschte und sich ihr Inhalt zu ihren Füßen entleerte.

»Was hast du denn da drin?« Charlotte beugte sich verwundert zur Seite. »Ist das ein Gummihandschuh?«

Mit hochrotem Kopf ging Inge in die Knie, um die Tasche wieder einzuräumen. Zunächst reichte sie Anna ein Päckchen Taschentücher, dann angelte sie mit zwei Fingern nach dem rosafarbenen Gummihandschuh und legte ihn vorsichtig auf den Tisch.

»Was um alles in der Welt ist das?« Karl nahm eine Gabel und drehte den umgestülpten Handschuh um. Die anderen musterten ihn neugierig.

»Das …«, Inge sah stolz in die Runde, »das ist Beweismaterial.«

»Ein Gummihandschuh?« Charlotte betrachtete ihn skeptisch.

»Nein.« Inge griff zu einem Essstäbchen und schob den Handschuh in Richtung Anna. »Nicht der Handschuh. Den habe ich nur benutzt, weil ich keine kleine Plastiktüte hatte, so, wie die Kommissare sie immer in den Krimis benutzen. Ich hatte ein Paar in der Jacke. Das, was drin ist, ist der Hausschlüssel von Jutta Holler. Den habe ich heute Morgen in meinem Hortensienbeet gefunden. Und ich habe ihn nicht angefasst.«

Anna hatte – als richtige Kommissarin – zufällig eine kleine Tüte in der Tasche. Sorgsam griff sie den Handschuh und ließ erst den Schlüssel und dann den Handschuh in die Tüte gleiten. »Der lag bei Ihnen im Garten?« Sie hielt die Tüte näher ans Gesicht, um den Schlüssel genauer betrachten zu können.

»Ja.« Inge nickte nachdrücklich. »Bei mir. Der Einbrecher, oder sogar der Mörder, müssen ihn zu uns rübergeworfen haben. Wie gesagt, er lag in meinem Hortensienbeet.«

Karl nickte in Inges Richtung und hob den Daumen. »Sehr gut gemacht, Inge. Siehst du, Anna, genau das meinte ich. Da turnt die Polizei den ganzen Tag herum, aber den Schlüssel muss einer von uns finden. Weil er sonst übersehen wird.«

Maren warf ihm einen bösen Blick zu. »Karl, ich bitte dich. Wenn der Schlüssel bei Inge im Garten lag, konnten die Kollegen den auch nicht finden.«

»Über den Tellerrand gucken, meine Liebe.« Karl strich ihr über die Hand. »Oder über den Grundstücksrand. In diesem Fall.« Er kratzte sich am Kopf. »Wieso hatte der Einbrecher den Schlüssel? Ist das denn ...«, er beugte sich vor, »Jutta Hollers eigener Schlüssel? Sieht so aus mit diesem ›J‹. Steckte er vielleicht von außen? Ist der Täter so reingekommen? Dann müsste er aber nicht die Terrassentür aufhebeln. Also wieso ...?«

»Das ist interessant«, Anna schob den Plastikbeutel in ihre große Handtasche. »Sehr gut. Auch, dass Sie den Gummihandschuh benutzt haben. Das war sehr überlegt von Ihnen.« Sie sah Inge nachdenklich an. »Da fällt mir noch etwas ein. Sie sind ja so aufmerksam, haben Sie in der letzten Zeit einen weißen Porsche vor dem Haus von Frau Holler gesehen?«

»Ja.« Inge nickte sofort. »Ein schöner Wagen. Und ein unsympathischer Fahrer. Das Kennzeichen war HH WI-95.«

Perplex sahen alle sie an. Inge lächelte. »Das ist einfach zu merken. Hamburg – Walter – Inge – 9. Mai. Da haben wir geheiratet.«

Anna war beeindruckt. »Meine Güte, Frau Müller, Sie sind ja die Traumzeugin jedes Ermittlers.«

Inge lächelte geschmeichelt. Vielleicht waren Onno und Charlotte die besseren Köche, aber in der Ermittlungsarbeit lag sie, Inge Müller, im Moment weit vorn. »Ich habe da noch etwas«, sagte sie jetzt, betont bescheiden, und beugte sich zu ihrer Handtasche, aus der sie den gefalteten Regionalteil der Zeitung zog. »Ich habe schon ein paar Mal versucht, euch etwas mitzuteilen, aber entweder ihr seid nicht ans Telefon gegangen oder ihr habt mich unterbrochen oder es kam etwas dazwischen.« Sie hob die Zeitung hoch und tippte vielsagend mit dem Finger auf das Papier. »Vor einigen Tagen ist mir ein Mann aufgefallen, der vor Jutta Hollers Haus stand. Ich war in der Küche und habe ihn vom Fenster aus beobachtet. Eigentlich ist er mir nur aufgefallen, weil er einen so schönen Mantel trug. So ein kurzer, flotter Mantel, ich wollte Walter immer schon zu so etwas überreden, er immer mit seinen blöden Windjacken, aber er ist der Meinung, dass diese schönen Mäntel …«

»Inge, komm mal zum Punkt.« Karl hatte sich gespannt vorgebeugt, Walters modische Vorlieben interessierten ihn in diesem Zusammenhang überhaupt nicht.

»Jedenfalls«, fuhr Inge ungerührt fort, »dieser Mann stand nicht nur einmal vor dem Haus. Er hat nicht geklingelt, er ist auch nicht aufs Grundstück gegangen, er stand nur da und starrte das Haus an. Das fand ich irgendwie seltsam.«

»Wissen Sie, wer das war?« Anna war ganz auf Inge konzentriert, die das sichtlich genoss. Deshalb kostete sie das Interesse auch noch ein bisschen aus und ließ sich Zeit mit der Antwort. Bedächtig faltete sie die Zeitung auseinander und sprach sehr langsam weiter: »Bis heute Morgen wusste ich es nicht. Bis ich ihn in der Zeitung wiedererkannt habe.« Sie legte den Artikel auf den Tisch und tippte mit dem Finger auf das Foto. Fünf Köpfe beugten sich darüber. »Dieser Mann war das. Ganz bestimmt.«

Sie machte den anderen Platz und beobachtete sehr zufrieden die Reaktionen auf ihre Eröffnung. Anna und Karl bewegten beide ihre Lippen beim Lesen, Onno und Charlotte kniffen die Augen in Ermangelung ihrer Lesebrillen zusammen und erkannten vermutlich trotzdem nichts, Robert las ebenfalls konzentriert. Inge sah jetzt zu Maren und stellte erstaunt fest, dass die sehr blass geworden war und ungläubig auf das Foto starrte.

»Andreas von Wittenbrink«, Anna las jetzt laut. »Architekt aus Hamburg … das neue Wellnesshotel in Wenningstedt … mehrere Architekturpreise erhalten …«

»Als wenn die Insel noch mehr Hotels bräuchte!« Karl hatte den Text gelesen und lehnte sich wieder zurück. »Es kommen doch schon genug Leute. Und dieser Architekt stand nun also vor Jutta Hollers Haus? Das kann doch auch Zufall gewesen sein. Vielleicht wohnt der in der Nähe im Hotel und geht bei euch nur auf dem Weg zur Arbeit vorbei.«

»In unserer Straße gibt es kein Hotel«, sagte Inge entrüstet. »Wo soll der denn in der Nähe wohnen? Bei Manske im Keller? Das sind die Einzigen, die bei uns noch vermieten, und in der Rumpelkammer wohnt garantiert kein Architekt, der schöne Hotels baut.«

Onno zuckte die Achseln. »Vielleicht sucht der auch ein Haus für sich. Im Moment wollen doch alle Leute, die viel Geld verdienen, Immobilien auf Sylt kaufen.«

»Dann hätte er ja auch mal vor Inges Haus stehen können«, wandte Charlotte ein. »Da ist der Garten viel schöner und das Haus ist auch nicht schlechter. Hat er denn auch bei dir vor dem Haus gestanden, Inge? Oder nur vor Hollers?«

»Ich habe ihn nur da gesehen. Und, wie gesagt, mehrere Male.«

Maren räusperte sich, alle sahen sie an. Inge hatte es gleich bemerkt. »Maren, du bist ganz blass. Ist alles in Ordnung?«

Maren fühlte Roberts besorgten Blick und seine Hand,

die sanft ihren Rücken berührte. »Alles okay«, antwortete sie schnell. »Ich habe vielleicht zu viel gegessen. Ich hole mal einen Schnaps. Möchte noch jemand?«

»Unbedingt«, antwortete Karl. »Fisch muss schwimmen. Am besten was Klares.«

»Wenn ihr einen Eierlikör habt?«, fragte Inge. »Charlotte bestimmt auch, oder?«

»Ich hole beides«, Maren stand auf, nachdem sie Robert einen Blick zugeworfen hatte. »Papa, du auch? Kannst du mitkommen, Robert, Gläser tragen?«

In der Küche angekommen, lehnte sie die Tür an. Robert strich ihr vorsichtig eine Haarsträhne aus dem Gesicht. »Es ist der Freund von deiner Freundin, oder?«, fragte er leise. »Den wir auf dem Fest getroffen haben.«

Maren nickte mit zusammengepressten Lippen. »Ja, ach Mensch, Rike hat immer nur Pech mit Männern gehabt, hat sich jahrelang auf nichts eingelassen, und jetzt endlich mal verliebt sie sich ...«

Beruhigend und wie selbstverständlich küsste Robert sie auf die Stirn. »Warte erst mal ab. Er stand vor dem Haus von Jutta Holler, na und? Das ist nicht strafbar und kann wirklich reiner Zufall sein. Und außerdem war er doch auf dem Fest mit euch. Dann kann er doch gar nichts damit zu tun haben.«

»Er kam erst um halb zehn«, presste Maren heraus. »Ich hasse so etwas.«

»Müsst ihr den Schnaps erst brennen?« Karls Stimme ließ sie auseinanderfahren. Er grinste, als er die Tür aufdrückte. »Störe ich? So, so, ihr Turteltauben. Nichts für ungut, Maren, aber Anna fragt, ob sie noch eine Tasse Kaffee haben kann.«

»Mach ich ihr«, Maren drehte sich zur Kaffeemaschine. »Wenn ihr die Gläser reinbringt.«

Karl grinste Robert breit an, bevor er ihm den Vortritt ließ.

Als Maren einen Moment später mit dem Kaffee zurückkam, war Karls Grinsen verschwunden. Stattdessen starrte er Anna ziemlich verärgert an. Und sie hielt seinem Blick ungerührt stand.

»Habe ich etwas verpasst?« Marens Blicke gingen zwischen den beiden hin und her. »Habt ihr gestritten?«

»Wir haben nicht, wir streiten noch«, knurrte Karl, ohne sie anzusehen. »Ich möchte wissen – das heißt: Ich möchte nicht nur wissen, ich denke, ich habe ein *Recht* darauf, zu wissen –, was es für eine Entwicklung in diesem Fall gibt. Und jetzt erzählt mir Anna, dass sie mir nichts erzählen darf. Mir! Steckst du jetzt mit Runge unter einer Decke, oder was?«

»Karl.« Annas Stimme klang besänftigend. »Ich muss dir doch nichts von Dienstvorschriften erzählen, wenn einer die kennt, dann bist du das doch. Ihr seid Zivilisten, unterbrich mich jetzt nicht, du auch, Karl. Ich kann euch doch nicht in laufende Ermittlungen einbeziehen, wie stellst du dir das vor?«

Inge sah zu Karl, dessen Gesicht rot angelaufen war. Das hatte er wirklich nicht verdient. Vorsichtig sagte sie: »Aber wir haben doch die ganze Zeit über den Fall gesprochen. Und ich habe Ihnen meine Funde gezeigt. Das ist doch nur gerecht, dass wir dann auch mal was erfahren.«

»Sie hat uns nur als Zeugen missbraucht!« Karl fuchtelte wütend mit dem Finger in Annas Richtung. »Wir machen anderer Leute Arbeit, und zum Dank wird man als Zivilist beschimpft.«

»Karl, bitte.« Der sanfte Onno hasste Streit und laute Stimmen. »Jetzt übertreib mal nicht.«

»Übertreiben?« Karl holte Luft. »Ich …«

Charlotte legte Karl ihre Hand auf den Arm. »Denk an deinen Blutdruck«, sagte sie leichthin. »Und im Übrigen argumentierst du schon so ähnlich wie Heinz. Und der kommt auch nie damit durch.«

»Karl, hör doch zu.« Auch Anna war um Schlichtung bemüht. »Ich habe dir schon gesagt, dass ich mich gefreut habe, dich zu sehen. Und dass du als Zeuge natürlich hervorragend bist. Trotzdem muss ich mich an die Vorschriften halten, es gibt kaum jemanden, der das besser wüsste als du. Ich kann dir nicht gestatten, Einblick in die Ermittlungen zu nehmen, ich muss mich in einem laufenden Verfahren bedeckt halten.«

Karl sah sie lange an. Dann atmete er tief durch und faltete seine Hände auf dem Tisch. »Gut«, sagte er mit plötzlich gelassener Stimme. »Ich will auch nicht, dass du Ärger bekommst. Dann werden wir sehen, ob du deinen Job kannst. Ich verlasse mich auf dich, Anna, die Einbrüche und der Tod von Jutta Holler müssen aufgeklärt werden. Und sie hängen miteinander zusammen, das sagt mir mein Instinkt. Also dann: Viel Glück.«

Inge hatte aufmerksam zugehört. Es war völlig klar, auf wessen Seite sie stand. »Also, ich hätte gern meinen Handschuh zurück. Das ist ein reißfester, ganz neu. Und wenn wir nur Zeugen sind, dann müssen wir der Polizei ja nichts schenken.«

Anna Petersen lächelte. »Den kriegen Sie zurück. Sobald das Labor sich das angesehen hat. Und, Karl, ich gebe alles. Sei unbesorgt. Und jetzt müsste ich mal so langsam ins Bett, es war ein langer Tag. Maren, könntest du mich ins Hotel fahren?«

»Ich werde dann auch mal aufbrechen.« Robert sah erst Maren und dann Anna an. »Ich habe morgen Frühdienst.«

Maren nickte. In ihrem Kopf herrschte ein riesiges Durcheinander. Robert, Rike und Andreas von Wittenbrink, der verärgerte Karl, sie war froh, dass sie dieser Runde jetzt entkommen konnte. An der Tür stehend, wartete sie ab, bis Anna und Robert sich angemessen bei Onno bedankt und von den anderen verabschiedet hatten, dann ging sie langsam zu ihrem Auto. Robert schloss sich ihnen an: »Ich kann doch das Fahrrad stehen lassen? Habe zu viel Wein getrunken. Nicht, dass mich noch jemand anhält ...« Nach einem kurzen Blick auf Maren stieg er hinten ein.

»Kein Problem. Das steht hier warm und trocken.« Maren bemühte sich um einen neutralen Ton.

»Das ist ja vielleicht eine Truppe«, in Annas Stimme schwang sowohl Belustigung als auch Sympathie, während sie sich auf dem Beifahrersitz anschnallte. »Ich kann Karl ja verstehen, aber wir müssen ihn tatsächlich ein bisschen bremsen. Runge hat sich heute Morgen furchtbar bei mir beschwert.«

Robert beugte sich von seinem Rücksitz nach vorn. »Was passiert denn jetzt mit diesem Architekten?«

Maren war froh, dass Robert die Frage gestellt hatte. Sie überlegte schon die ganze Zeit, ob sie Anna sagen sollte, dass sie ihn kannte, aber Rikes Gesicht schob sich immer wieder dazwischen. Sie atmete tief aus, Robert behielt wenigstens die Nerven, sie musste das erst mal sacken lassen.

»Wir fahren morgen früh mal zu der Baustelle und unterhalten uns mit ihm«, antwortete Anna leichthin. »Vielleicht gibt es einen Grund, dass er vor dem Haus stand, vielleicht auch nicht, vielleicht war er es gar nicht, das werden wir morgen schon herausfinden.«

»Und wenn er nicht da ist?«, fragte Robert.

Eine blöde Frage, dachte Maren, so blöde, dass sie sie nicht gestellt hätte. Dabei wusste sie die Antwort. Und sie war Polizistin.

»Er wird wahrscheinlich nicht da sein«, sagte sie leise. »Ich habe ihn zufällig kennengelernt. Und dabei mitbekommen, dass er bis Mittwoch in Hamburg ist.«

»Ach.« Erstaunt sah Anna sie an. »Aber lass uns darüber morgen früh reden. Wir fahren trotzdem erst mal zur Baustelle.« Sie drehte sich zu Robert um. »Der gefundene Schlüssel muss ins Labor, Fingerabdrücke, Faserspuren, machst du das bitte noch?«

Robert nickte und ging über das selbstverständliche »Du« hinweg. »Mach ich.«

Mittlerweile waren sie vor Annas Hotel angekommen. Sie stieg aus und beugte sich noch einmal in den Wagen. »Danke. Und bis morgen.«

Robert und Maren sahen ihr nach, bis sie im Hotel verschwunden war.

»Du darfst deiner Freundin nichts sagen«, meinte Robert leise, ohne Maren anzusehen. »Das weißt du.«

Maren nickte. »Ja. Ich weiß.« Sie drehte sich zu ihm um und strich über seine Wange. »Ich halte mich an die Vorschriften, versprochen.«

Er hielt ihren Finger fest und küsste ihn. »Ja. Ist wohl besser.«

Karl stieß sich von der Fensterbank ab und drehte sich zu den anderen. »So«, sagte er entschlossen. »Sie sind weg. Jetzt reden wir mal Klartext.«

»Und worüber?« Onno fing langsam an, die Teller und Schälchen zusammenzustellen. »Es ist doch alles klar. Deine Freundin Anna schweigt, aber Inge ist die weltbeste Zeugin.«

»Nun lass das doch mal stehen.« Karl nahm Onno die Teller aus der Hand und setzte sich wieder. »Wir folgen wieder Plan A. Der kurzfristig Plan B wurde, aber jetzt wieder Plan A ist.«

»Ich verstehe kein Wort.« Neugierig sah Charlotte ihn an. »Erzähl mal für Blöde. Was war warum und wann A und B?«

»Ganz einfach.« Karl stand wieder auf, ging in den Flur, holte eine Aktentasche und kam wieder zurück. Während er seine Notizbücher und verschiedene Folien mit eng beschriebenen Blättern auf dem Tisch ausbreitete, sprach er weiter. »Plan A war, dass wir uns nicht auf die Pfeife Runge verlassen und stattdessen selbst ermitteln. Für Gerechtigkeit und Sicherheit auf dieser Insel. Als ich gestern Abend Anna Petersen traf und erfuhr, dass sie jetzt die Ermittlungen leitet, ging ich davon aus, dass wir ihr unsere kompletten Ergebnisse übergeben können und sie dann unsere Arbeit zu Ende bringt. Das bezeichne ich als Plan B. Aber jetzt, nach diesem Gespräch, kann ich nicht mehr auf sie zählen. Es kann ja nicht angehen, dass wir die Arbeit machen und sie die Lorbeeren kassiert. Und uns behandelt wie einfache Zivilisten, die keine Ahnung haben.«

»Na ja«, Onno hatte die Hand gehoben. »Wir sind aber ...«

»Unterbrich mich bitte nicht. Ich habe jedenfalls Informationen, die ich heute nicht an Anna Petersen weitergegeben habe. Im Gegensatz zu Inge, die ja alles, was sie wusste, rausgehauen hat. Anstatt erst mal abzuwarten.«

»Ich konnte ja nicht wissen, dass das so endet«, verteidigte sich Inge. »Du hast gesagt, sie gehört zu uns.«

Karl winkte ab. »Vergiss es. Das Kind ist in den Brunnen gefallen. Aber es ist ja nicht so, dass wir keine anderen Asse im Ärmel haben.«

Er zog einen Bogen Papier aus einer Folie und wedelte damit vor Inges Nase herum. »Manchmal ist es ganz gut, dass ich euch nicht gleich alles erzähle. Also, ich habe heute Morgen Eva Geschke besucht. Und jetzt haltet euch fest: Sie hat ihr Haus verkauft.«

Charlotte, Inge und Onno sahen ihn abwartend an. Schließlich zuckte Charlotte mit den Achseln. »Und?«

Karl sah sie lange an. »Sie hat mir erzählt, dass sie sich seit dem Einbruch unwohl gefühlt hat, sie mochte nicht mehr in dem Haus wohnen. Jetzt zieht sie aufs Festland. Und ratet, wer ihr bei dem Verkauf maßgeblich geholfen hat?«

Er bekam keine Antwort.

»Leute, konzentriert euch. Welcher Name könnte fallen, um bei mir einen Denkprozess in Gang zu setzen? Charlotte, du hast die Protokolle geschrieben.«

Nachdenklich tippte Charlotte mit dem Zeigefinger an ihre Lippen. Plötzlich erhellte sich ihre Miene. »Gero Winter?«

»Korrekt.« Karl nickte lobend. »Und daraufhin bin ich bei Gisela vorbeigefahren. Und habe sie mit dem Namen konfrontiert. Und sie hat das bestätigt. Der hat auch bei ihr angerufen.«

»Zu mir hat sie gesagt, es wäre ein Name mit M«, wandte Charlotte ein. »Ich habe sie doch gefragt.«

»Du hast ihr aber nicht den Namen genannt. Und von selbst wäre sie nicht darauf gekommen. M – W, das ist ja ähnlich. So, und was folgt daraus?«

»Es gibt da eine Verbindung«, sagte Onno nachdenklich. »Er kam in Giselas Geschichte vor, in Helgas, also Helga Simons, und jetzt hier. Das kann aber auch Zufall sein.«

»Kann«, bestätigte Karl. »Muss aber nicht. Wir sollten

uns den jungen Mann mal näher anschauen. Und ich habe einen genialen Plan geschmiedet.«

»Das ist aber unser Plan, oder?«, wollte Inge wissen. »Also, das machen wir wieder alleine?«

»Selbstverständlich«, Karl sah entschlossen in die Runde. »Ab jetzt wieder Plan A. Es war Annas Entscheidung. Sie hatte es in der Hand. Also passt auf …«

Mit einem triumphierenden Gesichtsausdruck stand Maren an Annas Schreibtisch. »Bingo«, sagte sie und legte ihr einen Ausdruck auf den Tisch. »Ich habe das Kennzeichen des weißen Porsches eingegeben, und Sie ..., du wirst es nicht glauben. Der Wagen ist zugelassen auf den Namen Manfred Wagner, wohnhaft in Berlin mit Zweitwohnsitz in Kampen. Am Sonntagmorgen um 1 Uhr 30 wurde der Wagen im Rahmen einer Alkoholkontrolle in Kampen angehalten. Der Fahrer war nicht der Halter, sondern Karsten Baum, Architekt und auch wohnhaft in Berlin. Er ist mit dem Halter verschwägert. Der Alkoholtest hat eins Komma neun Promille ergeben, die Kollegen haben den Wagen an der Feuerwache in Kampen abgestellt. Was machen wir?«

Anna hatte den Ausdruck überflogen. »Sehr gut«, sagte sie. »Dann sehen wir uns Frau Hollers letzten Liebhaber doch mal an.«

Die Ampel sprang auf Grün und Maren fuhr nach links in Richtung Wenningstedt und Kampen. Anna war in eine Akte vertieft, die sie jetzt zuschlug. »Ich bin gespannt, was er erzählt«, sagte sie und sah aus dem Fenster. »Eins Komma neun Promille in dem Porsche seines Schwagers. Da wird der Haussegen jetzt wohl etwas schief hängen.«

Sie schwiegen, bis sie den Ortseingang von Kampen erreicht hatten. Maren verlangsamte die Geschwindigkeit und warf einen Blick auf die Feuerwache. Sofort bremste sie ab. »Seltsam«, wunderte sie sich. »Ich dachte, der Wagen wurde hier abgestellt. Ich sehe ihn aber nicht.«

Anna beugte sich vor, um an Maren vorbeisehen zu können. »Ich auch nicht. Und so ein weißer Porsche ist eigentlich nicht zu übersehen. Okay. Dann auf zum Hans-Hansen-Wai.«

Maren gab Gas.

Ein paar Minuten später verlangsamte sie die Geschwindigkeit erneut und hielt Ausschau nach der Hausnummer. »Da ist es«, sagte sie und lenkte den Wagen in eine Parkbucht vor dem Haus. »Und da ist auch der Wagen.«

Vor dem weißen Reetdachhaus stand ein Mann vor der geöffneten Tür des Porsches und stellte eine Reisetasche hinein. Als Anna und Maren auf ihn zugingen, ließ er die Tür zufallen und schloss ab.

»Herr Baum?« Anna beschleunigte ihre Schritte, als sie sah, dass er sich zum Haus wandte. »Einen Moment, bitte.«

Er drehte sich zu ihnen um und sah sie genervt an. »Was wollen Sie?«

Seine Augen waren gerötet, seine feuchten Haare streng zurückgekämmt. Er trug eine Jeans und eine Lederjacke, die Uhr war etwas zu protzig, der lässig geknotete Schal zu bunt. »Machen Sie es kurz. Mein Bedarf an Polizei ist für den Moment gedeckt.«

Anna musterte erst ihn, dann den Wagen – und zückte schließlich ihren Dienstausweis, den er keines Blickes würdigte. »Anna Petersen, Kripo Flensburg. Wie ist denn der Wagen hierhergekommen?«

»Hat ein Kumpel geholt.« Er sah über sie hinweg. »Noch was?«

»Wollen Sie abreisen? Und fährt dieser ›Kumpel‹ Sie auch nach Hause? Weil Sie ja nicht mehr fahren dürfen?«

Karsten Baum schob seine Hände in die Jackentaschen und wippte auf den Zehenspitzen. Mit sarkastischem Grinsen fragte er: »Hat die Kripo nichts anderes zu tun, als Alkoholsünder zu kontrollieren? Ist Ihnen das nicht zu blöd?«

»Nein.« Anna ließ sich nicht aus der Ruhe bringen. »Im Gegenteil. Das ist immer so schön einfach. Wann haben Sie Jutta Holler das letzte Mal gesehen?«

Jetzt war sein Gesichtsausdruck überrascht. »Jutta Holler? Was hat die denn mit dem Auto zu tun?«

»Nichts.« Anna blieb gelassen. »Also noch mal: Reisen Sie ab?«

Im Nachbarhaus öffnete sich die Haustür. Eine Frau ging langsam zum Zaun und tat so, als würde sie etwas aus dem Briefkasten holen. Ihr neugieriger Blick war unverhohlen auf Anna, Maren und den Polizeiwagen gerichtet. Karsten Baum hatte sie gesehen und sagte jetzt: »Können wir das im Haus besprechen?«

Anna nickte: »Sicher. Wir folgen Ihnen.«

Er führte sie in ein großzügiges Wohnzimmer, Designermöbel, Teppiche, Bilder, alles sehr geschmackvoll eingerichtet. In der angrenzenden offenen Küche deutete Baum auf zwei unbequeme Hocker. »Kaffee?«

»Nein, danke«, Anna lehnte sich an die Arbeitsplatte. »Also: Wann haben Sie Jutta Holler das letzte Mal gesehen?«

Karsten Baum hantierte ungeschickt an der überdimensionierten Espressomaschine herum, bekam sie nicht in Betrieb und gab es schließlich auf. Mit einem Glas Wasser in der Hand lehnte er sich an den Schrank, Anna gegenüber. Maren beobachtete die Szene von der Tür aus. »Was soll diese Frage? Hat Jutta mich angezeigt? Die hat es gerade nötig, die schluckt doch selbst ganz gern. Und viel.« Er wurde vom Klingeln des Telefons unterbrochen und nahm den Hörer, der hinter ihm lag, auf. »Ja, was ist? ... Nein, es ist nichts passiert ... Kein Einbruch, nein, sagte ich doch ... Nur eine Zeugenbefragung ... Kümmern Sie sich doch um Ihren eigenen Kram ... Ja, Sie mich auch.«

Er ließ das Telefon auf die edle Spüle fallen. »Die Nachbarin«, sagte er mit einem arroganten Lächeln. »Gattin eines Richters, wollte wissen, was die Polizei in dieser vornehmen Straße macht. Wahrscheinlich hat sie Schiss, dass ihre Millionenvilla als Nächstes ausgeraubt wird. Aber jetzt wird sie es gleich allen erzählen, blöde Ziege.«

»Das Haus gehört Ihrem Schwager?« Anna stellte es mehr fest, als dass sie fragte. Karsten Baum nickte. »Und meiner Schwester. Die diesen reichen, alten Sack geheiratet hat. Aber ihr verkommener Bruder darf hier ab und zu wohnen. Das ist die Wiedergutmachung dafür, dass er mich aus seinem Scheißarchitektenbüro geschmissen hat. Ich hatte sowieso keinen Bock mehr, für diesen Spießer zu arbeiten. Dafür mache ich jetzt umsonst Urlaub, fahre Porsche, bis gestern Abend jedenfalls, und gehe meinem Schwager gehörig auf den Sack. Er kocht jedes Mal vor Wut, aber meine Schwester pflegt einen ausgeprägten Familiensinn. So, und was wollen Sie jetzt? Mich abholen und aufs Revier bringen, damit ich mich entschuldige, dass ich ein paar Biere getrunken habe, bevor ich in die Scheißkarre gestiegen bin?«

»Ich möchte immer noch wissen, wann Sie Jutta Holler zuletzt gesehen haben.«

Maren war beeindruckt, wie souverän Anna Petersen

mit diesem arroganten Blödmann umging. Karsten Baum sah sie verständnislos an, ob es wieder am Alkohol oder an seiner auch sonst nicht sehr regen Hirntätigkeit lag, er schien nicht zu kapieren, dass Anna tatsächlich eine Antwort von ihm wollte. Stattdessen drehte er sich um und kippte den Rest des Wassers schwungvoll in die Spüle. Mit dem Rücken zu Anna sagte er: »Was haben Sie denn mit Jutta? Ich habe keine Ahnung, Samstagvormittag, -nachmittag, was weiß ich? Wen interessiert das denn jetzt?«

Maren musterte ihn. Er war erheblich jünger, als er aussah. Sie hatte seine Personalien im Protokoll gesehen. Er war gerade fünfzig geworden und somit als letzter Liebhaber von Jutta Holler tatsächlich fünfzehn Jahre jünger als sie. Maren fragte sich, ob das inzwischen ein Trend war, mit dem nur sie ein Problem hatte.

Annas Frage lenkte sie von ihren Gedanken ab. »Sie hatten mit Jutta Holler eine Beziehung?«

»Beziehung?« Er grinste zynisch. »Wenn Sie es als Beziehung bezeichnen, dass man ab und zu zusammen in die Kiste steigt. Und sich hin und wieder ein Essen bezahlen lässt. Dann ja.« Jetzt stutzte er und starrte sie an. Eine steile Falte erschien über seiner Nasenwurzel. »Was sollen diese Fragen? Was hat das denn mit meinem Führerschein zu tun?«

Anna starrte zurück. »Herr Baum, wo waren Sie am Samstag zwischen achtzehn und zwanzig Uhr?«

»Was?« Er schnappte nach Luft. »Um was geht es hier eigentlich?«

»Würden Sie mir bitte meine Frage beantworten?«

»Keine Ahnung.« Er fuhr sich mit der Hand durch die Haare. Die vorher so streng zurückgekämmte Pracht stand jetzt in alle Richtungen ab. »Warum, verdammt?«

»Jutta Holler ist tot.« Anna fixierte ihn mit ihrem Blick.

»Und ich möchte wissen, wo Sie am Samstag zwischen achtzehn und zwanzig Uhr waren.«

Karsten Baum war kreideweiß geworden. Er öffnete den Mund, schloss ihn wieder, überlegte einen Moment, dann sagte er: »Ich möchte meinen Anwalt anrufen.«

»Machen Sie das«, antwortete Anna und deutete auf das Telefon, das hinter ihm lag. »Und so lange warte ich dann auf Ihre Antwort. Ansonsten würde ich Sie vorläufig festnehmen.«

Er starrte sie an, fuhr sich wieder durch die Haare und griff zum Telefon. Er drückte nur einmal, entweder war der Anwalt gespeichert oder er benutzte die Wahlwiederholung. Nach wenigen Augenblicken hatte er eine Verbindung.

»Thomas, ich bin es, Karsten. Hör zu, ich habe ein Problem. Hier steht jemand von der Kripo, am Samstag ist eine Frau ums Leben gekommen, die ich …, wie soll ich sagen, flüchtig oder vielleicht ein bisschen mehr kannte. Die wollen jetzt wissen, wo ich war.«

Er hörte einen Moment zu, dann sagte er: »Ja, schon … Ja, natürlich, aber das muss ja nicht bekannt werden. Kannst du nicht …?«

Die Antwort kam so laut, dass sowohl Maren als auch Anna es hören konnten: »Bist du bescheuert? Sag es ihnen. Oder gib mir mal die Beamtin.«

Karsten Baum reichte Anna den Hörer. Sie hatte sich kaum vorgestellt, als der Anwalt schon anfing. »Ist mein Mandant verdächtig? Oder geht es um eine Zeugenaussage?«

Anna blieb gelassen. »Das müssen Sie schon uns überlassen. Ich möchte lediglich wissen, wo sich Herr Baum am Samstagabend aufgehalten hat. Mehr nicht. Ich weiß nicht, wo das Problem liegt.«

»Stellen Sie doch bitte mal das Telefon auf Lautsprecher.«

Anna drückte die Taste und hörte überrascht, dass der Anwalt sagte: »Karsten, du gehst jetzt mit der Polizei zu Eva, ich hoffe, dass sie da ist. Ich gehe davon aus, dass die Kripo die Sache diskret behandelt. Dann ist der Verdacht sofort ausgeräumt. Du kommst sonst vor lauter Diskretion in ein Strafermittlungsverfahren. Das fehlt noch. Ruf mich später an.«

Er legte auf und Anna und Maren sahen Baum abwartend an. Er atmete lang aus, dann sagte er: »Mein Anwalt weiß Bescheid, ich musste ihn ja Sonntagmorgen wegen dieser Führerscheinsache anrufen. Und er wollte wissen, wo ich war. Ich war mit einer Frau zusammen, wir haben erst in Hörnum gegessen, auf dem Tisch da liegt noch die Visitenkarte von dem Restaurant, und waren danach bei ihr. Ich bin von da aus in diese Scheißkontrolle gefahren.«

»Gut.« Anna nickte. »Dann fragen wir sie doch einfach, ob sie das bestätigen kann. Wo wohnt sie denn?«

Karsten Baum zögerte einen Moment, bevor er antwortete. »Drei Straßen weiter. Aber sie wird es vermutlich abstreiten. Sie … sie ist mit dem Geschäftspartner und besten Freund meines Schwagers verheiratet.«

Maren grinste innerlich. Sie mochte keine Klischees, trotzdem war das eine Geschichte, die man eher in Realityshows der privaten Fernsehsender sah. Die Dramen der Schönen und Reichen. Sie steckte die Visitenkarte des Nobelrestaurants ein.

Anna wandte sich zur Tür. »Sie begleiten uns, Herr Baum. Und dann schauen wir mal, was sie sagt.«

Das große Anwesen lag tatsächlich fast um die Ecke. Umso dämlicher fand Maren die Tatsache, dass Karsten

Baum am Sonntagmorgen diesen kurzen Weg betrunken gefahren war. Vermutlich hatte er es riskanter gefunden, den Wagen sichtbar über Nacht stehen zu lassen. Was für ein blöder Fehler.

Sie blieben vor dem schmiedeeisernen Tor stehen, und Anna wies auf die Klingel. »Bitte, Herr Baum. Und hoffen Sie, dass Frau …, wie heißt sie?«

»Eva Hoffmann.«

»Dass Frau Hoffmann zu Hause ist. Dann sind Sie uns gleich wieder los.«

Karsten Baum drückte auf den Klingelknopf, Sekunden später erklang eine Stimme: »Ja?«

»Eva, ich bin es, machst du mal auf?«

Der Summer ließ das Tor aufspringen, Anna folgte Karsten in kurzem Abstand.

»Was machst du …?« Die Frau, die in der offenen Tür stand, sah nicht so aus, als freue sie sich über diesen Besuch. Sie trug knappe Shorts, ein Trägerhemd, ihre Haare waren hochgesteckt. Als sie Anna und Maren bemerkte, zuckte sie zusammen. »Was soll das? Ist was passiert?«

Anna ging an Karsten Baum vorbei, Maren blieb neben ihm stehen, um zu verhindern, dass er Eva Hoffmann irgendwelche Zeichen gab. Es war nicht nötig, Eva Hoffmann würdigte ihn keines Blickes. Stattdessen sah sie Anna entgegen, die ihren Ausweis zeigte und sagte: »Frau Hoffmann, mein Name ist Petersen, Kripo Flensburg. Ich ermittle in einem Todesfall und möchte wissen, wo Sie am Samstagabend zwischen achtzehn und zwanzig Uhr waren.«

»Ich?« Sie war völlig perplex. »Wie kommen Sie auf mich? Ich war mit Freunden essen.«

»Mit Freunden?«, fragte Anna nach. »Oder mit Herrn Baum?«

»Mit Freunden«, wiederholte sie mit Nachdruck. Karsten Baum trat einen Schritt vor. »Eva, das stimmt doch nicht. Wir waren ...«

»Bitte, Herr Baum«, Maren hielt ihn am Arm fest. Anna warf ihm einen kurzen Blick zu, dann fixierte sie Eva Hoffmann. »Sie wissen, dass eine Falschaussage strafbar ist? Also noch mal: Wo waren Sie am Samstag zwischen achtzehn und zwanzig Uhr?«

Wütend starrte Eva Hoffmann Karsten an. »Was hast du mit solchen Sachen zu tun? Was erzählst du denn? Mein Mann kommt jeden Augenblick, was soll das?«

»Dann machen wir es ganz kurz.« Anna trat einen Schritt auf sie zu. »Ich möchte die Adressen Ihrer Freunde, dann ist alles gut. Wenn Sie sich sicher sind, dass das die richtige Antwort war.«

Plötzlich ließ Eva die Schultern sinken. »Ich war mit Karsten in Hörnum essen. Und anschließend hier. Bis kurz vor eins. Bitte, mein Mann darf das nicht erfahren, können Sie das bitte diskret behandeln? Ich will diese Affäre sowieso beenden.« Sie sah Anna flehend an. Die trat einen Schritt zurück und nickte.

»Ich versuche es, Frau Hoffmann. Aber ich muss Sie bitten, morgen noch bei uns vorbeizusehen und ein Protokoll zu unterschreiben.«

»Muss das sein?«

Genau in diesem Moment hörte man, wie sich das Tor der Auffahrt öffnete. Ein dunkelblauer Jaguar rollte auf das Haus zu. Anna sah kurz hin, dann wieder auf Eva Hoffmann. »Ja. Das muss sein. Also, dann noch einen schönen Tag. Herr Baum, Ihnen natürlich auch.«

Sie ging neben Maren zurück zum Tor, nickte dem grau melierten Mann zu, der gerade mit verwundertem Gesicht aus dem Jaguar stieg, dann verließen sie das Grundstück.

»Autsch«, sagte sie leise zu Maren. »Da bin ich aber gespannt, wie diskret die beiden dem Herrn Hoffmann unsere Anwesenheit erklären werden.«

»Aber Karsten Baum ist raus«, stellte Maren fest. »Oder?«

Anna nickte. »Davon gehe ich aus. Der hat sich mit seiner Geliebten die Kante gegeben. Ruf sicherheitshalber noch mal in dem Restaurant in Hörnum an, man braucht da immer eine Reservierung. Aber wir können uns jetzt den Nächsten vornehmen. Diesen Architekten, den Frau Müller in der Zeitung erkannt hat. Du hast gesagt, du hast ihn kennengelernt? Erzähl doch mal.«

»Kennengelernt?« Maren war als Erste am Auto angekommen und öffnete die Tür. Während sie sich anschnallte, sah sie wieder Rikes strahlendes Gesicht vor sich. Maren schloss kurz die Augen, wartete, bis auch Anna eingestiegen war, und sagte: »Kennengelernt ist übertrieben. Meine Freundin arbeitet bei einem Allgemeinarzt in Westerland, er war dort als Patient. Ich habe auf dem Sommerfest kurz mit ihm gesprochen.«

»Weißt du denn mehr über ihn als in der Zeitung steht?« Anna sah sie neugierig an.

»Nee. Ich weiß auch nur, dass er der leitende Architekt dieser neuen Hotelanlage ist, aus Hamburg kommt und schon mehrere Preise für seine Bauten bekommen hat.« Maren gab sich Mühe, ihre Stimme fest klingen zu lassen. »Und dass meine Freundin Rike ihn sehr sympathisch findet.« Sie fand, dass das diplomatisch genug ausgedrückt war.

Anna nickte. »Du bist also nicht befangen.« Sie stellte es mehr fest, als dass sie fragte, Maren antwortete nicht. Anna warf ihr einen kurzen Blick zu, bevor sie sagte: »Wir können uns nachher mal die Baustelle ansehen. Vielleicht gibt es eine ganz einfache Erklärung, warum Frau Müller ihn in ihrer Straße gesehen hat. Ich habe Benni übrigens gebeten, von Wittenbrink durch den Computer laufen zu lassen. Wir fahren jetzt erst mal zurück aufs Revier.«

Maren hielt vor einer roten Ampel und sah aus dem Fenster. Vor einem Lokal standen gut gelaunte Gäste und tranken Champagner. Um elf Uhr morgens. Das Leben konnte auch leicht sein.

»Grüner wird's nicht«, Anna grinste, und Maren richtete den Blick sofort wieder auf die Straße. »Sorry. Sag mal, soll ich dich denn nachher auch noch auf die Baustelle begleiten? Dann müsste ich das vielleicht doch mal mit Runge absprechen.«

»Das habe ich schon«, antwortete Anna munter. »Ich habe dich sozusagen für meine Ermittlungen abgezogen, ihm blieb gar nicht viel anderes übrig, als dem zuzustimmen. Aber bei der Atmosphäre zwischen Karl und ihm halte ich es für besser, dass Karls Patentochter aus der Schusslinie ist. Und ich finde, mit uns läuft das doch auch ganz gut so. Oder?«

»Alles bestens«, Maren lächelte. »Danke.«

Sie hoffte nur inständig, dass es tatsächlich eine ganz einfache Erklärung dafür gab, dass der preisgekrönte Architekt vor dem Haus von Jutta Holler gestanden hatte. Oder, dass es nur eine blöde Verwechslung war.

Nervös faltete Charlotte die Serviette in immer klei-
nere Dreiecke und sah dabei alle zwei Minuten auf
die Uhr. Wo blieben Inge und Karl denn bloß? Dieses
Warten machte sie ganz verrückt, wenn es noch länger
dauerte, würde sie dieses Vorhaben abblasen. Vermutlich
war es sowieso eine bescheuerte Idee und sie kämen alle in
Teufels Küche und danach aufs Polizeirevier. Und an das
nachfolgende Gespräch mit Heinz mochte sie gar nicht
denken.

»Charlotte, wir sind da!«, erklang Inges fröhliche Stimme durch den Garten. »Jetzt geht's los!«

Charlotte sprang auf und ging ihr entgegen. »Na, endlich. Ich sitze hier wie auf Kohlen. Wo ist Karl?«

»Der schließt noch sein Fahrrad ab.« Inge deutete in
die Richtung, aus der sie gerade gekommen war. »Und
außerdem haben wir gesagt, dass wir um zwölf hier sind,
und jetzt ist es gerade mal acht Minuten nach.«

»Aber sonst bist du immer zu früh«, Charlotte war
nicht zu beruhigen. »Der Termin ist um halb zwei und
wir müssen vorher doch alles noch mal durchgehen. Das
hatten wir verabredet. Und um eins müssen wir losfahren.
Ihr kommt wirklich auf den letzten Drücker.«

»Entspann dich«, versuchte Inge, sie zu besänftigen.
»Setz dich wieder hin, trink ein Wasser und atme tief
durch. Da ist Karl ja schon.«

»Hallo, Charlotte«, mit einem breiten Lächeln und erhobenen Armen kam Karl auf sie zu. »Na? Nervös vor dem großen Auftritt?«

Inge fuhr sich hinter Charlottes Rücken mit den Fingern über die Kehle und schickte ihm einen bösen Blick, bevor sie schnell sagte: »Oh, wie schön, Lachs- und Krabbenbrötchen. Setz dich hin, Karl, ich habe Hunger.«

»Gern«, sofort setzte er sich an den Tisch und griff zu. »Sehr gute Idee. Mit leerem Magen kann man keine Leistung bringen. Was ist, Charlotte? Du guckst so komisch?«

»Ich bin mir nicht sicher, ob wir …«

Inge unterbrach sie sofort. »Doch, wir sind uns sicher. Wieso bist du jetzt so nervös? Wir machen das doch zusammen, es ist alles durchgesprochen.«

»Nervös?« Karl schüttelte den Kopf und beugte sich zu Charlotte. »Es gibt überhaupt keinen Grund, nervös zu sein. Ich warte vor dem Gebäude auf euch, das heißt, euch kann doch gar nichts passieren. Es ist ein genialer Plan, das muss ich an dieser Stelle mal sagen, auch wenn er von mir ist. Kinderleicht umzusetzen, das wirst du sehen. Also, jetzt reiß dich zusammen, es geht um das große Ganze. Wir greifen an. Wenn wir es nicht tun, dann geht das Grauen weiter.«

Unbewegt sah Charlotte ihn an. Dann biss sie entschlossen in ein Krabbenbrötchen. Sie kaute langsam und schluckte, bevor sie Inge und Karl wieder ansah. »Dann los«, sagte sie schließlich. »Lass es uns noch mal durchgehen.«

Vor dem Gebäude stand eine Bank, auf der Karl Position bezog. Er setzte sich zurecht und hob einen Daumen, erst dann nickten Charlotte und Inge sich zu und wandten sich zum Eingang.

»Okay«, sagte Charlotte und strich ihre Jacke glatt. »Inge, wenn ich ohnmächtig werde, gib mir die Kreislauftropfen aus der Seitentasche.« Ohne die Antwort abzuwarten, drückte sie die Eingangstür auf.

»Guten Tag«, sie sah die junge Frau am Schalter fest an. »Mein Name ist Schmidt. Ich habe um dreizehn Uhr dreißig einen Termin mit Herrn Winter.«

Die Frau nickte lächelnd. »Einen kleinen Moment, Frau Schmidt, ich melde Sie kurz an.« Mit dem Hörer am Ohr warf sie einen Blick auf Inge, dann sagte sie: »Gero, Frau Schmidt ist jetzt da. Danke.« Sie legte auf und lächelte wieder. »Er holt Sie sofort. Möchten Sie solange da vorn Platz nehmen?«

»Wie lange braucht der denn hierher, dass wir erst noch Platz nehmen müssen?«, flüsterte Inge, während sie langsam auf die Sitzgruppe zugingen. »Und kaum sitzt man, dann kann man sich schon wieder hochrappeln. Bis jetzt machst du das übrigens sehr gut.«

»Pst«, Charlotte nahm auf dem unbequemen Ledersessel Platz. »Keine Kommentare.«

Wenige Minuten später kam ein blonder, sportlicher, junger Mann die Treppe heruntergeeilt.

»Frau Schmidt?« Er reichte Inge strahlend die Hand, die sie gleich ergriff und schüttelte, bevor sie antwortete: »Nein, Müller, ich bin Frau Müller, Frau Schmidt ist meine Schwägerin, ich unterstütze sie nur.«

»Ach«, sein Lächeln wurde erst schmaler, dann wieder breiter, als er sich Charlotte zuwandte. »Dann müssen Sie Frau Schmidt sein, sehr erfreut, Gero Winter, wir haben telefoniert. Ja, meine Damen, darf ich Sie bitten, mir zu folgen? In meinem Büro wartet schon eine schöne Tasse Kaffee auf uns. Ich gehe vor?«

Er marschierte auf einen Fahrstuhl zu, Inge beugte sich

zu Charlotte und flüsterte: »Müssen wir uns die teilen, diese schöne Tasse Kaffee?«, und kicherte. Charlotte stieß ihr den Ellenbogen in die Rippen und sah sie böse an. »Reiß dich zusammen.«

Sie hoffte, dass Inge das schaffte. Immer, wenn sie log, wurde sie albern und fing an zu stottern. Sie durften es nicht verderben.

Das Büro von Gero Winter war im zweiten Stock. Er öffnete die Tür und ließ Charlotte und Inge den Vortritt. »Bitte«, er deutete auf einen Glastisch, um den vier Stühle gruppiert waren. »Nehmen Sie doch Platz.«

Er schenkte Kaffee aus einer silbernen Thermoskanne ein, es hatte zum Glück jede eine eigene Tasse, schob den Schreibblock vor sich ein Stück zur Seite, faltete seine Hände auf dem Tisch und sah beide Frauen freundlich an. »Wie kann ich Ihnen behilflich sein?«

»Ja, also …«, Charlotte hielt zunächst ihren Blick auf Inges Hände gerichtet, die umständlich versuchten, den Deckel des kleinen Milchdöschens aufzureißen. Als sie es geschafft hatte, wischte Charlotte mit dem Finger einen Tropfen von ihrem Ärmel und hob den Kopf. »Also, ich habe am Telefon ja schon kurz gesagt, um was es geht. Wissen Sie, mein Mann ist seit ein paar Tagen verreist. Und jetzt sind doch diese Einbrüche passiert. Unter anderem auch bei einer engen Freundin von uns. Meine Schwägerin Inge und ich haben ihr beim Aufräumen geholfen und sie natürlich auch trösten müssen, nicht wahr, Inge?«

»Ja.« Inge nickte, während sie am Verschluss des nächsten Aludeckels zerrte. »Stimmt.«

»Die Einbrüche«, Gero Winter nickte verständnisvoll. »Das ist wirklich eine schlimme Sache. Und davon ist auch eine Freundin von Ihnen betroffen? Das ist ja furchtbar.«

»Ja«, Charlotte legte ihre Hand an die Wange, um zu fühlen, ob ihr Gesicht schon heiß wurde. Es ging noch. Sie ließ die Hand wieder sinken. »Jedenfalls gehen mir seitdem so viele Gedanken durch den Kopf. Mein Mann und ich sind nicht mehr die Jüngsten, die Insel verändert sich, unsere Kinder wohnen in Hamburg, es wäre alles einfacher, wenn wir dichter dran wären. Und dann, Herr Winter, dann ist dieser Einbruch in Wenningstedt passiert. Der, bei dem die Eigentümerin ums Leben gekommen ist. Und seitdem kann ich nicht mehr ruhig schlafen, weil ich dauernd Geräusche im Haus höre. Ich werde noch ganz verrückt. Ich bin ja im Moment allein im Haus.«

Gero Winter beugte sich ein bisschen vor und legte den Kopf schief. »Das kann ich gut verstehen, Frau Schmidt. Man fühlt sich plötzlich nicht mehr sicher in seinem eigenen Zuhause, das kann natürlich zu einer großen Verunsicherung führen.«

Inge hatte den Deckel mit Gewalt abgerissen, der Inhalt ergoss sich über den Tisch. »Oh, Entschuldigung«, sagte sie und holte ein Tempo aus der Tasche. »Die sind aber auch blö… blöde, diese Kaffeesahnetöpfchen. Erzähl weiter, Charlotte, du hast also Angst im … im Haus.« Sie tupfte die Milch von der Glasplatte.

»Genau.« Charlotte faltete ihre Hände. »Und deshalb habe ich überlegt, ob wir das Haus nicht besser verkaufen sollten. Ich habe neulich von einer Bekannten gehört, dass Sie sich mit so was auch auskennen. Also, das heißt, ich müsste natürlich wissen, was man so ungefähr dafür bekommen könnte, weil wir uns ja eine Wohnung oder ein kleines Haus in Hamburg kaufen müssten. Können Sie mir das ungefähr sagen? Also, den Preis?«

Gero Winter lächelte sie an. »Tja, Frau Schmidt, das kann ich natürlich nicht so ad hoc sagen, das wäre auch nicht seriös. Aber ich kann mir das Haus gern mal ansehen, ich habe Erfahrung mit den Preisen, die man mit Immobilien auf der Insel erzielen kann. Wir finanzieren ja auch einen großen Teil der Haus- und Wohnungskäufe hier. Und Ihr Mann sieht das genauso wie Sie?«

»Mein Mann?« Charlotte zuckte die Achseln. »Mein Mann ist nicht der große Entscheider vor dem Herrn. Bei ihm muss immer erst was passieren, bevor er etwas ändert. So ist er nun mal. Aber ich habe keine Lust, auf einen Einbruch zu warten und erst dann zu überlegen, ob ich noch gern hier wohne. Ich schlafe ja jetzt schon schlecht. Und deshalb habe ich mir überlegt, jetzt, wo mein Mann mit meinem Schwager verreist ist, schon einmal ein Gespräch mit Ihnen zu führen. Dann bin ich vorbereitet, wenn Heinz, also mein Mann, zurückkommt, und kann ihm Preise, Fakten und Vorgehensweise vorlegen. Damit kriege ich ihn rum. Er braucht Argumente – Gefühle sind ihm egal.«

Gero Winter sah sie irritiert an, Charlotte überlegte, ob sie zu dick auftrug, und suchte den Blickkontakt mit Inge. Aber die hielt den Blick gesenkt und pulte schon am Verschluss des dritten Milchdöschens.

»Ja, Frau Schmidt«, begann Gero Winter und zog den Schreibblock wieder zu sich heran. »Es ist immer vernünftig, beizeiten Informationen einzuholen, wenn man seine Immobilie veräußern möchte. Ich darf Ihnen an dieser Stelle sagen, dass es momentan überhaupt kein Problem ist, ein Haus auf Sylt zu verkaufen. Es gibt viel mehr Anfragen als Angebote. Natürlich muss man sich einen seriösen Partner suchen, aber Sie können sich darauf verlassen, dass Sie sich richtig entschieden haben, zunächst mit mir zu sprechen. Haben Sie denn jetzt Unterlagen dabei? Grundrisse, Fotos, irgendetwas, womit ich mir ein Bild machen kann? Ich muss mir das Objekt natürlich auch noch selbst anschauen, aber so hätte ich schon mal einen ersten Eindruck.«

Inge hatte inzwischen das vierte Milchdöschen geöffnet und fing endlich an, ihren Kaffee umzurühren. Dabei lächelte sie Gero Winter an, der mit dem Taschentuch Milchreste von seinem Schreibblock wischte.

»Natürlich«, Charlotte öffnete ihre große Handtasche und nahm einen Umschlag mit einem Stapel Fotografien heraus. »Also, Bilder habe ich jede Menge, von hinten, von vorn, von der Seite, von innen, mit Familie, ohne Familie, die können Sie sich alle ansehen. Die Grundrisse habe ich jetzt nicht dabei, aber wenn Sie sowieso noch vorbeikommen, kann ich sie Ihnen dann ja geben.«

Gero Winter betrachtete das erste Foto. Charlotte beugte sich sofort nach vorn und tippte mit dem Finger darauf. »Das ist mein Mann, hier rechts meine Tochter Christine, da war die noch richtig dünn, daneben mein Sohn Georg. Der hat aber heute weniger Haare.«

Gero Winter nickte, steckte das Foto hinter den Stapel, schaute auf das nächste.

»Der Mann im karierten Hemd ist Walter, mein Schwager, daneben Inge, also Frau Müller … Inge, wann war das denn noch mal? Diese rote Jacke hast du doch gar nicht mehr?«

Bevor Inge antworten konnte, hob Winter die Hand. »Frau Schmidt, Frau Müller, das ist im Moment nicht so wichtig, es geht mir ja mehr um das Haus.« Er blätterte die Fotos schnell durch und schob dann Charlotte den Stapel wieder hin. »Vielen Dank, für den ersten Eindruck reicht mir das durchaus. Ich werde dann sowieso noch eine Aufnahme machen, wenn ich bei Ihnen bin.«

»Und?« Charlotte sah ihn neugierig an. »Können Sie schon sagen, in welcher Preisklasse wir da liegen?«

Nach einem abschließenden Blick auf den Fotostapel zog Gero Winter einen silbernen Kugelschreiber aus dem Jackett und schrieb eine Zahl auf den Block, den er danach über den Tisch schob. Charlotte beugte sich hinunter und schlug die Hand vor den Mund. Langsam drehte sie sich zu Inge, dann wieder zu Gero Winter. »Achthunderttausend Euro? Das ist ja fast eine Million.«

Lächelnd nickte Gero Winter. »Bei diesem großen Grundstück denke ich, dass das die Größenordnung ist, über die wir reden können. Falls Ihr Mann zustimmt.«

»Bei der Summe?« Charlotte lächelte zurück. »Mein Mann ist stur, aber nicht dumm. Da wird keine große Überzeugungsarbeit nötig sein. Das ist ja wunderbar. Ach, was bin ich froh, dass ich diesen Termin bei Ihnen gemacht habe.«

»So soll es auch sein«, Gero Winter steckte den Stift wieder zurück in sein Jackett. »Kundenzufriedenheit hat bei uns die höchste Priorität. Also, wann darf ich denn mal vorbeikommen? Wann passt es Ihnen? Vielleicht gleich heute Nachmittag? Oder morgen?«

»Heute und morgen ist ganz schlecht«, antwortete Charlotte sofort. »Vielleicht Donnerstag? Das wäre besser. Ich muss ja auch noch mal drüber schlafen. Und vielleicht schon mal meinen Mann am Telefon vorbereiten. Lieber Donnerstag.«

»Gut.« Gero Winter erhob sich langsam, Charlotte tat es ihm nach und stieß Inge an, die immer noch in ihrer Tasse rührte. Sie hatte noch gar nicht getrunken.

Als alle drei standen, reichte Winter erst Charlotte, dann Inge die Hand und sagte: »Dann bis Donnerstag. Die Adresse habe ich ja. Sollen wir halb elf sagen?«

»Gern«, Charlotte nickte ihm ein letztes Mal zu, dann folgten Inge und sie ihm nach unten. Als sie vor dem

Haupteingang standen, drehten sie sich noch mal zu ihm um. Er stand neben der Aufzugstür und telefonierte mit dem Handy. Als er sie sah, hob er zum Abschied lächelnd die Hand.

»Und?« Karl war sofort aufgesprungen, als er Charlotte und Inge aus der Bank kommen sah. »Wie ist es gelaufen?«

»Gut«, Charlotte nahm ihn am Arm und dirigierte ihn in Richtung Parkplatz. »Aber wenn du hier schon herumschreist, hätte ich mir nicht solche Mühe geben müssen. Es muss doch niemand hören.«

»Ich habe nicht geschrien«, protestierte Karl. »Du solltest mich mal schreien hören.«

»Nein, danke.« Charlotte beschleunigte ihre Schritte, bis sie an ihrem Auto stand. Erst als sie alle drei im Wagen saßen und die Türen zugeschlagen waren, drehte Charlotte sich zu Karl um. »Achthunderttausend«, sagte sie. »Er hat gesagt, wir würden für das Haus achthunderttausend Euro bekommen. Stell dir das mal vor. So viel Geld.«

»Also hat er angebissen?« Karl schlug mit der Hand auf den Vordersitz. »Dann hat er euch also geglaubt, dass ihr überlegt zu verkaufen?«

»Was heißt, euch?« Charlotte sah Inge auf dem Beifahrersitz an. »Inge hat die ganze Zeit bloß an ihrer Kaffeesahne rumgefummelt, wirklich, Inge, das war ganz schön nervig. Du nimmst doch sonst nicht so viel Milch, was sollte das denn?«

»Mir fielen halt die ganze Zeit komische Dinge ein«, antwortete Inge verlegen. »Ich musste mich auf irgendetwas konzentrieren, sonst hätte ich losgekichert.«

»Die will ich jetzt aber nicht hören, diese komischen Dinge«, ging Karl dazwischen. »Nur das Wesentliche. Was habt ihr für einen Eindruck?«

»Der ist sehr nett«, sagte Charlotte nach einem kleinen Moment des Nachdenkens. »Ein ganz sympathischer junger Mann. Ich glaube, da ist nichts dran, also, dass er irgendwie das …, wie hast du das ausgedrückt? Das verbindende Element ist.«

»Hier ist kein Platz für Spekulationen, Charlotte.« Karl hatte wieder seine Ermittlerstimme. »Wir haben jetzt eine Lunte gelegt und werden sehen, ob jemand die anbrennt. Aber du hast deine Rolle so gespielt, wie wir das verabredet haben? Also: alles das gesagt, was ich vorbereitet hatte?«

»Das hat sie«, Inge sagte das mit Nachdruck. »Charlotte war brillant. Ich habe ihr das fast selbst geglaubt. Herr Winter hat sich die Fotos angesehen und will Donnerstag um halb elf vorbeikommen. Charlotte hat gesagt, dass das der früheste Termin ist, genau so, wie es auf deinem Plan stand. Ich habe nicht viel gesagt, aber Charlotte war sehr überzeugend. Da merkt man doch, dass du als junges Mädchen bei der Laienspielgruppe mitgemacht hast.«

»Ja.« Zufrieden stellte Charlotte den Rückspiegel so ein, dass sie sich selbst darin sehen konnte. »Gelernt ist gelernt.«

Dass Karl ungeschickt ihre Schulter tätschelte, nahm sie als Kompliment.

Zur selben Zeit,
nicht weit entfernt

Als Anna und Maren das Revier betraten, war von Benni nichts zu sehen, aber Robert stand direkt am Eingang und löste bei Maren sofort eine Pulsbeschleunigung aus. Anna nickte ihm zu. »Morgen. Weißt du, wo Benni Schröder steckt?«

Robert hielt den Blick auf Maren geheftet und antwortete: »Er nimmt eine Anzeige auf. Fahrraddiebstahl vor der Strandsauna. Ist im Besprechungszimmer.«

»Okay«, Anna runzelte die Stirn. »Dann hat er mir hoffentlich die Abfrage auf den Schreibtisch gelegt.« Sie ließ die beiden stehen und ging zu ihrem Büro. Als sie um die Ecke war, sah Maren Robert an. »Wollen wir heute Abend essen gehen? Beim Italiener in der Strandstraße? Um acht?«

Überrascht sah er sie an. »Gern. Ist alles in Ordnung?«

Sie lächelte ihn schief an. »Das weiß ich vielleicht heute Abend. Wir fahren jetzt auf die Baustelle und fragen nach Andreas von Wittenbrink. Ich erzähle dir dann alles Weitere später.«

»Gut. Dann behalt die Nerven. Und, Maren: Ich freue mich.« Er berührte sie leicht am Arm und ließ die Hand sofort wieder sinken, als sie Annas Schritte auf dem Gang hörten.

»Maren, wir fahren jetzt zur Baustelle. Robert, kannst du Benni bitte daran erinnern, dass er eine Computerabfrage über Andreas von Wittenbrink machen sollte? Die hätte ich gern so bald wie möglich auf meinem Tisch. Bis später.«

Robert lächelte, als Maren sich an der Tür noch einmal umdrehte.

Die Baustelle war schon von Weitem zu erkennen. Die zukünftigen Hotelgebäude waren eingerüstet und mit Planen verdeckt, Baufahrzeuge standen vor dem Grundstück, Werbebanner mit Fotos der entstehenden Anlage hingen vor der Absperrung. Maren parkte davor und stellte den Motor aus. »Das wird ja ein Riesenhotel«, sagte sie mit Kopfschütteln. »Ich weiß gar nicht, wie viele Gäste noch auf diese Insel kommen sollen.«

»Am Strand verläuft sich das«, antwortete Anna gleichmütig. »Und es kommen zum Glück ja nicht alle auf einmal.« Sie stieg aus und schlug die Beifahrertür zu. »Dann wollen wir doch mal sehen, ob wir was über Andreas von Wittenbrink erfahren.«

Maren folgte ihr langsam, die Erinnerung an Rikes Lächeln brachte ihr schlechtes Gewissen zurück. Hoffentlich gab es für Inges Beobachtung eine ganz einfache und schlüssige Erklärung. Vor einem Baucontainer, dessen Tür offen stand, blieb Anna stehen und sah hinein. »Guten Tag, wissen Sie vielleicht, wo ich Herrn von Wittenbrink finde?«

Ein älterer Mann in Arbeitskleidung erhob sich vom Tisch und kam, einen Kaffeebecher in der Hand, zur Tür. »Der ist heute gar nicht auf der Baustelle«, sagte er freundlich. »Kommt erst morgen zurück. Um was geht es denn?« Erst jetzt hatte er Maren entdeckt, die Uniform ließ ihn sofort besorgt aussehen. »Oh, ist etwas passiert?«

Anna zückte ihren Ausweis. »Es geht lediglich um eine

Zeugenbefragung«, antwortete sie ruhig. »Es kann sein, dass uns Herr von Wittenbrink im Rahmen einer Ermittlung helfen kann, deshalb würden wir gern mit ihm sprechen. Wo können wir ihn denn finden?«

»Der ist nach Hamburg gefahren«, der Mann trat einen Schritt zurück und deutete auf den Tisch. »Kommen Sie doch rein, mein Name ist übrigens Wilksen, ich bin hier der Bauleiter.« Sein Blick ging schnell über die Köpfe von Anna und Maren, vermutlich befürchtete er, dass es keinen guten Eindruck machte, wenn die Polizei plötzlich auf seiner Baustelle stand. Er bot beiden einen Stuhl und einen Kaffee an, sie lehnten dankend ab, und Anna fuhr gleich fort: »Herr von Wittenbrink ist hier der leitende Architekt?«

»Ja«, Wilksen nickte. »Sehr sympathisch übrigens – und fachlich hervorragend. Da hatte ich schon ganz andere Architekten auf Baustellen. Sein Büro ist in Hamburg, da ist er jetzt auch, er hatte Termine mit einigen Gewerken. Morgen Mittag ist er wieder da. Wollen Sie seine Nummer haben?« Er wartete die Antwort gar nicht ab, sondern zog eine Schublade hinter ihm auf und nahm eine Visitenkarte heraus. »Hier, bitte schön.«

»Danke«, Anna überflog die Karte und schob sie in ihre Jackentasche. »Wo wohnt Herr von Wittenbrink denn auf der Insel?«

»Gleich hier um die Ecke«, Wilksen deutete vage in eine Richtung. »Wir haben für die leitenden Mitarbeiter mehrere Ferienwohnungen gemietet. Zwei Minuten von hier entfernt, das Appartementhaus heißt ›Meeresbrise‹. Blöder Name, aber sehr schöne Wohnungen.«

Maren kannte das Haus vom Vorbeifahren, es lag von Jutta Hollers Haus aus genau am anderen Ende des Ortes. Zu weit entfernt, um zufällig mal vorbeizukommen.

Sehr seltsam. Aber irgendeinen Grund musste es dafür geben.

Sie räusperte sich und fragte: »Hat Herr von Wittenbrink hier Bekannte oder Freunde, von denen er mal gesprochen hat? Oder die er mal besucht?«

Überrascht hob Wilksen die Augenbrauen. »Das weiß ich nicht. Er ist hier der Chef, ich frage ihn nicht, was er in seiner Freizeit macht, das geht mich doch gar nichts an. Er teilt mir mit, wann er wo zu erreichen ist, das reicht. Und am Samstag ist er nach Hamburg gefahren und morgen kommt er zurück. Am besten wäre, wenn Sie ihn selbst fragen.«

Plötzlich schoss Maren ein Gedanke durch den Kopf. Ein Satz, der in einem der Protokolle stand. Eine Aussage von Elisabeth Gerlach. Über die sie noch gar nicht in Ruhe nachgedacht hatte. »Sagen Sie, Herr Wilksen«, Maren zögerte mit der nächsten Frage, aber sie hatte das Gefühl, sie stellen zu müssen. »Herr von Wittenbrink hatte ja einen Unfall auf der Baustelle. Er hat sich vor ein paar Tagen am Knie verletzt und war in ärztlicher Behandlung. Wie ist das denn passiert?«

Wilksen schüttelte den Kopf. »Ein Unfall auf der Baustelle? Nein, davon weiß ich nichts. Wir haben so hohe Sicherheitsbestimmungen, die werden auch strengstens eingehalten, das hätte ich also mitbekommen!«

Maren schluckte und mied Annas fragenden Blick. Stattdessen hakte sie nach: »Das heißt: Sie werden generell über jede noch so kleine Verletzung auf der Baustelle informiert?«

»Natürlich. Ich bin der Bauleiter. Es geht ja auch um die Versicherung, das muss alles ordnungsgemäß aufgenommen und protokolliert werden. Da kann man sich keine Schlamperei leisten.« Wilksens Ausdruck war entschlossen. »Hier hat es keinen Arbeitsunfall gegeben, da haben Sie irgendetwas falsch verstanden. Kann es sich um eine Verwechslung handeln?«

»Hoffentlich«, dachte Maren und sah Anna an. Die lächelte nur, streckte Wilksen die Hand hin und sagte: »Möglich, Herr Wilksen. Erst mal vielen Dank für die Auskunft, ich werde Herrn von Wittenbrink anrufen. Also, dann wünsche ich Ihnen noch einen schönen Tag.«

Sie verließen den Baucontainer und gingen langsam zum Auto zurück. Als Wilksen außer Hörweite war, sagte Anna, ohne Maren anzusehen: »Warum hast du nach dem Unfall gefragt?«

Nach kurzem Zögern antwortete Maren: »Meine Freundin hat ihn als Patienten kennengelernt. Er hatte eine Knieverletzung, die er sich auf der Baustelle zugezogen hat. Hat er gesagt.«

Anna sah sie jetzt an. »Aha. Aber der Bauleiter weiß nichts davon. Na ja, das muss nichts heißen. Vielleicht ist von Wittenbrink nur irgendwo gegengerannt und hat es nicht als Unfall gemeldet.«

Maren zuckte die Achseln. »Wenn es auf der Baustelle passiert ist, dann ist es ein Arbeitsunfall. Aber egal. Das wird sich noch klären.«

»Sag mal«, Anna blieb plötzlich stehen, als sei gerade ein Groschen gefallen: »Verfolgst du einen bestimmten Gedanken? Und hat der vielleicht mit den Protokollen der Einbrüche zu tun?«

Ihrem Gesichtsausdruck nach ahnte sie, was Maren dazu bewogen hatte, nach dem Unfall zu fragen. Maren nickte langsam.

»Elisabeth Gerlach. Sie hat den Täter mit ihrer Gehhilfe erwischt.«

Sie fühlte sich elend beim Gedanken an Rike, während

Anna in den Streifenwagen stieg und sagte: »Gut gemacht, Polizeiobermeisterin Thiele, wir fahren zurück zum Revier und sehen uns mal die Abfrage über von Wittenbrink an.« Sie schnallte sich an, bevor sie sich zu Maren beugte. »Wahrscheinlich ist es überflüssig zu sagen, aber du solltest deiner Freundin gegenüber nichts erwähnen.«

»Es ist überflüssig.« Mit zusammengepressten Lippen startete Maren den Motor. Ein Gedanke drängte sich ihr auf, den sie aber für sich behielt. Wilksen hatte gesagt, dass Andreas von Wittenbrink am Samstag nach Hamburg fahren wollte. Das hatte er um einen Tag verschoben. Die Frage war nur, ob der Grund dafür Rike oder Jutta Holler gewesen war. Maren wünschte sich inständig, dass sich Andreas von Wittenbrink einfach und Knall auf Fall in Rike verliebt hatte. So sehr, dass für nichts anderes in seinem Kopf noch Platz war.

»Wir stehen kurz vor der Lösung dieses Falles«, Peter Runge empfing sie mit einem triumphierenden Lächeln und wedelte mit einem Blatt in Annas Richtung. »Sie werden staunen.«

Langsam folgte Maren Anna in den Besprechungsraum, auf dem Weg dorthin fing sie Roberts Blick auf. Er sah sie ernst, fast mitfühlend an, Maren beschlich ein ungutes Gefühl.

Im Besprechungsraum hatten sich bereits mehrere Kollegen versammelt. Runge stellte sich dicht neben Anna, die mit gerunzelter Stirn das Blatt überflog. Einen kurzen Moment wirkte sie überrascht, dann hob sie den Kopf und bat um Ruhe. »Also«, begann sie mit lauter Stimme, »ich habe hier die Auskunft über Andreas von Wittenbrink, der nach Aussage einer Zeugin mehrere Male vor dem Haus des Tatopfers gesehen wurde. Was wir bereits wussten, ist, dass Andreas von Wittenbrink Mitinhaber eines Architekturbüros, wohnhaft in Hamburg und auf Sylt der leitende Architekt des neuen Hotelkomplexes in Westerland ist. Es gibt keine polizeilichen Eintragungen, keine Auffälligkeiten bei der Schufa, allerdings eine Besonderheit in diesem Fall. Er war verheiratet mit Silke von Wittenbrink, deren Namen er nach der Hochzeit angenommen und nach der Scheidung behalten hat. Vorher hieß er Holler. Andreas Holler ist der Stiefsohn von Jutta Holler. Er wurde im Alter von zwei Jahren von Wilhelm Holler und seiner ersten Frau Paula adoptiert. Nach ihrem Tod heiratete Wilhelm Holler seine zweite Frau Jutta. Beim Tod Wilhelm Hollers war Andreas achtzehn.«

»Das ist das Motiv!«, rief Runge dazwischen. »Der abgeschobene Adoptivsohn, der Rache für seine schlechte Kindheit nimmt. Eindeutig.«

Anna sah ihn scharf an. »Wir beurteilen Fälle nach wie vor nach Beweislage. Aber wir werden mit Herrn von Wittenbrink sprechen. Vorher möchte ich die Ergebnisse der Spurensicherung vom Tatort auf meinem Tisch haben. Das war alles für den Moment. Maren, kommst du gleich noch mal in mein Büro?«

Im Besprechungsraum entstand die Unruhe des Aufbruchs, Maren lief wie paralysiert hinter Anna her. Andreas Holler. Sinas Stiefbruder. Von dem Sina nie etwas erzählt und von dem Maren noch nie etwas gehört hatte.

An der Tür zu ihrem Büro blieb Anna stehen und wartete, bis Maren vor ihr stand. »Ich weiß, dass das schwer ist«, sagte sie leise. »Aber du musst rausfinden, mit welchem Zug von Wittenbrink morgen ankommt. Vielleicht weiß deine Freundin das. Wir müssen mit ihm sprechen. Er könnte tatsächlich ein Motiv haben.«

Maren nickte. Ihr war übel. Sie schluckte. »Okay. Ich versuche es.«

Anna legte ihr kurz die Hand auf den Arm. »Gut. Wir telefonieren. Und du hast jetzt Dienstschluss. Bis morgen dann.«

Maren wandte sich ab und ging langsam zu den Umkleideräumen. Auf halber Strecke kam Robert ihr entgegen. »Ich habe es gehört«, sagte er tröstend. »Aber es muss ja noch gar nichts heißen.«

Sie hob den Kopf und sah ihn verzweifelt an. »Ich soll rausfinden, mit welchem Zug er morgen kommt. Ich soll Rike fragen, unauffällig natürlich, das ist doch furchtbar.«

Er strich ihr mit einem Finger zärtlich über die Wange. »Das schaffst du schon. Sollen wir das Essen verschieben?«

»Nein«, entschlossen schüttelte sie den Kopf. »Um acht. Es bleibt dabei. Sonst zermartere ich mir ja doch nur den ganzen Abend das Hirn.«

»Bis später«, er sah sich kurz um, dann beugte er sich runter und küsste sie auf den Mund. Maren ließ es zu.

Als sie später, immer noch in Gedanken vertieft, die Strandstraße entlanglief, prallte sie fast mit Rike zusammen. »Hey«, Rike beugte sich vor, um ihr ins Gesicht zu schauen. »Erde an Maren. Du bist ja ganz woanders. Augen auf im Straßenverkehr, das gilt auch für Fußgänger.« Rike lachte.

»Oops, ja«, Maren trat einen Schritt zurück und riss sich zusammen. »Ich war tatsächlich in Gedanken. Hallo, Rike. Alles in Ordnung?«

Irritiert sah Rike sie an. »Ja. Bei dir auch? Du wirkst so seltsam. Ist was passiert?«

»Nein, nein«, mit einer abwehrenden Geste versuchte

Maren ein Lächeln. »Alles bestens.« Ihr Blick fiel auf den Stoffbeutel mit dem Aufdruck eines Weinhändlers an Rikes Hand. »Gibt es was zu feiern?«

Immer noch irritiert, folgte Rike ihrem Blick und nickte langsam. »Ich bekomme morgen Besuch und habe zur Feier des Tages Champagner gekauft. Ist bei dir echt alles in Ordnung?«

»Ja, sicher.« Maren sah ihre beste Freundin fest an. »Wer kommt denn?«

Mit einem kleinen Lächeln antwortete Rike: »Andreas. Wir haben jeden Tag telefoniert, und morgen um kurz nach zwölf hole ich ihn vom Zug ab. Vielleicht können wir diese Woche ja mal alle zusammen essen gehen, damit du ihn kennenlernst. Ich bin mir sicher, dass du ihn magst, er ist wirklich toll. Hast du Lust? Vielleicht Donnerstag? Oder Freitag?«

»Ja, mal sehen«, Maren hatte sich noch nie so schlecht gefühlt. »Ich melde mich, du, ich muss weiter. Habe meinem Vater versprochen, ein paar Dinge für ihn zu besorgen. Wir telefonieren, bis bald!«

Sie küsste Rike flüchtig auf die Wange und machte sich eilig auf den Weg. Und dann war es auch noch so einfach gewesen, an die Information zu kommen. Viel zu einfach. Maren fühlte sich wie in einer giftigen Wolke aus schlechtem Gewissen. Man konnte es ihr bestimmt aus jeder Entfernung ansehen. Sie war eine hundsmiserable Freundin. Mit einem beschissenen Job.

Später saß Maren an ihrem Küchentisch und blies Luft auf ihre frisch lackierten Fingernägel. Sie hatte alle möglichen Dinge unternommen, um sich abzulenken, der Nachmittag war trotzdem quälend langsam verstrichen. Jetzt hatte sie hellrote Fingernägel, die nur noch trocknen mussten.

Sie sah ihnen dabei zu, im Irrglauben, es würde dann schneller gehen, als Onno sie mit einem Klopfen an ihrer Tür aufschreckte.

»Maren? Bist du da?«

»In der Küche.«

Sofort stand er vor ihr. »Der Schlüssel steckte von außen«, sagte er entschuldigend. Und dann gleich etwas vorwurfsvoller: »Du sollst ihn doch abziehen! Was machst du gerade?«

Statt einer Antwort hielt sie ihm die Hand entgegen, erst dann sah sie ihn genauer an. Er trug eine Jeans und ein grell gemustertes Hemd. Sie kannte es, seit sie zehn war, er hatte es sich während ihres ersten Familienurlaubs auf Ibiza gekauft. Als Erinnerung. So sah es auch aus.

»Oh, das Hemd lebt noch?« Sie unterdrückte ein Grinsen. »Ich fand als Kind diese bunten Schmetterlinge immer toll. Ist inzwischen vielleicht ein bisschen spack um die Taille?«

Onno sah unsicher an sich herunter. »Was meinst du mit ›spack‹?«

»Zu eng, Papa. Du hattest vor achtundzwanzig Jahren weniger Bauch.«

»Tatsächlich?« Onno hob den Kopf. »So lange ist das her? Also, meinst du, ich kann das nicht mehr zum Ausgehen anziehen?«

»Nein. Auf gar keinen Fall«, Maren stand auf und umkreiste ihn. »Wirklich nicht. Das kannst du sofort in die Altkleidertonne stecken. Du siehst aus wie ein Papagei.«

Langsam strich Onno über die Ärmel. »Schade. Es sind so schöne Farben. Für den Garten geht es aber noch, so etwas schmeißt man doch nicht einfach weg. Du meinst, ich sollte ein anderes Hemd anziehen? Aber die Jeans kann ich anbehalten?«

»Wo willst du denn überhaupt hin?«

»Ich gehe mit Helga Simon ins Kino. Da war ich seit zwanzig Jahren nicht mehr. Ich habe ihr das vorgeschlagen, habe aber vergessen, welcher Film läuft.« Er überlegte einen Moment. »Du, aber das ist doch dunkel im Kino. Kann ich das Hemd nicht doch …?«

»Nein.« Maren wedelte mit den Händen, um den Lack trocken zu bekommen. »Du wirst Frau Simon doch bestimmt anschließend noch zu einem Glas Wein einladen. Die kriegt einen Lachkrampf, wenn sie dich so sieht. Zieh ein weißes Hemd an. Oder dieses hellgraue, was du beim Sushi-Essen anhattest. Das sah gut aus.«

»Ja, das ist auch wieder gebügelt. Danke.« Onno lächelte sie an und wandte sich wieder zur Tür. »Schönen Abend wünsche ich dir.«

»Papa?«

Er drehte sich wieder um. »Ja?«

»Sag mal«, langsam ließ sie sich wieder auf den Stuhl sinken. »Kanntest du eigentlich Wilhelm Holler?«

»Den Antiquitätenhändler?« Onno nickte. »Natürlich. Netter Mann. Wir haben damals die Lampe im Wohnzimmer bei ihm gekauft. Aber der ist schon lange tot.«

»Ich weiß.« Maren zögerte einen Moment. »Kanntest du auch seine Frau? Wusstest du, dass sie einen Adoptivsohn hatten?« Gespannt wartete sie auf die Antwort. Onno lehnte sich an den Türrahmen und schob die Hände in die Jeanstaschen. »Warte mal«, sagte er nachdenklich. »Da war irgendwas. Ja, ich glaube, die Paula Holler konnte keine Kinder bekommen. Und dann haben sie einen kleinen Jungen angenommen. Paula ist leider früh gestorben, da war der Junge noch ziemlich klein. Aber wie das genau war …? Das weiß ich nicht mehr. Vielleicht kann sich Charlotte daran erinnern, die hat ja ein Gedächtnis wie ein Elefant. Wie kommst du darauf?«

»Nur so«, sagte Maren leichthin. »Irgendjemand hat was von einem Adoptivsohn erzählt und ich hatte noch nie von ihm gehört. Ich kann ja mal Charlotte fragen. Du musst dich noch umziehen, Papa, nicht vergessen. Viel Spaß im Kino.«

»Danke«, er lächelte sie an. »Aber die Geschichte mit den Hollers kannst du auch nicht gehört haben, Kind, das war lange vor deiner Zeit. Also, bis morgen dann.«

Maren sah ihm hinterher und beschloss, am nächsten Tag mal bei Charlotte vorbeizufahren. Jetzt musste sie sich erst mal für ihre Verabredung in Schale werfen.

Der Mann stand zu weit weg und zudem noch halb hinter der ausladenden Hecke ihres Nachbarn, als dass Charlotte ihn hätte erkennen – oder ausmachen können, was er da tat. Sie dachte nur, dass er sich seltsam verhielt, und hatte den Eindruck, dass er ihr Haus beobachtete. Erleichtert sah sie in diesem Moment Inges Auto schwungvoll auf die Einfahrt rollen. Und Karl saß auf dem Beifahrersitz. Nach einem letzten Blick zur Nachbarshecke stellte sie fest, dass der Mann weg war. Einfach weg, als hätte die Hecke ihn verschluckt. Kopfschüttelnd lief sie zur Haustür, um ihren Besuch ins Haus zu lassen.

»Habt ihr den Mann gegenüber gesehen?«, fragte sie statt einer Begrüßung.

»Nö.« Karls Antwort war wie immer kurz und bündig.

»Wer stand denn da?«

»Das weiß ich eben nicht. Aber er hat mich irritiert, weil er nur dastand und das Haus angestarrt hat. Und jetzt ist er weg.«

»Dann ist es doch gut.« Inge war ausgestiegen und stellte eine Schüssel aufs Dach, bevor sie den Wagen abschloss. »Ich habe rote Grütze gemacht. Die Erdbeeren mussten weg. Aber ich hatte keine Vanillesauce mehr. Du?«

»Ich glaube schon«, Charlotte blickte immer noch auf die Hecke. »Komisch. Na ja, kommt rein.«

Inge schulterte ihre Handtasche und hob die Schüssel vom Auto, bevor sie irritiert Karl beobachtete, der den Wagen umrundet hatte und jetzt stehen geblieben war.

»Wenn Walter sieht, dass du eine Glasschüssel aufs Autodach stellst, habt ihr einen Heidenkrach.« Karl strich mit dem Finger über den Lack. »Das gibt doch Kratzer.« Er rieb etwas kräftiger.

»Nur wenn ich mit der Schüssel obendrauf losfahre«, entgegnete Inge ungerührt. »Und wenn Walter wüsste, warum wir uns hier bei Charlotte treffen, dann hätte ich sowieso einen Heidenkrach. Da kannst du sicher sein.«

»Wieso das denn? Wir kämpfen für die Sicherheit der Insel – und du verursachst Materialschäden. Das ist doch wohl was ganz anderes.« Karl zog ein Stofftaschentuch aus der Hosentasche, spuckte drauf und fing an, die Stelle auf dem Dach zu polieren. »Ich glaube aber, das hier ist gut gegangen.«

»Sag ich doch.« Inge trug die Schüssel zur Haustür und drehte sich kurz um. »Karl, jetzt komm. Wenn Walter sehen würde, dass du mit Spucke auf dem Auto herumschmierst, hättest du den Heidenkrach.«

»Na und?« Empört betrachtete Karl das Taschentuch. »Was ist denn dagegen zu sagen? Den Wagen könntest du ohnehin mal durch die Waschanlage fahren.«

»Karl!« Charlottes energischer Ruf unterbrach das Gemetzel. »Wie lange soll ich denn noch an der Haustür stehen und warten?«

»Ich komme ja schon.«

Kurz danach saßen alle drei vor den Dessertschalen mit Inges roter Grütze und den Resten von Charlottes Vanillesauce. Auf dem Tisch: ein Aktenordner, drei Wassergläser, drei Likörschälchen, eine Flasche Eierlikör und ein Diktiergerät, auf das Karl gerade mit seinem Löffel deutete.

»Das habe ich heute in Westerland gekauft. Ein echtes Schnäppchen. War um die Hälfte heruntergesetzt, weil die Verpackung kaputt war. Aber wer braucht die denn schon? Wir können unsere Besprechung einfach aufnehmen und das Protokollschreiben entfällt.«

»Was war denn mit meinem Protokoll nicht in Ordnung?« Misstrauisch beäugte Charlotte das Gerät. »Ich habe es extra noch mal ins Reine geschrieben.«

Karl schob seine Neuanschaffung etwas mehr zur Tischmitte. »Charlotte, deine Schrift ist wirklich sehr schön. Aber du hast etwas zu viel ..., wie soll ich es sagen? Du hast sehr ausführlich protokolliert. Es ist nicht so wichtig, wer, wann und wie oft zur Toilette gegangen ist. Und dass Inge um sechzehn Uhr zwölf die dritte Kanne Tee gekocht hat. Oder wie viel Eierlikör getrunken wurde. Es geht mehr um die sachdienlichen Fakten.«

»Das hast du so aber nicht gesagt«, erwiderte Charlotte. »Du hast gesagt, ich muss den genauen Verlauf der Unterredung protokollieren. Das habe ich gemacht. Den Verlauf.«

»Ja, ja«, Karl schaltete das Gerät ein und diktierte sehr laut: »Aufzeichnung des Treffens zum Zweck der Verbrechensbekämpfung auf der Insel Sylt bei Charlotte Schmidt. Anwesend sind: Karl Sönnigsen, Charlotte Schmidt, Inge Müller und ...« Er sah plötzlich hoch und fragte: »Was ist mit Onno?« Er drückte auf die Stopptaste. »Wir sind ja noch gar nicht vollzählig.«

»Onno ist mit Helga Simon im Kino«, sagte Charlotte prompt. »Sie kommen nach.«

»Er ist wo?« Fassungslos sah Karl die beiden an. »Im Kino? Warum denn das?«

»Um einen Film anzuschauen?«, insistierte Charlotte mit sanfter Stimme. »Und um sich etwas besser kennenzulernen?«

»Die kennen sich doch schon.« Karl war fassungslos. »Was will Onno denn im Kino? Der sieht sich im Fernsehen doch nur die Sportschau und die Nachrichten an. Wird der jetzt drollig im Kopf – oder was?«

»Ach Karl«, beruhigend legte Inge ihm die Hand auf den Arm. »Du bist manchmal so unsensibel. Charlotte und ich haben ihm das vorgeschlagen. Er hat uns gefragt, womit uns ein Mann, mit dem wir uns erst seit Kurzem wieder treffen, beeindrucken und erfreuen könnte.«

»Was für einen Mann habt ihr denn vor Kurzem getroffen?«

»Keinen«, Charlotte wurde ungeduldig. »Es war ein Beispiel. Aber wenn ich zum Beispiel einen Herren kennenlernen würde, ganz zufällig, und der würde mich ins Kino einladen, dann wäre ich beeindruckt. Und würde mich auch auf weitere Treffen mit ihm einlassen.«

»Du hast doch einen Mann. Was sagt Heinz denn dazu?«

Seufzend stützte Inge ihr Kinn auf die Hand und sah ihn an. »Karl, du bist manchmal so ein Klotz.«

Karl überlegte, wo er das schon mal gehört hatte. Er kam nicht drauf.

»Wie auch immer«, sagte er stattdessen. »Wenn Onno meint, dass seine privaten Eskapaden wichtiger sind, als die Insel zu schützen, dann ist es so. Dann fangen wir jetzt aber trotzdem an. Und diese Sache mit euren ominösen Herren und dem Kino sollten wir wirklich nicht an die große Glocke hängen. So, kommen wir zum Thema. Ich gehe noch mal mit euch das Gesprächsprotokoll von heute Mittag durch. Ich habe alles notiert, es ist zwar mehr ein Gedächtnisprotokoll, aber zwischen dem Gespräch und eurer Schilderung ist ja nicht viel Zeit vergangen. Ich lese es einfach mal vor und nehme mich dabei gleich auf. Korrigiert mich, wenn euch noch etwas einfällt.« Er schlug den Aktenordner auf, drückte auf den Startknopf des Aufnahmegerätes, räusperte sich und begann: »Kontaktaufnahme der verdeckten Ermittler Müller und Schmidt bei Gero Winter ...«

Eine halbe Stunde später war er fertig, klappte den Ordner zu und legte ihn wieder weg. »Noch Ergänzungen?«

»Und das fandest du jetzt nicht zu ausführlich?« Charlotte sah auf die Uhr. »Eine halbe Stunde. Du hast sogar das Bankgebäude beschrieben. Und die Kunden, die reingegangen sind. Wen interessiert das denn?«

»Ich saß ja lange genug vor der Tür«, verteidigte sich Karl. »Und unter den Menschen, die in der Zeit das Gebäude betreten haben, können auch potenzielle Zeugen sein. Das lass mal meine Sorge sein, das ist ein exzellentes Protokoll. Fehlt da noch etwas? Oder ist das vollständig?«

»Total vollständig«, antwortete Charlotte. »Alles drin. Und jetzt geht es nach Plan weiter? Morgen rufe ich ihn an?«

»Natürlich.« Karls Miene war entschlossen. »Der Plan ist genial. Morgen Nachmittag ist dein nächster Einsatz. Ich habe ein sehr gutes Gefühl. Wir sind auf dem richtigen Weg, das sagt mir mein Bauch. Wann wollte Onno denn nachkommen?«

Inge sah auf die Uhr. »Der Film ging so um siebzehn Uhr los, dann noch ein kleines Glas Wein, danach muss er noch herkommen, vielleicht in einer halben Stunde?«

»Onno kriegt Sodbrennen von Wein, der trinkt gar keinen. Nur als Ausnahme.«

»Genau, Karl«, Charlotte stand auf und ging zum Fenster, um es zu kippen. »Und heute ist eine Ausnahme. Ist euch auch so warm?«

Sie spähte aus dem Fenster, von dem Mann war nichts mehr zu sehen. Erleichtert wollte sie sich gerade abwenden, als plötzlich ein Taxi vor dem Haus hielt, aus dem erst Onno und dann Helga Simon stiegen. »Onno mag wohl lieber Eierlikör«, sagte sie lächelnd. »Da kommen die beiden.«

»Ich habe mir erlaubt, in Begleitung zu kommen«, begrüßte Onno Charlotte verlegen, als sie ihnen die Tür öffnete. »Ich habe Helga von unserer, ähm, Tätigkeit erzählt, und sie gehört ja auch zu den Betroffenen.«

»Es freut mich sehr«, Charlotte streckte Helga Simon begeistert die Hand entgegen. »Bitte, treten Sie ein. Gerade durch ins Wohnzimmer, da sitzen die anderen.« So unauffällig wie möglich hielt sie Onno am Ärmel fest. »Und?«, flüsterte sie neugierig. »Wie war's?«

»Schön«, lautete seine knappe Antwort. Seine Augen strahlten. »Ich glaube, sie findet mich auch nett. Aber den Film haben wir nur bis zur Hälfte gesehen, er war nicht so gut.«

Zufrieden nickte Charlotte und klopfte ihm stolz auf den Rücken. Er würde nicht mehr lange alleinerziehender Vater sein, da waren sie und Inge sich sicher. Sie hatten die Anzeichen richtig gedeutet.

Karl stand sofort auf, um Helga Simon zu begrüßen. Zu Onno gewandt, meinte er: »Wir haben gedacht, du wärst im Kino, deshalb haben wir schon angefangen.«

»Wir sind früher gegangen, es war ein seltsamer Film«, antwortete Onno. »Es ging um Dinosaurier, aber einer von ihnen war neu gezüchtet und bösartig, wir haben es irgendwie nicht ganz verstanden«, er lächelte Helga Simon an. »Oder?«

Sie nickte. »Es war auch furchtbar laut. Wir hatten uns etwas ganz anderes darunter vorgestellt. Nach einer Stunde hat es uns gereicht. Ich hoffe, es ist in Ordnung, dass ich einfach so mitgekommen bin.«

»Selbstverständlich«, Charlotte hatte schon weitere Gläser aus dem Schrank geholt und auf den Tisch gestellt. »Setzen Sie sich doch, Onno, du auch. Eierlikör?«

Während sie einschenkte, räusperte Karl sich und sah in die Runde. »Apropos bösartig. Da sind wir beim Thema. Ich wiederhole jetzt aber nicht die gesamten Ausführungen, Onno. Du kannst dir das Protokoll selbst durchlesen oder die Verlesung auf dem Aufnahmegerät abhören. Es geht um den heutigen Termin von Charlotte und Inge.«

Onno hatte die Hand schon auf den Ordner gelegt und zog sie jetzt wieder zurück. »Ach so, das weiß ich schon alles, ich habe ja heute Nachmittag mit Charlotte telefoniert.«

Sie schüttelte den Kopf. »Aber so ausführlich, wie Karl es protokolliert hat, habe ich es dir nicht erzählt.«

»Warst du doch dabei?« Onno sah Karl erstaunt an. »Ich dachte, du hättest draußen gewartet.«

Karl ignorierte Onnos Frage und wandte sich stattdessen an Helga Simon. »Sind Sie überhaupt schon im Bilde? Oder soll ich Sie auf den genauen Stand der Dinge bringen?«

»Nein, ich glaube, ich weiß Bescheid.« Helga warf Onno einen kurzen Blick zu und lächelte ihn an. »Wir haben sehr ausführlich darüber gesprochen. Und ich finde es zwar gut, dass Sie die Initiative ergreifen und selbst Anteil nehmen, ich habe bloß die Befürchtung, dass Sie sich in Schwierigkeiten bringen. Ich habe Onno geraten, seine Tochter in Ihre … Überlegungen einzubeziehen, sie ist doch in diesem Fall involviert.«

Sie brach ab, weil sie Karls Miene richtig deutete, und hob beschwichtigend die Hand. »Ich will mich natürlich nicht einmischen, das können Sie selbst besser beurteilen, ich wollte es nur mal gesagt haben.«

»Mhm.« Karl sah sie lange an. »Das stimmt. Ich kann das besser beurteilen, weil ich diese Polizeistation wirklich lange und gut geleitet habe. Deshalb habe ich beschlossen, meine Erfahrung in die Aufklärung dieser Fälle einzubringen, aber man, besser gesagt: dieser unfähige Mensch, der meine Nachfolge übernommen hat, lässt mich nicht. Was soll ich tun, Frau Simon, kann ich nicht auch einfach Helga sagen?« Er wartete die Antwort gar nicht ab. »Ich kann doch nicht einfach zusehen, wie aus meiner Heimatinsel ein Sumpf wird. Und Maren? Sie hat sich aus welchen Gründen auch immer auf die falsche Seite geschlagen. Aber das schreibe ich mal der Tatsache zu, dass sie erst so kurz auf dem Revier ist und sich deshalb noch den Gegebenheiten unterordnet. Sie wird schon noch zu Verstand kommen. Und ich werde ihr das auch nicht nachtragen. Beim nächsten Mal wird es sicherlich schon ganz anders laufen.«

Nach dieser Rede erntete er beeindruckte Blicke und gedankenvolles Schweigen.

Inge fand als Erste Worte. »Was genau meinst du mit ›beim nächsten Mal‹?«

»Das hat er nur so gesagt«, antwortete Onno sofort auf ihre Frage. »Wir wollen ja nicht hoffen, dass wir uns in Zukunft ständig um die Verbrechensaufklärung auf der Insel kümmern müssen. Wir bringen das hier jetzt ordentlich zu Ende, und dann sehen wir weiter.« Er griff zu seinem Likörglas. »Prost, ihr Lieben, jetzt lasst uns Helga mal nicht verschrecken.«

Sofort hoben auch Inge und Charlotte die Gläser. »Ja, zum Wohl! Und auf gute Zusammenarbeit.«

Karl setzte sein Glas ohne Trinkspruch an, bemerkte aber Onnos tadelnden Blick und riss sich zusammen. »Ja, dann Prost!« Er schob den Aktenordner etwas nach links und sah Helga an. »Dann mal herzlich willkommen in dieser Runde.«

Onno lächelte ihn stolz an, als ihm noch etwas einfiel. »Ach, Charlotte, ich wollte dich doch was fragen. Kannst du dich an die erste Frau von Wilhelm Holler erinnern? Die haben doch damals einen Jungen adoptiert. Was ist eigentlich aus dem geworden?«

Erstaunt sah Charlotte ihn an. »Wie kommst du denn jetzt auf den?«

»Maren hat mich vorhin danach gefragt. Und ich bekomme die Geschichte nicht mehr zusammen.«

»Warte mal …«, Charlotte rieb sich nachdenklich die Stirn. »Die Hollers haben den Jungen aus einem Kinderheim geholt, glaube ich. Da war er vielleicht zwei oder drei. Ein ganz süßer, aber ein bisschen still. Und nach dem Tod von Paula Holler ist er wohl aufs Internat gekommen. Ich weiß gar nicht mehr, wie alt er da war.«

»Er war elf oder zwölf«, mischte sich Helga Simon ein. »Ich kann mich gut daran erinnern, weil Wilhelm Holler damals sein Segelboot neben unserem im Hafen hatte. Und Hein hat den Andi ein paar Mal mit zum Segeln genommen, als es Wilhelm nach dem Tod von seiner Frau so schlecht ging.«

»Stimmt.« Charlotte suchte immer noch in ihren Erinnerungen – und hatte sie plötzlich gefunden. »Und dann hat Wilhelm Holler später Jutta geheiratet, und der Junge wurde abgeschoben, als sie schwanger war. Das war wirklich unmöglich. Da haben sich doch alle aufgeregt, die Paula noch gekannt hatten.«

»Ja«, Helga Simon nickte. »Das war nicht in Ordnung. Andreas war dann nur noch in den Ferien da. Und hatte eine schwere Pubertät, er hat viel Unsinn gemacht.«

»Unsinn?« Charlotte wandte sich an Karl. »Das war ein bisschen mehr als Unsinn, oder, Karl? Du musst dich doch noch an ihn erinnern. Er war doch mit fünfzehn, sechzehn richtig auffällig.«

»Wer?« Karl hatte sich während des Gesprächs eingehend mit der Gebrauchsanweisung des Aufnahmegeräts befasst. »Hier muss doch irgendwo stehen, wie man die Aufnahme löschen kann. Was hast du gesagt, Charlotte?«

»Andreas Holler. Der Sohn von Wilhelm. Kleinkriminell. Weißt du noch?«

Sie hatte sehr langsam, sehr deutlich und sehr laut gesprochen. Karl zuckte zurück. »Schrei mich doch nicht an. Natürlich erinnere ich mich an ihn. Er hatte Schwierigkeiten. Er hat ein bisschen geklaut, sich ab und zu mal geprügelt und den Wagen von seinem Vater in die Dünen gesetzt. Aber eigentlich war er ein guter Junge, er hatte es nur schwer im Leben. Er war ja auf einem Internat, und ich glaube, er hatte Heimweh. Und in dem Alter machen ja viele Jungs ein bisschen Ärger. Und wieso kommt ihr auf ihn? Habt ihr ihn getroffen? Ich weiß gar nicht, wo der heute steckt, das wäre ja mal interessant.«

»Maren hat mich nach ihm gefragt«, sagte Onno. »Sie wusste gar nicht, dass Sina einen Bruder hat.«

»Das ist ja auch alles lange her«, meinte Charlotte. »Nach dem Tod von Wilhelm habe ich ihn nie wieder gesehen. Wie alt wird er heute sein? Anfang fünfzig?«

»Bestimmt.« Karl hatte nachgerechnet. »Das kommt

hin. Die haben ihn bestimmt wegen der Beerdigung verständigt. Das erklärt es. Na, dann sehe ich ihn ja mal wieder. Ich bin gespannt, was aus ihm geworden ist. So, können wir weitermachen? Diese privaten Gespräche nehmen gerade überhand.«

D u lässt das Auto aber stehen, oder?«
»Natürlich«, Maren fing an zu kichern. »Obwohl
ich betrunken immer noch besser Auto fahre als du nüchtern.«

Robert quälte sich ein Lächeln ab. »Solche Sätze will
ich nicht hören, du bist Polizistin. Außerdem fahre ich
nicht gern Auto, und wenn man sich ein bisschen anstellt,
übernehmen plötzlich alle Kollegen gern das Fahren. Hat
bei dir ja auch geklappt.« Seine Augen waren fest auf sie
gerichtet. Maren musste den Blick senken, um nicht die
Beherrschung zu verlieren, ansonsten wäre sie auf der
Stelle aufgestanden, um den Tisch gegangen und hätte ihn
geküsst. Und zwar richtig. Und sie wollte nicht anfangen.
Noch nicht. Und nicht hier.

Die Stimmung zwischen ihnen hatte sich im Laufe des
Abends immer mehr aufgeladen. Anfangs hatten sie tatsächlich fast nur über den Fall Holler gesprochen. Über
Marens schlechtes Gewissen Rike gegenüber, auch über
die Furcht, dass bei diesen Ermittlungen etwas herauskommen könnte, was Rike das Herz brechen würde.

»Du glaubst ernsthaft, dass Andreas von Wittenbrink
was mit dem Tod von Jutta Holler zu tun hat?«

Maren hatte abwehrend die Hand gehoben. »Andreas
von Wittenbrink hieß früher Holler. Er ist der Stiefsohn.
Dann noch diese Sache mit dem Arbeitsunfall, von dem

auf der Baustelle offenbar niemand wusste. Und es geht nicht darum, was ich glaube. Aber das sind mir einfach zu viele Zufälle. Ich habe Angst, dass morgen alles zusammenkracht. Und Rike und ich stecken mittendrin.«

An dieser Stelle hatte Robert seine Hand auf ihre gelegt. »Ich bin ja dabei, Liebes. Und jetzt warte doch erst mal ab, was die Befragung ergibt. Und denk ab sofort an was anderes. Jetzt, in diesem Augenblick sollten wir vielleicht wirklich über andere Dinge reden ...«

»Liebes«. Maren schluckte. Seit ihre Mutter tot war, hatte niemand mehr »Liebes« zu ihr gesagt. Und ausgerechnet der Mann, in den sie sich auf keinen Fall verlieben wollte, hatte es gerade eben getan: »Liebes«. Plötzlich war ihr heiß und kalt und alles gleichzeitig. Vielleicht doch ganz gut, dass sie ein Zimmer im Hotel reserviert hatte. Sie hatte diesen Entschluss vorhin spontan gefasst. Und jetzt ging er ihr nicht mehr aus dem Kopf. Der Entschluss nicht und auch nicht die Nacht auf dem Seminar, die sie vermutlich in ihrer Erinnerung total verklärt hatte. Vielleicht war es ja gar nicht so schön gewesen, vielleicht waren die Bilder im Kopf viel bunter, als die Realität tatsächlich gewesen war, vielleicht würde sie ihn nach einer weiteren gemeinsamen Nacht gar nicht mehr mögen, vielleicht hätte sich morgen früh sowieso schon alles wieder erledigt. Aber sie wollte es herausfinden, und das ging weder in den Bereitschaftszimmern des Reviers noch bei ihr, wo immer die Gefahr bestand, dass Onno plötzlich vor der Tür stand. Obwohl sie neulich schon kurz davor gewesen waren. Hätte Onno nicht geklopft, weil Helga Simon sich verabschieden wollte, wären sie an dem Abend vielleicht schon im Bett gelandet. Als Robert gegangen war, hatte Maren sich geärgert.

»Was ist mit dir?« Robert beugte sich vor und sah sie

besorgt an. »Du siehst aus, als würdest du jeden Moment aufstehen und nach Hause gehen wollen.«

»Nein.« Entschlossen griff Maren zu ihrem Weinglas und trank den Rest aus. Falls es peinlich würde, könnte sie es auf den Alkohol schieben. »Im Gegenteil. Lass uns bezahlen, ich möchte mit dir noch woandershin.«

»Du bist verrückt«, Robert zog die Decke ein Stück von Marens Schulter und küsste sie sanft auf die Stelle. »Wie bist du auf diese großartige Idee gekommen!?«

»Mich noch mal mit dir einzulassen oder das Zimmer zu mieten?«

»Beides.«

Maren drehte ihren Kopf zur Seite und sah ihn an. »Du hast mich seit unserem Wiedersehen so durcheinandergebracht. Ich wollte heute rausfinden, ob das wirklich gut ist. Und zwar ohne meinen Vater oder irgendwelche Bereitschaftskollegen nebenan. Es kann ja auch sein, dass ich mich in eine kitschige Geschichte reingesteigert habe. Prinzessin auf dem Weg zum Prinzen. So in der Art.«

»Und? Bin ich jetzt der entzauberte Frosch?«

»Nein, Robert. Das bist du nicht.« Sie setzte sich auf und stopfte die Decke um sich. An die Wand gelehnt, versuchte sie, mit den Fingern ihre Haare zu ordnen. »Ich habe so einen Durst. Ist da eigentlich Wasser in der Minibar?«

Robert ging nackt, wie er war, durchs Zimmer zur Minibar, sie sah ihm hinterher. Nein, null entzaubert. Es waren keine bunten Bilder gewesen, sie hatte nichts verklärt, er war einfach ein toller Mann. Sie seufzte leise, Robert sah sich sofort um und lachte. »Du siehst aus, als hättest du gerade eine Hiobsbotschaft bekommen.« Mit einer Wasserflasche in der Hand kam er zurück und ließ sich auf die

Bettkante sinken. Langsam schraubte er den Verschluss auf und reichte ihr das Wasser. »Ein Glas, Liebes?«

Maren schüttelte den Kopf und setzte die Flasche an die Lippen. Da war es wieder: »Liebes«. War sie tatsächlich gerade dabei, sich richtig zu verlieben? Sie hatte keine Ahnung, ob sie ihm das sagen sollte. Also trank sie weiter, um Zeit zu schinden. Jetzt bloß keinen Fehler machen.

Ohne den Blick von ihr zu wenden, blieb Robert neben ihr sitzen. Als sie die Flasche sinken ließ, nahm er sie ihr ab und stellte sie auf den Boden.

»Mir ging es nach dem Seminar ziemlich mies«, sagte er unvermittelt, hob die Decke an und legte sich wieder neben sie. Den Kopf auf die Hand gestützt, sah er sie ernst an. »Ich habe überhaupt nicht verstanden, was damals so schiefgelaufen ist. Du hast weder auf Anrufe noch auf SMS noch auf meine Mails reagiert. Ich habe irgendwann gedacht, dass du vielleicht an diesem Abend einfach nur Sex haben wolltest, aber das konnte ich mir auch nicht so richtig vorstellen, ich hatte dich ganz anders eingeschätzt. Dann war da die Möglichkeit, dass du zu Hause liiert bist und dass es sich um einen alkoholisierten Ausrutscher gehandelt hatte, der dir danach peinlich war, aber dafür warst du nicht betrunken genug. Ich habe wirklich wochenlang alles im Kopf hin und her gewendet – und es trotzdem nicht verstanden. Und als du mir neulich die Geschichte von der Freundin deiner Mutter, wie hieß die noch ... ach ja, Gudrun, erzählt hast, war ich, ehrlich gesagt, ein bisschen fassungslos.«

Maren fuhr langsam mit den Fingern durch seine Haare. »Warum fassungslos?«

»Weil ich dir ein solches Schubladendenken nicht zugetraut hätte.« Er küsste sie auf den Bauch. »Weil ich nicht dachte, dass du es dir so leicht machst. Wenn *ein*

Typ sich so danebenbenimmt, dann machen es alle? Dann braucht man überhaupt nicht mehr zu überlegen, ob man sich drauf einlässt, weil man sowieso weiß, wie es ausgeht? Das ist natürlich einfach. Und genauso dämlich übrigens.«

Er hatte sich dabei aufgesetzt und sah sie jetzt an. »Und außerdem bist du nicht Gudrun. Und es beleidigt mich, dass ich mit diesem Typen in eine Schublade gesteckt werde. So, das wollte ich dir schon seit dem Abend sagen.«

Maren hatte den Blick nicht von ihm abgewandt. »Es tut mir leid«, sagte sie leise und strich ihm mit dem Finger über die Stirn. »Ich war total überfordert. Und saß plötzlich in einem Gedankenkarussell: Ich will nicht wieder verlassen werden, ich will nicht wieder verlassen werden – das will ich unbedingt verhindern. Und dann stellte ich mir vor, wie ich immer älter und faltiger werde und du eben nicht, oder zumindest nicht so schnell, und es nur eine Frage der Zeit ist, bis du dich in eine Jüngere verliebst. Du brauchst nichts zu sagen, ich weiß, dass ich noch nicht einmal vierzig bin und mir Gedanken mache, die völlig idiotisch sind. Aber es sind trotzdem zehn Jahre. Als ich Ende zwanzig war, waren für mich zehn Jahre ältere Frauen einfach alt. Und dann ist der Zeitpunkt, mich zu verlieben, ziemlich doof. Ich habe gedacht, ich kann dieses aufkommende Gefühl für dich einfach im Keim ersticken, dann käme ich gar nicht in die Gefahr, unglücklich zu werden.«

»Toller Plan«, Robert grinste zynisch. »Und dann diese Klischees! Maren! Alle Männer wollen immer nur jung, blond und faltenfrei. Für wie doof hältst du mich eigentlich?«

»Das geht nicht gegen dich«, Maren betrachtete das kleine Tattoo auf seinem Oberarm. Ein Delphin. Ihr

Lieblingstier. »Eine Freundin hat einmal gesagt, dass sie Klischees deswegen hasse, weil man irgendwann feststellt, dass sie doch wahr sind.« Sie zeichnete mit dem Zeigefinger den Umriss des Delphins nach. »Und ich habe gerade in meinem Leben so viel geändert, dass ich Angst davor habe, jetzt wieder alles durcheinanderzubringen. Und dazu noch mit jemandem, der viel jünger ist.«

Robert zog sie an sich. »Hör zu: Du bist sexy, schön, klug, witzig, und ich bin total verliebt in dich. Kannst du das nicht bitte einfach mal so stehen lassen? Lass es doch einfach zu.«

»Aber im September bist du wieder weg.« Ihr Protest war nur noch schwach. »Und der Altersunterschied bleibt. Und meine Vorbehalte …«

Selbst Maren konnte nicht gleichzeitig küssen und reden.

Als Maren um kurz vor sieben auf den Parkplatz vor dem Revier fuhr, kam Robert ihr schon entgegen. Er lächelte und blieb neben ihrem Auto stehen.

»Na?« Er hielt ihr die Tür auf, wartete, bis sie ausgestiegen war, und küsste sie flüchtig auf den Mund. »Hat Papa was gemerkt?«

Sie waren um fünf aufgestanden, weil Maren noch mal nach Hause wollte, bevor ihr Frühdienst begann. Arm in Arm hatten sie das Hotel verlassen, Robert hatte sie zu ihrem Auto gebracht und sie lange umarmt. »Ich bin so froh«, hatte er in ihr Haar gemurmelt. »Dass du dich nicht mehr wehrst. Das wird schön mit uns, wart's ab.«

Auf dem Weg hatte sie das Radio aufgedreht und laut mitgesungen. Zumindest so lange, bis die Radiomoderatorin erwähnt hatte, dass heute Mittwoch sei und sie allen Hörern einen schönen Tag wünschte. Erst da war Maren wieder eingefallen, was ihr heute bevorstand. Sie würde heute Mittag mit Anna Petersen am Bahnhof auf die Ankunft von Andreas von Wittenbrink warten, der früher Holler geheißen hatte. Sie würde damit ihre beste Freundin verraten. Egal, wie sehr Robert versucht hatte, sie zu beruhigen: Rike würde sich verraten fühlen. Und sie hätte recht.

Sie hatte die Musik sofort leise gedreht. Egal, was mit

ihr und Robert jetzt war oder wie es weiterging, es musste warten.

»Hat er was gemerkt?« Roberts Stimme holte sie wieder zurück auf den Parkplatz. Maren sah ihn an. »Nein«, antwortete sie. »Mein Vater war gar nicht da. Vielleicht ist er mit Karl angeln gegangen, das machen sie manchmal um diese Uhrzeit. Da beißen die Makrelen am besten.«

»Um sechs Uhr?« Robert schüttelte den Kopf. »Das würde mir nicht im Traum einfallen.«

Maren schloss den Wagen ab und wandte sich zum Eingang des Reviers. »Ich würde jetzt lieber angeln gehen, als meinen Dienst zu machen«, sagte sie im Gehen zu Robert. »Mir steht ein mieser Tag bevor.«

»Hey«, er hielt sie sanft am Ärmel fest. »Maren, wenn du dich befangen fühlst, dann sag Anna Petersen, dass du nicht mitgehen willst. Ich glaube schon, dass sie dafür Verständnis hat.«

»Ich aber nicht.« Maren zog ihren Arm zurück. »Und der Verrat bleibt derselbe. Es ist mein Job. Fertig, aus. Und jetzt will ich nicht mehr darüber reden.«

Sie beschleunigte ihre Schritte und lief die Treppen zum Eingang hoch. Robert sah ihr nachdenklich hinterher.

»Der Obduktionsbericht ist da«, Anna Petersen kam aus ihrem Büro und wedelte mit einer dünnen Akte. »Maren, du kannst Sina Holler anrufen, bis spätestens Freitag wird die Leiche freigegeben, sie kann sich jetzt um die Beerdigung kümmern.«

Maren hob sofort den Kopf. »Und was ist das Ergebnis?«

»So, wie es der Gerichtsmediziner schon bei der ersten Untersuchung vermutet hat. Die Todesursache war der

Genickbruch. Jutta Holler hat an den Oberarmen leichte Hämatome, die aber eher auf ein Festhalten als auf einen Stoß deuten. Vermutlich hat der Täter sie zu plötzlich losgelassen, sie kann das Gleichgewicht verloren haben und ist dann die Treppe runtergestürzt. Sie hatte Alkohol im Blut, ganz sicher war sie wohl auch nicht auf den Beinen. Rufst du die Tochter bitte gleich an?«

Maren nickte und griff zum Hörer.

Der Vormittag verging quälend langsam. Maren sah immer wieder auf die Uhr, nur um festzustellen, dass kaum mehr als ein paar Minuten vergangen waren, seit sie das letzte Mal nachgesehen hatte. Um halb zwölf würde sie sich mit Anna Petersen zusammen auf den Weg zum Bahnhof machen. Bis dahin konnte sich ihr rebellierender Magen vielleicht mit etwas Glück noch beruhigen.

»Wieso stöhnst du so?« Benni war unbemerkt hinter Maren getreten, erschrocken fuhr sie herum. »Ich stöhne doch nicht.«

»Doch«, lautete seine Antwort. »Tust du. Ist was passiert?«

Langsam drehte Maren sich auf ihrem Stuhl zu ihm herum. »Noch nicht. Aber gleich.« Sie drückte ihre Hand auf den Magen. »Sag mal, hast du vielleicht irgendetwas gegen Übelkeit dabei? Ich habe das Gefühl, ich muss mich gleich übergeben.«

»Falls das ansteckend ist, dann geh nach Hause«, antwortete Benni sofort und trat einen Schritt zurück. »Ich hasse diese Magen-Darm-Viren – die bekomme ich immer sofort.«

»Es ist kein Virus«, resigniert drehte Maren sich wieder zurück. »Hat Judas eigentlich vorher auch gekotzt?«

»Judas wer?« Benni hatte keine Ahnung, was sie meinte.

»Kenne ich nicht. Wir haben aber irgendwelche Tropfen im Medikamentenschrank im Waschraum. Musst du mal gucken. Ich fahre jetzt mit Robert nach List zum Hafen. Da ist ein Taschendieb unterwegs. Bis später.«

»Ja, bis später«, antwortete Maren und stand langsam auf. Bevor sie die Waschräume erreicht hatte, kam ihr Anna Petersen entgegen. »Da bist du ja schon, wir müssen los.« Sie trat einen Schritt zurück und betrachtete Maren genauer. »Alles okay? Du bist ganz blass.«

»Alles okay. Ein bisschen Magendrücken«, Maren gab sich Mühe, ihre Stimme lockerer klingen zu lassen, als sie es selbst war. »Ich habe wohl was Falsches gegessen. Wollen wir?«

Sie folgte Anna durch den Flur zum Ausgang und riss sich so zusammen, dass ihr die Schultern wehtaten.

Die Ankunft des Zuges aus Hamburg-Altona war bereits am Leuchtschild angezeigt, der Bahnsteig füllte sich langsam mit Menschen, die entweder jemanden abholten oder selbst zurück nach Hamburg wollten. Maren und Anna hatten sich am Eingang der Bahnhofsbuchhandlung postiert. Von hier aus hatten sie den Bahnsteig im Blick, konnten aber nicht sofort von den aussteigenden Reisenden gesehen werden.

»Auf Gleis zwei fährt ein der Regionalzug aus Hamburg-Altona, planmäßige Ankunft zwölf Uhr fünf, bitte Vorsicht bei der Einfahrt des Zuges.«

Marens Herz schlug in gefühlt doppelter Geschwindigkeit. Sie hatte Rike am Anfang des Bahnsteigs entdeckt, wo sie in sehr gerader Haltung in einer schmalen Jeans und in einer weißen Bluse stand. Die Haare hatte sie zu einem lockeren Knoten geschlungen, was ihr gut stand, ihr Gesicht war gerötet, ihr Lächeln ließ sie von innen heraus strahlen: So sah Freude aus. Maren fühlte sich grauenhaft.

Langsam rollte der Zug ein, zischend und quietschend hielt er schließlich an. Sofort gingen die Türen auf, nach wenigen Sekunden war der Bahnsteig voller Menschen. Anna hielt ihren Blick konzentriert auf Rike gerichtet, Maren stand ein Stück hinter Anna und hoffte, dass die nicht bemerkte, wie schwer sich Maren gerade tat. Jetzt bewegte sich Rike, hob den Arm und ging ein paar Schritte nach vorn.

»Los«, Anna setzte sich sofort in Bewegung, und ohne Rike aus den Augen zu lassen, lief sie auf sie zu. Maren folgte ihr mit einem kleinen Abstand.

Rike hatte nichts von alldem bemerkt. Sie stand jetzt mit dem Rücken zu ihnen, in einer Umarmung mit Andreas von Wittenbrink und hatte für nichts anderes Augen und Gedanken, als für diesen Mann, diese Umarmung und das Glück über ihr Wiedersehen.

»Herr von Wittenbrink?« Anna hatte die beiden erreicht und ihre klare, durchdringende Stimme hatte diesen Moment sofort zerstört. Andreas löste sich langsam aus der Umarmung und sah Anna über Rikes Kopf hinweg an. »Ja. Das bin ich.«

»Mein Name ist Anna Petersen, Kripo Flensburg«, sie hielt ihren Ausweis hoch. »Ich möchte Sie bitten, mich auf das Revier zu begleiten. Ich muss Ihnen ein paar Fragen stellen.«

Rike hatte sich langsam umgedreht und Anna Petersen überrascht angesehen. »Was …?«, begann sie, dann entdeckte sie Maren, die jetzt aufgeschlossen hatte. Rikes Augen wurden größer, sie sah zwischen Maren, Anna und Andreas hin und her, dann blieb ihr Blick an Maren hängen. »Das ist jetzt nicht dein Ernst, oder? Was soll das?«

Andreas von Wittenbrink blieb gelassen. Ohne seine Hand von Rikes Hüfte zu nehmen, fragte er freundlich: »Darf ich fragen, um was es geht?«

»Um den Tod von Jutta Holler«, antwortete Anna. »Wir würden in diesem Zusammenhang gern mit Ihnen sprechen. Begleiten Sie uns bitte aufs Revier?«

»Das muss eine Verwechslung sein!« Rikes Stimme zitterte vor Ärger. »Was soll Andreas denn mit Jutta Holler zu tun haben? Wie kommt ihr denn auf diesen Schwachsinn?« Sie lachte unsicher.

»Wir haben eine Zeugin, die Sie mehrere Male vor dem Haus der Hollers gesehen hat, Herr von Wittenbrink«, Anna sprach langsam. »Wir müssen dem nachgehen.«

Nachdenklich betrachtete Andreas erst Anna, dann Maren, dann wandte er sich wieder Rike zu. »Es ist okay. Fahr du schon mal vor, ich komme nachher zu dir.« Er wirkte erstaunlich souverän.

Im Gegensatz zu Rike. Sie starrte Maren fassungslos an, ignorierte die neugierigen Blicke der Vorbeilaufenden und würdigte Anna keines Blickes. »Vielen Dank«, sagte sie leise, doch Maren spürte Rikes Enttäuschung fast körperlich. »Du hast mich tatsächlich ausgehorcht, du hast kein Wort gesagt, und jetzt stehst du hier, als ob nichts wäre: Ich glaube das alles nicht.«

»Rike, bitte, ich …« Maren machte einen Schritt auf sie zu, Rike wich sofort zurück. »Lass mich in Ruhe.« Sie drehte sich zu Andreas. »Soll ich mitkommen und warten?«

»Nein«, er schüttelte den Kopf und strich ihr zärtlich über die Wange. »Ich habe zwar keine Ahnung, wie lange so was dauert. Aber ich rufe dich so rasch wie möglich an. Mach dir keine Sorgen, die werden schon wissen, was sie tun.« Nach einem flüchtigen Kuss wandte er sich zurück zu Anna. »Wir können gehen.«

Bevor sie um die Ecke bogen, drehte Maren sich noch einmal um. Rike stand wie festgefroren mit hängenden Schultern an derselben Stelle. Ihren Gesichtsausdruck würde Maren nie mehr vergessen. So also fühlte sich Verrat an, dachte Maren. Rabenschwarz und eiskalt. Sie hätte heulen können.

Und deshalb habe ich es mir nun doch anders überlegt«, Charlotte blieb stehen und überflog ihren
Spickzettel, bevor sie weiterschritt. Während des Probens
war sie gestikulierend auf und ab gegangen, das war für
sie immer noch die beste Art, etwas auswendig zu lernen. Sie hatte ihren Text drauf, daran bestand überhaupt
kein Zweifel. Sie hätte gar nicht so viel üben müssen.
Inge hatte recht gehabt, das Schauspielern lag Charlotte
irgendwie im Blut. »Sehen Sie, wenn mein Mann etwas
nicht will, dann will er es nicht. Da muss schon einiges
passieren, damit er seine Meinung ändert. Eigentlich muss
es ihm passieren. Für mich ist das auch sehr schwierig, das
können Sie mir glauben.«

Mittlerweile stand sie vor dem Garderobenspiegel und
betrachtete sich. Sie sah tatsächlich aus wie eine enttäuschte Ehefrau, die aus Furcht vor Kriminellen ihr Haus
loswerden wollte und deren Herzenswunsch nun durch
ihren unsensiblen Mann unerfüllt blieb. Sie legte den Kopf
schräg, sah sich selbst traurig an und seufzte. »Ich fühle
mich wegen der ganzen Überfälle nicht mehr sicher, aber
ich weiß einfach nicht, wie ich ihn zum Verkauf überreden
kann. Er ist so, so ...« Ihr kamen jetzt tatsächlich fast die
Tränen. Bevor sie zum Finale übergehen konnte, klingelte
das Telefon.

»Ja«, Charlotte musste sich räuspern. »Schmidt.«

»Charlotte? Was ist denn mit deiner Stimme? Bist du erkältet?«

»Ach, Heinz«, noch ganz in ihrer Rolle, ließ sie sich traurig auf die kleine Bank im Flur sinken. »Du bist es.«

»Ja.« Er klang erstaunt. »Das ist doch nicht so ungewöhnlich, dass ich dich anrufe.«

»Nein«, Charlotte hob langsam den Kopf und sah wieder in den Spiegel. Sie sah richtig unglücklich aus. »Natürlich nicht.« Zitterte ihre Stimme genug?

»Sag mal, ist was passiert? Du klingst so komisch.«

»Weißt du, Heinz«, sie lehnte sich langsam zurück. »Mir gehen so viele Gedanken durch den Kopf. Ist man sich hier seines Lebens wirklich sicher? Sollte man nicht doch die Reißleine ziehen, bevor etwas passiert? Halte ich das alles weiter aus?«

»Was für eine Reißleine? Und was musst du aushalten? Ich verstehe kein Wort. Hast du Fieber? Tut dir was weh?« Heinz versuchte, sich am anderen Ende der Leitung einen Reim auf Charlottes seltsames Verhalten zu machen. »Habe ich was verpasst? Ich wollte dir eigentlich nur erzählen, dass Christine inzwischen richtig gut mit den Krücken laufen kann. Dafür ist ihr Nervenkostüm aber ganz schön dünn geworden, das kommt vielleicht vom Schock. Sie regt sich so schnell auf, weißt du.«

Charlotte hatte Christine in diesem Moment überhaupt nicht auf dem Schirm. Sie wollte sich jetzt auch nicht davon aus ihrer Rolle bringen lassen, es hatte lang genug gedauert, sie so perfekt auszufüllen. Deshalb sagte sie nichts. Heinz hatte auf eine Antwort gewartet und wurde ungeduldig. »Bist du noch dran? Was ist denn los mit dir?«

»Nichts. Aber …«, Charlotte ließ ihre Stimme wieder zittern. »Es sind diese Einbrüche. Heinz: Wir könnten die nächsten Opfer sein! Und seit der Sache mit Jutta Holler stehen wir hier alle unter Schock. Ich habe seit Tagen nicht mehr richtig geschlafen.«

»Jutta Holler?« Heinz war jetzt alarmiert. »Was ist mit Jutta Holler?«

»Sie ist tot. In ihr Haus wurde auch eingebrochen, und sie muss den Täter überrascht haben. Und jetzt …« Das war genau der Moment, in dem Charlotte merkte, was sie hier eigentlich anrichtete. Erschrocken starrte sie jetzt ihr Spiegelbild an. Heinz war das völlig falsche Publikum für ihre Rolle, das ging hier gnadenlos schief. »… und jetzt ermittelt die Polizei.« Sofort hob sie ihre Stimme und redete schneller. »Hier war ganz schön was los. So, und jetzt erzähl noch mal von Christine. Sie hat aber bestimmt noch Schmerzen, oder?«

»Jutta Holler ist ermordet worden?« Heinz klang so, als stünde er kurz vor einer Ohnmacht. »Wann war denn das?«

»Samstagabend. Aber du musst dich jetzt nicht mehr aufregen, du kannst sowieso nichts machen.«

»Charlotte.« Jetzt war ihr Mann ärgerlich. »Warum hast du mich nicht verständigt? Du rufst sonst wegen jeder Kleinigkeit an, und wenn wirklich mal was passiert, dann sagst du nichts? Ich sitze hier ahnungslos bei Christine und muss mit ihr streiten, und dabei brauchst du mich an deiner Seite? Das halte ich ja im Kopf nicht aus! Wenn du dich allein im Haus unsicher fühlst, dann musst du mir das doch sagen. Dann komme ich doch sofort nach Hause! Geht es Inge auch so schlecht wie dir?«

Mist, das war schiefgegangen, Charlotte biss sich vor Ärger in die Fingerknöchel. »Nein, nein, Inge geht's gut. Mir übrigens auch, Heinz, du kannst … musst auf gar keinen Fall zurückkommen, Christine braucht dich doch auch. Ich kann jederzeit Karl oder Onno um Hilfe bitten, jetzt ändere bloß nicht deine Pläne. Das ist völlig unnötig.«

Heinz und Walter durften auf keinen Fall hier aufkreuzen. Nicht, solange die Ermittlertruppe ihren Plan noch nicht durchgezogen hatte. Die Männer würden alles zerstören, sie kannte Heinz und Walter doch. Karl würde ausflippen, wenn sie ihm die Tour vermasselten, Charlotte überlegte fieberhaft, wie sie ihren Fehler wiedergutmachen konnte.

»Sieh mal, heute ist ja schon Mittwoch. Heute Abend treffen wir uns hier, um … ähm, Sushis zu üben. Für den Kochwettbewerb. Und morgen gehe ich mit … Inge ins Kino. Da bin ich auch beschäftigt. Und Freitag ist Chor. Kommt doch ganz normal und wie geplant am Samstag. Sonst sitzt du die ganze Zeit hier allein rum. Das ist doch Unsinn. Ich würde es sonst wirklich sagen. Hörst du, Heinz? Fahrt am Samstag zurück. Wie besprochen. Du kannst doch sowieso keine Planänderungen leiden. Und Walter auch nicht.«

Sie hatte immer schneller gesprochen, in der Hoffnung, dass sich Heinz davon beruhigen ließ. Er schwieg immer noch.

»Heinz? Und ihr habt doch auch schon die Fahrkarten gekauft. Mit Zugbindung. Wenn ihr früher fahrt, wird das richtig teuer. Du kennst doch Walter. Das wird ihn nur aufregen. Nein, nein, lasst mal alles so, wie es ist. Wir sehen uns am Samstag.«

»Bist du sicher?«

Na bitte. Charlotte lächelte. »Ganz sicher, Heinz. Mach dir keine Sorgen, ich habe das vorhin gar nicht so gemeint, wie es anscheinend geklungen hat. Mir geht es gut, Inge geht es gut, und sie mochte Jutta Holler sowieso nicht. Also, grüß Christine und Walter, und wir sehen uns am Samstag. Wenn was ist, kannst du ja auch noch mal anrufen. Tschüss, tschüss.«

»Ja, tschüss.«

Erleichtert legte Charlotte den Hörer auf. Das war knapp gewesen. Aber das lag dann wohl daran, dass sie so eine Vollblutschauspielerin war. Da waren die Anfänge und Enden der Rolle fließend. Aber jetzt musste sie sich wieder konzentrieren. Auch die Details mussten stimmen. Charlotte erhob sich und atmete konzentriert ein und aus. Beim dritten Ausatmen klingelte wieder das Telefon. Sie brach ab, sah sofort aufs Display und meldete sich erleichtert: »Inge. Gott sei Dank. Ich hatte schon die Befürchtung, dass es noch mal Heinz ist.«

»Wieso? Was hat er denn gemacht?«

»Ach, Inge, er nichts. Aber ich habe mich verplappert. Ich war noch so in meiner Rolle, ich habe meinen Text noch mal geprobt und mittendrin rief dann Heinz an. Na ja, dabei ist mir was rausgerutscht. Also, dass die Holler tot ist und so.«

»Nein«, Inge war entsetzt. »Auch über unsere Gruppe?«

»Das nicht«, beruhigte sie Charlotte. »Aber er hat sich trotzdem ein bisschen aufgeregt und wollte sofort kommen. Ich glaube, ich habe es aber abgewehrt, es bleibt bei Samstag. Auch wegen der Zugbindung.«

»Hoffentlich«, Inge war bestürzt. »Charlotte, ehrlich, hättest du dich nicht mehr konzentrieren können? Du weißt doch, wie Heinz ist. Der lässt sich doch nicht so was erzählen und bleibt danach ruhig. Dass du so einen Fehler machst. Wenn die beiden uns jetzt dazwischenfunken … Karl wird ausflippen. Ich rufe Walter gleich mal an und versuche herauszubekommen, ob sie womöglich doch

366

früher zurückkommen wollen. Vielleicht kann ich dann notfalls den Schaden begrenzen. Ich würde ihm dann einfach erzählen, dass du im Gespräch mit Heinz übertrieben hast, oder ich sage dann so was wie, du hättest schlecht geträumt oder könntest den Ostwind nicht vertragen. Mal sehen.«

»Gute Idee«, Charlotte war erleichtert. »Ich glaube zwar, dass Heinz sich schon wieder eingekriegt hat, aber sicher ist sicher. Was wolltest du denn eigentlich?«

Inge musste kurz überlegen. »Ach so, ich wollte dir erzählen, dass ich heute ganz frühmorgens mit meinen Nordic-Walking-Stöcken unterwegs war, schon um kurz vor halb sieben, ich konnte nicht mehr schlafen. Und wer kommt mir da im Taxi entgegen? Onno. Um diese Zeit. Ich habe erst gedacht, es wäre was passiert, und bin erschrocken. Er hätte ja auch aus dem Krankenhaus kommen können. Also bin ich gleich zu ihm hin. Und jetzt rate mal.«

Charlotte war zu gespannt. »Inge. Keine Ahnung, sag es.«

»Er hat bei Helga Simon übernachtet.« Inge antwortete mit stiller Freude. »Im Gästezimmer, wie er betont hat. Weil sie eine Dame ist und man alles wie ein Gentleman angehen muss. Sagt er. Aber sie hätten sich noch lange so schön unterhalten und dann mochten sie sich nicht trennen. Also ist er dageblieben. Er wollte aber nicht zum Frühstück bleiben, weil er befürchtet hat, dass ihn Nachbarn sehen würden und das den Ruf von Helga Simon beschädigen könnte. Du, ich glaube, der ist verliebt, mich freut das richtig.« Sie seufzte vor Begeisterung.

Charlotte seufzte mit, dann fiel ihr aber ein, was eigentlich das Thema des Tages war. »Inge«, sagte sie deshalb. »Das ist alles sehr schön, aber heute haben wir wirklich was anderes zu tun. Ich werde mich noch ein bisschen auf morgen vorbereiten. Alles andere besprechen wir später.«

»Genau«, antwortete Inge. »Das wird alles werden. Ich rufe jetzt Walter an und versuche herauszufinden, ob Schadensbegrenzung nötig ist. Bis nachher.« Sie legte auf.

Charlotte erhob sich langsam, fuhr einen Moment mit ihren Atemübungen fort. Das erneute Klingeln des Telefons brachte sie wieder raus. »Meine Güte«, ungeduldig ließ sie die Arme sinken und nahm den Hörer von der Station. »Was ist denn heute bloß los? Ja, Schmidt?«

»Frau Schmidt?« Die joviale Stimme kam ihr sofort bekannt vor. »Gero Winter. Es gibt gute Nachrichten, ich habe schon eine potenzielle Interessentin für Ihr Haus. Das wird schneller gehen, als Sie es sich geträumt haben. Und dabei auch noch höchst lukrativ. Ich würde meiner Kundin das Haus gern schon morgen Vormittag zeigen. Da sind wir beide ja sowieso verabredet.«

»Herr Winter«, Charlotte versuchte, Zeit zu schinden. Es war der falsche Zeitpunkt, es war anders geplant. »Das kommt jetzt etwas überraschend für mich, wissen Sie.« Sie zögerte und suchte fieberhaft nach einer Idee. »Aber ich hätte Sie sowieso gleich angerufen, morgen früh ist das nämlich ganz schlecht, da kommt, da habe ich, also da geht es gar nicht. Und ich hatte bisher noch gar nicht richtig die Gelegenheit gehabt, mit meinem Mann zu sprechen. Er ist noch nicht so richtig auf das Thema Verkauf angesprungen. Ich muss noch mal in Ruhe mit ihm reden. Wissen Sie, ich hatte mich auch ein bisschen in diese Verunsicherung und Angst reingesteigert. Inzwischen habe ich mich schon wieder ein bisschen beruhigt. Bei uns ist ja gar nichts passiert.«

Während Gero Winter am anderen Ende Luft holte und charmant, aber entschlossen auf sie einredete, blickte Charlotte nach draußen und ihr Blick fiel auf einen Motorradfahrer, der mit Helm und in Lederkluft neben seinem Motorrad lehnte und zu ihrem Haus herüberschaute. Sein Gesicht war unter dem Helm nicht zu erkennen, Charlotte ging mit dem Hörer am Ohr vorsichtig zur Haustür und sah durch die Scheibe. In diesem Moment stieg er auf und fuhr weg. Es könnte sich um denselben Mann handeln, den sie bereits gestern Abend gesehen hatte. »Ja, Herr Winter, natürlich bin ich noch dran.« Sie schluckte laut und traf eine Entscheidung. »Wissen Sie, mein Mann kommt erst am Wochenende zurück. Ich kann ja noch mal mit ihm telefonieren, vielleicht ändert er seine Meinung noch. Und wenn jemand das Haus besichtigt, dann ist es ja noch lange nicht verkauft. Also gut, dann bleibt es bei morgen früh um halb elf. Ihre Durchwahl? Nein, die habe ich nicht. Ja, ich habe etwas zu schreiben.«

Während sie die Nummer auf die Fernsehzeitung notierte und seinen letzten Erklärungen folgte, nickte sie zufrieden. Sie waren auf dem richtigen Weg. Karl hatte einfach einen genialen Instinkt.

Andreas von Wittenbrink saß mit übereinandergeschlagenen Beinen und entspannter Haltung Anna Petersen gegenüber am Tisch des größten Besprechungszimmers. Maren hatte auf einem Stuhl an der Wand Platz genommen, sie war sich nicht sicher, ob sie das, was hier gleich besprochen werden würde, tatsächlich auch hören wollte, aber Anna hatte ihr mit einer kurzen Geste bedeutet, dass sie teilnehmen sollte. Also sagte sie sich zum hundertsten Mal an diesem Tag, dass es ihr Job war, verdrängte das Bild von Rike aus dem Kopf und versuchte, sich auf Annas Fragen und von Wittenbrinks Antworten zu konzentrieren.

Anna hatte ihm Wasser oder Kaffee angeboten, Andreas von Wittenbrink hatte beides abgelehnt. »Von mir aus können wir gleich anfangen«, sagte er freundlich. »Dann sind wir schneller durch.«

»Gut«, Anna nickte und schaltete das Aufnahmegerät ein. »Sie haben nichts dagegen, dass wir dieses Gespräch aufzeichnen?«

Er schüttelte den Kopf. »Nur zu.«

»Herr von Wittenbrink«, begann Anna das Gespräch und sah ihn dabei aufmerksam an. »Es geht um den Einbruch mit Todesfolge bei Jutta Holler, der am vergangenen Samstagabend verübt wurde. Es gibt eine Zeugin, die ausgesagt hat, dass Sie mehrfach vor dem Haus von Jutta

Holler gestanden haben. Die Zeugin hat sie auf dem Foto wiedererkannt, das kurz danach in der ›Sylter Zeitung‹ abgebildet war. Waren Sie vor dem Haus?«

»Ja.« Die Antwort war so knapp wie schnell, Maren hielt den Atem an.

Anna machte sich eine Notiz. »Und warum?«

Dieses Mal überlegte Andreas von Wittenbrink einen Moment. Dann sagte er: »Ich wollte es mir ansehen. Ich war lange nicht hier.«

»Sie hießen vor ihrer Heirat Andreas Holler. Das Haus ist ihr Elternhaus. Und somit ist die Tote Ihre Stiefmutter. Allzu sehr erschüttert scheinen Sie jetzt nicht zu sein? Wann haben Sie denn mit Jutta Holler das letzte Mal gesprochen?«

Andreas legte eine Hand locker über die andere. Er wirkte nicht im Mindesten angespannt, Maren hatte genügend Seminare zum Thema Körpersprache besucht, um das zu sehen. Vielleicht war ja doch alles nur ein Missverständnis. Seine Antwort ließ sie zusammenzucken.

»Am letzten Samstagvormittag. So gegen elf Uhr.«

Das war der Tag, an dem alles passiert war. Maren bekam eine Gänsehaut. Sein Besuch bei Jutta Holler, das Sommerfest, Andreas und Rike und irgendwann dazwischen die Tat. Maren starrte auf ihre Schuhe. Sie hörte nur zu, sie stellte keine Fragen. Anna Petersen zögerte kaum merklich, dann fragte sie: »Wie lange sind Sie schon auf der Insel?«

Wieso hakte sie nicht nach? Maren wartete gespannt ab.

»Mit Unterbrechungen sechs Wochen. Seit dem Richtfest des Hotelbaus. Vorher war ich immer nur ein, zwei Tage hier. Seit sechs Wochen begleite ich die Bauarbeiten vor Ort. Mit kleinen Abstechern nach Hamburg ins Büro. Wenn was anliegt.«

Er antwortete immer noch mit ruhiger Stimme, ohne seine entspannte Körperhaltung zu verändern.

Auch Anna blieb weiterhin freundlich und verbindlich. »Sie waren vor einiger Zeit in medizinischer Behandlung wegen einer Knieverletzung, die Sie sich angeblich auf der Baustelle zugezogen haben. Davon wusste Ihr Bauleiter gar nichts. Muss so etwas nicht gemeldet werden?«

Fast unmerklich hob Andreas von Wittenbrink eine Augenbraue. »Wurde die Schweigepflicht bereits aufgehoben?« Sein Blick fiel auf Maren, er lächelte. »Ach so, okay. Daher kommen die Informationen.« Er sah wieder Anna an. »Natürlich muss ein Arbeitsunfall gemeldet werden. Aber ich hatte keinen, es ist woanders passiert.«

Elisabeth Gerlachs Gehhilfe. Der Gedanke kam schneller als von Wittenbrinks Erklärung. Maren starrte ihn an. Er lächelte wieder und fuhr fort. »Ich bin, um es ganz ehrlich zu sagen, betrunken vom Fahrrad gestürzt. Und das war – Sie können sich das denken – etwas peinlich. Ein ›Sturz auf der Baustelle‹ klingt professioneller. Und ich wollte nun mal, dass Rike, ich meine, Frau Brandt, nicht gleich einen schlechten Eindruck von mir bekommt. Es gibt übrigens einen Zeugen für meinen Sturz. Der Mann heißt Henning, wir haben uns in einer Kneipe beim Fußballschauen kennengelernt und sind gemeinsam ziemlich abgestürzt. Er hat mir nach dem Sturz wieder auf die Beine geholfen. Ich habe seine Visitenkarte. Falls Sie das überprüfen wollen.« Er lachte leise. »Champions League. Dortmund hat gewonnen. Wir haben uns aus Freude betrunken.«

Anna lachte nicht mit. »Sie sind also der Stiefsohn von Jutta Holler. Aber nicht einmal Sina Holler hat über Sie gesprochen. Warum?«

»Kann ich vielleicht doch ein Glas Wasser haben?«

Anna drehte sich um und sah Maren an. »Würdest du bitte Wasser und Gläser holen?«

Maren sprang sofort auf. Sie wollte auf keinen Fall was verpassen, deshalb ließ sie die Tür offen. Das wäre gar nicht nötig gewesen, denn Andreas von Wittenbrink schwieg tatsächlich so lange, bis sie wieder da war und ihm ein Glas hingestellt hatte.

»Danke«, sagte er freundlich und nahm einen Schluck, bevor er Annas Frage beantwortete: »Jutta Holler war nicht wirklich meine Stiefmutter. Meine Eltern, also Wilhelm und Paula Holler, haben mich adoptiert, als ich zwei war. Meine leiblichen Eltern sind bei einem Verkehrsunfall gestorben, ich war danach ein paar Monate in einem Heim. Es gab auch keine anderen Familienmitglieder. Und dann kam ich zu den Hollers. Als ich zwölf war, ist Paula an Krebs gestorben. Mein Vater war danach völlig überfordert. Die Trauer, sein Geschäft, ein zwölfjähriges Kind, das war ihm alles zu viel. Er hatte zwar eine Haushälterin und ein paar Freunde, die sich ab und zu um mich gekümmert haben, es war aber trotzdem schwierig. Ein Jahr später lernte er dann Jutta kennen. Sie war im Urlaub auf Sylt, suchte einen reichen Mann, fand meinen Vater und hat ihn so lange umschwirrt, bis er sie geheiratet hat. In meiner Erinnerung ging das alles ziemlich schnell, sie war immer schon sehr zielgerichtet. Nach der Hochzeit hat sie meinem Vater klargemacht, dass sie zwar ihn, nicht aber dieses angenommene Gör wollte. Mein Vater kam auf Dauer nicht gegen sie an, an meinem fünfzehnten Geburtstag wurde mir gesagt, dass Jutta schwanger war und ich einen Internatsplatz in Kiel hatte. Damit ging die neue Frau meines Vaters als Siegerin hervor. Ich habe Sina nie richtig kennengelernt. Als sie zur Welt kam, war ich schon im Internat, und die wenigen Tage im Jahr, an denen ich auf Sylt war, fuhr Jutta mit ihrer Tochter meistens weg. Nicht, dass dieses fremde Kind womöglich schlechten Einfluss auf das leibliche nahm. Schließlich hatte man ja keine Ahnung, was für Gene in angenommenen Kindern stecken. Das waren übrigens Juttas Worte. Ich bin mir gar nicht sicher, ob Sina überhaupt noch weiß, dass es mich gab.«

Gebannt hatte Maren zugehört. Es war eine grausame Geschichte, die er hier gerade erzählt hatte. Und dabei klang noch nicht einmal ein bitterer Ton durch. Wie konnte das sein? Ein kleiner Junge, dessen Eltern tödlich verunglücken, dann eine neue Familie, der frühe Tod der zweiten Mutter und zuletzt die Abschiebung durch die neue Frau des Vaters. Mit fünfzehn. Wenn dieser Mann keinen Grund hätte, Jutta Holler zu hassen, wer dann?

Anna Petersen hatte ihn unverwandt angesehen. Maren konnte nichts aus ihrem Gesichtsausdruck schließen und wartete gespannt auf die nächste Frage. Die ließ denn auch gar nicht lange auf sich warten. »Ich nehme an, Ihr Verhältnis zu Jutta Holler war nicht gerade von Sympathie geprägt? Was genau wollten Sie denn am letzten Samstag von ihr?«

Nach einem kurzen Zögern antwortete er: »Als ich achtzehn war, starb mein Vater. Mein letztes Zusammentreffen mit Jutta Holler war auf der Beerdigung, bei der sie mich übrigens nicht dabeihaben wollte, und bei der anschließenden Testamentseröffnung. Das alles war so daneben, dass ich es komplett aus meinem Gedächtnis verdrängt hatte. Aber jetzt, wo ich längere Zeit auf der Insel zu tun habe, wollte ich mir nach all den Jahren einfach mal wieder das Haus ansehen. Und diese Frau fragen, was sie sich damals bei alldem gedacht hat. Ob sie

374

überhaupt irgendetwas gedacht hat. Sie war über meinen Besuch übrigens nicht allzu erfreut.«

Es klopfte zweimal an der Tür, und Peter Runge trat, ohne eine Antwort abzuwarten, ein. Er warf einen Blick auf Andreas von Wittenbrink und legte einen Ausdruck vor Anna Petersen auf den Tisch. »Wir haben da noch was gefunden«, sagte er triumphierend. »Wenn Sie sich das mal ansehen wollen?«

Maren bekam schon wieder eine Gänsehaut. Und das Bild von Rike bekam sie ohnehin gerade nicht mehr aus dem Kopf.

Anna nahm das Blatt in die Hand und hob erstaunt die Augenbrauen. »Ach so? Wo haben Sie das denn her?«

Peter Runge schob die Hände in die Hosentasche und wippte lässig auf den Zehenspitzen. »Gute Kontakte zum Landschaftsamt. Das lässt doch alles gleich ganz anders aussehen, oder?«

Maren verstand kein Wort, Andreas von Wittenbrink wartete in aller Ruhe ab. Allzu lange dauerte das nicht: Runge, außerordentlich begeistert von sich selbst, beugte sich über den Tisch und tippte auf den Ausdruck.

»Ja, Herr von Wittenbrink, Sie mussten doch gar nicht vor dem Haus stehen, Sie hätten einfach reingehen können.«

»Nein, das hätte ich nicht gekonnt. Jutta Holler wohnte doch darin.« Er lächelte Runge an, der schon wieder einen roten Kopf bekam.

»Aber das Haus gehört Ihnen.« Runge wurde lauter. »Und in diesem, in Ihrem Haus, wohnte Ihre verhasste Stiefmutter, die nicht ausziehen wollte. Mal ehrlich: Sie haben doch allen Grund gehabt, Frau Holler loswerden zu wollen.«

Andreas von Wittenbrink zog fast unmerklich einen

Mundwinkel hoch und sah dann Anna Petersen an. Die berührte Runge leicht am Arm. »Danke«, sagte sie zu ihm, bevor sie sich an Andreas wandte. »Herr von Wittenbrink, warum haben Sie uns das nicht gesagt?«

»Sie haben mich noch nicht gefragt«, war die Antwort. »Ich habe das Haus geerbt, aber mein Vater hat Jutta Holler ein Wohnrecht eingeräumt. Deshalb kann ich auch nicht einfach reingehen.«

»Und dieses Wohnrecht läuft jetzt ab, und sie hat sich geweigert auszuziehen? Haben Sie sich deswegen mit ihr gestritten?«

Anna hatte ihre Frage leichthin gestellt, Maren krampfte sich schon wieder der Magen zusammen. Andreas von Wittenbrink blieb unbeeindruckt.

»Das Wohnrecht hatte er ihr für die Dauer von dreißig Jahren eingeräumt. Es ist bereits vor einigen Jahren abgelaufen. Mir war das egal. Ich wollte das Haus nicht, von mir aus hätte Jutta da wohnen bleiben können. Ich wollte an diesem Samstag einfach nur mit ihr reden. Das können Sie mir glauben oder nicht.«

Am frühen Abend,
auf der Terrasse der Strandhalle

Jedenfalls kümmert sich jetzt dieser Beerdigungsunter-
nehmer um den ganzen Kram«, Sina wischte sich
eine imaginäre Träne aus dem Augenwinkel, genug, um
Torbens Blick mitleidig werden zu lassen. »Der Termin
ist wahrscheinlich am nächsten Montag. Ich hasse Be-
erdigungen.«

»Wer nicht?« Torben legte seine Hand über ihre. »Falls
ich irgendetwas für dich tun kann, sagst du mir Bescheid.«

Sein Blick schweifte über die Terrasse, er zog seine
Hand wieder zurück. Sina fragte sich, ob er plötzlich
Angst hatte, seine Frau könne etwas von seinen außer-
ehelichen Eskapaden mitbekommen. Ihr selbst war das
eigentlich egal. Wenn sie erst ihr Erbe angetreten hatte,
spielte Torben sowieso in der falschen Liga. Außerdem
hatte sie seine unterwürfige Bewunderung schon so lange
satt. Was glaubte er eigentlich? Dass sie mit ihm leben
würde? Einem Hausmeister? Das war doch lächerlich.
Aber im Moment brauchte sie ihn noch, sie hatte keine
Lust, sich allein um alles Weitere zu kümmern. Das Haus
musste entrümpelt und in Ordnung gebracht werden, in
dem jetzigen Zustand würde sie nicht das Geld dafür bekommen, das es wert sein könnte. Deshalb musste sie
sich Torben mit seinen handwerklichen Fähigkeiten und
seinen Kontakten unbedingt warmhalten. Was nach dem
Verkauf passierte, war im Moment nicht wichtig.

Sie schob ihre Hand zurück auf seine und lächelte ihn an. »Ich bin so froh, dass du da bist«, sagte sie. »Du bist wirklich mein einziger Freund.«

Er drückte ihre Hand. »Ich weiß. Sag mal, sollen wir nachher noch mal aufs Boot gehen?«

Das Letzte, wirklich das Allerletzte, wonach Sina gerade der Sinn stand, war Sex mit Torben. Sie hatte so viele andere Dinge im Kopf. Nur durfte sie ihm das natürlich nicht sagen. »Das würde ich liebend gern«, antwortete sie zögernd. »Aber ich habe noch so viel zu erledigen. Und morgen früh muss ich unbedingt noch mal zum Notar, du weißt schon: dieser Dr. Luetge. Er wollte sich eigentlich so schnell wie möglich bei mir melden, das hat er am Montag gesagt, aber heute ist Mittwoch und ich habe noch nichts gehört. Ich brauche doch alle möglichen Unterlagen, um Geld …, um alles zu organisieren. Tut mir leid, Torben, aber aufs Boot schaffe ich es heute nicht. Ein anderes Mal.«

Torben sah sie irritiert an. »Okay …«, sagte er gedehnt. »Dann ein anderes Mal. Ich habe übrigens etwas für dich. Es passt sogar zu deinem Outfit.« Er heftete seinen Blick auf den tiefen Ausschnitt von Sinas schwarzem Kleid. »Sehr sexy, übrigens.«

Langsam griff er in die Innentasche seines Jacketts und zog eine kleine Schachtel hervor, die er über den Tisch in ihre Richtung schob. »Als Trostpflaster für deinen Verlust.«

Sina hatte der Versuchung widerstanden, ihre Hand auf das Dekolleté zu legen, sollte er doch starren. Jetzt sah sie erstaunt auf die Schachtel. »Ein Geschenk?«

Aufmunternd nickte er ihr zu. »Mach es auf. Ich wollte dir in dieser schweren Zeit eine Freude machen. Ich hoffe, es gefällt dir.«

Vorsichtig hob Sina den kleinen Deckel ab, zögerte und nahm dann das Schmuckstück aus der Verpackung. Die Kette war scheußlich. Eine dünne Goldkette mit einem kitschigen Herz aus Rubin. Das perfekte Geschenk für eine alte Frau. Eine völlige Geschmacksverirrung. Was für ein Idiot. Sie hob den Kopf und strahlte ihn an. »Sie ist wunderschön, Torben, aber ich kann sie nicht annehmen. Sie ist zu wertvoll.«

Er stand plötzlich auf, umrundete den Tisch und nahm ihr die Kette aus der Hand. »Für dich ist nichts zu wertvoll.« Er legte sie ihr um und küsste sie kurz auf den Nacken. »Hinreißend.«

Er lehnte sich viel zu eng an sie, und sie hatte sein Rasierwasser noch nie gemocht, das ihr jetzt in die Nase stieg.

»Hallo, Torben«, die unbekannte Männerstimme ließ ihn sofort ein Stück zurücktreten. Erleichtert drehte Sina sich um. Sie *hatte* den Mann tatsächlich noch nie gesehen – Torben *wollte* ihn anscheinend im Moment nicht sehen. Er nickte ihm nur knapp zu und schob sich an ihm vorbei, zurück zu seinem Platz. Der Mann blieb nicht nur, er stützte sich auch noch mit beiden Händen auf den Tisch und betrachtete mit einem zynischen Lächeln erst Sina, dann ihren Ausschnitt und schließlich Torben. »Das sieht ja fast aus wie eine Verlobungsfeier. Willst du mich nicht vorstellen?«

Torben wollte nicht. Er sah den Mann nur abschätzend an. »Ehrlich gesagt, störst du gerade. Wir telefonieren morgen.«

Der Mann lächelte. Dann stieß er sich so plötzlich vom Tisch ab, dass die Gläser klirrten, wandte sich an Sina und streckte ihr die Hand hin. »Gero Winter. Sehr erfreut.«

»Sina Holler, ich …« Sie kam nicht weiter, Torben war

abrupt aufgestanden und stellte sich vor Gero Winter, den er um mindestens einen Kopf überragte. »Ich habe doch gesagt, ich rufe dich morgen an. Schönen Abend.«

Gero Winter rührte sich nicht vom Fleck. Völlig unbeeindruckt verschränkte er die Arme vor der Brust und sah mit einem süffisanten Grinsen hoch. »Halt mich nicht für blöd. Du sitzt hier mit der Tochter. Da läuft doch was. Wir haben einen Deal, Gerlach, vergiss das nicht. Und ich habe mitbekommen, was du da gedreht hast. Ohne mit mir zu sprechen. Und anscheinend auch auf eigene Rechnung. Das geht nicht. Also, du rufst mich an. Morgen. Und dann unterhalten wir uns mal in aller Ruhe. Und glaube nicht, dass du an mir vorbeiarbeiten kannst. Schönen Abend noch.«

So schnell, wie er aufgetaucht war, verschwand er wieder. Sina sah Torben verständnislos an. »Was war das denn?«

»Nichts.« Torben hielt seinen Blick auf den Tisch gerichtet. »Nicht wichtig.«

Er hob den Arm und gab der Bedienung ein Zeichen. »Zahlen, bitte.«

Sina schüttelte den Kopf. »Was soll das denn jetzt? Wir haben doch noch gar nicht gegessen. Ich will noch nicht zahlen.«

»Das tust du doch sowieso nicht.« Torben sah sie an. Sein Blick hatte etwas Kaltes, so hatte er sie noch nie angesehen. »Ich zahle jetzt, und dann fahren wir zum Boot. Ich muss was mit dir besprechen.«

»Auf dem Boot?« Sina verstand jetzt nichts mehr. »Ich habe doch gesagt, dass das heute schlecht ist.«

Die Bedienung kam mit der Rechnung, Sina wartete, bis Torben bezahlt und die Bedienung die Hörweite verlassen hatte. »Was ist denn jetzt los?«

»Komm.« Er stand schon, griff nach ihrem Handgelenk und zog sie hinter sich her. »Wie gesagt: Wir haben etwas zu besprechen. Und zwar in Ruhe.«

Das Boot lag im Hafen von Munkmarsch. Sina hatte zwar keine Ahnung, was Torben gerade dachte, aber irgendetwas an ihm war seltsam. So seltsam, dass sie nicht wagte, Einspruch gegen seinen Plan zu erheben. Also folgte sie ihm widerspruchslos aufs Boot, ergriff sogar seine Hand, die ihr half, vom Steg auf das Boot zu gelangen. Er ging voraus, sie folgte ihm. Vor der Koje blieb sie stehen und sah ihn mit großen Augen an. »Und nun? Sex?«

»Ach, Sina.« Er ließ sich auf einen Hocker sinken und schüttelte den Kopf. »Du hast mich leider dein Leben lang unterschätzt. Schalte doch mal dein Hirn ein, bevor du redest.«

Sina blieb fast die Luft weg. »Was ist denn …?«, begann sie, Torben unterbrach sie. »Was ist deiner Meinung nach mit deiner Mutter passiert?«, fragte er. »Glaubst du ernsthaft, dass deine Wünsche sich einfach so erfüllen?«

Sina starrte ihn an. Ganz langsam drang ein Gedanke in ihr Bewusstsein. »Du?«, fragte sie. »Du hast – ich meine: Du hast etwas damit zu tun? Und dieser Typ gerade eben, der weiß Bescheid? So war das nicht gemeint, Torben, du solltest doch nicht … Ich geh zur Polizei.«

»Das glaube ich nicht.« Torbens Augen funkelten plötzlich eisblau. Sina bekam eine Gänsehaut. »Du hängst da mit drin, meine Süße. Ich bekomme die Hälfte vom Hausverkauf, weil du ohne mich gar nicht dahin gekommen wärst.«

»Du spinnst doch.« Sina wurde sauer. Was erzählte ihr dieser Idiot da? »Ich war doch gar nicht hier. Ich habe nichts damit zu tun. Meine Mutter ist tot, was denkst du, wie es mir damit geht?«

Er grinste, zog sein Handy aus der Tasche und hielt es ihr hin. »Sina, Sina«, sagte er. »Du bist so vergesslich.« Er drückte auf eine Taste und hielt das Telefon in ihre Richtung. Plötzlich hörte sie ihre eigene Stimme. *»Vertreib sie aus ihrem Haus. Überfall sie, mach ihr Angst, raub sie aus, bring sie um. Was immer du willst, Hauptsache, sie verkauft die Hütte und säuft für den Rest ihres Lebens in einer Zweizimmerwohnung, weit weg von mir.«* Er drückte wieder auf die Taste und steckte das Handy ein. »Und? Was glaubst du, was die Polizei daraus macht? Ich sage es dir: Das nennt sich ›Anstiftung zu einer Straftat‹. Entweder wir teilen uns die Kohle oder diese Aufnahme geht sehr schnell anonym an die Polizei. Das kannst du dir jetzt aussuchen.«

Sina war schlecht. Und schwindelig. Sie sah Torben an und wusste: Sie hatte gerade ein riesiges Problem.

Blut. Alles war voller Blut. Es sah aus, als wäre die Tote geschlachtet worden.« Schaudernd schlug Charlotte das Buch zu. Das war ja widerlich. Das wollte sie nicht lesen, auf keinen Fall. Sie las sonst nur Liebesromane, nicht so was Brutales. Aber Karl hatte ihr geraten, sich kriminalistisch fortzubilden, und zu diesem Zweck hatte er ihr dieses Buch mitgebracht. Wollte er, dass sie Albträume bekam? Das hatte er vermutlich geschafft. »Geschlachtet.« Herr im Himmel. Entschlossen stand sie auf und legte das Buch oben auf den Schrank. Danach schenkte sie sich ein Gläschen Eierlikör ein und stellte sich ans Fenster. Auf der anderen Straßenseite stand ein blauer Wagen. Charlotte kniff die Augen zusammen. Sie hatte den Wagen vorher noch nie gesehen. Das war nichts Besonderes, die meisten ihrer Nachbarn vermieteten an Feriengäste, die ständig mit fremden Autos kamen. Aber in diesem saß jemand. Vielleicht wartete er auf etwas. Oder er beobachtete sie. Sofort machte Charlotte einen Schritt zurück. Dieser bescheuerte Krimi. Jetzt fühlte sie sich schon von blauen Autos bedroht. Kriminalistische Fortbildung. Karl hatte doch einen Vogel. Charlotte leerte das Glas in einem Zug und beschloss, Onno anzurufen. Um sich abzulenken. Nach dem zweiten Freizeichen war er dran.

»Hier ist Charlotte. Störe ich dich beim Üben für den Sushi-Wettbewerb?«

Onno verstand selten schlechte Scherze. Auch jetzt nicht. »Nein, Charlotte«, antwortete er freundlich. »Ich habe mich gründlich auf den Wettbewerb vorbereitet, ich habe ein gutes Gefühl. Vielleicht solltest du auch noch ein bisschen üben, sonst bin ich der Favorit.«

»Ich weiß schon.« Sofort hatte Charlotte den Geschmack seiner Sushis auf der Zunge. »Aber wir haben ja auch noch eine Woche Zeit. Sei dir mal nicht zu sicher. Wie geht es dir sonst?«

»Gut«, Charlotte hörte sein Lächeln. »Warum?«

»Nur so«, mit dem Hörer am Ohr war Charlotte langsam durchs Wohnzimmer gegangen. Die Gardinen vor der Terrassentür waren nicht zugezogen, sie wollte es gerade machen, als sie plötzlich eine Bewegung an der Hecke wahrnahm und erschrocken die Luft einsog. Da draußen hatte jemand gestanden, sie war sich sicher. Und er war durch die Hecke geflohen, die sich hinter ihm geschlossen hatte.

»Charlotte«, fragte Onno jetzt besorgt. »Was ist?«

»Hier war gerade jemand im Garten«, flüsterte sie. »Ich habe etwas gesehen.« Sie trat näher an die Terrassentür und riss sie plötzlich auf. »Hallo, ist da jemand?«

»Charlotte!« Onno hatte fast den Hörer fallen lassen. »Was machst du da? Bleib drin. Keine Alleingänge.«

»Hier ist jetzt keiner mehr.« Charlotte war auf die Terrasse getreten und redete absichtlich laut. »Du brauchst also nicht die Polizei zu rufen, Onno, ich habe hier alles im Griff.« Sie verriegelte die Tür von innen. »Die Luft ist rein. Vielleicht war es auch nur ein Hase. Karl hat mir so einen blöden Krimi geliehen, der hat mich ganz durcheinandergebracht. Ich glaube, ich sehe schon Gespenster.« Sie war zurück in die Küche gegangen und hatte dort aus dem Fenster gesehen. Der blaue Wagen war weg. »Vor dem Haus steht auch niemand mehr. Komm, lass uns das Thema wechseln. Erzähl mir, was es Neues von Helga Simon gibt.«

Onno ließ sich nicht so schnell ablenken. »Was meinst du damit, dass vorm Haus keiner mehr steht? Wer stand denn da?«

»Ach, niemand«, Charlotte wollte jetzt wirklich lieber das Neueste dieser sich anbahnenden Liebesgeschichte hören, aber Onno war in einem anderen Film.

»Du hast gerade gesagt, dass vorm Haus keiner mehr steht. Also muss da ja wohl vorher jemand gestanden haben. Hast du das schon Karl gesagt?«

»Onno, ich bitte dich. Nachdem ich jetzt weiß, was für Bücher Karl liest, ist mir klar, woher er seine Theorien hat. In dieser Straße stehen dauernd irgendwelche unbekannten Autos. Sylt ist eine Ferieninsel, da soll es vorkommen, dass fremde Menschen mit fremden Autos hier sind. Jetzt hör bitte auf, ich will mich nicht in Angst und Schrecken versetzen lassen. Ich ärgere mich sowieso schon, dass ich es dir erzählt habe. Also, was ist denn jetzt mit Helga Simon und dir?«

Onno machte eine nachdenkliche Pause, bevor er sagte: »Darüber möchte ich nicht gern am Telefon reden. Ich könnte mich aber auf mein Moped setzen und zu dir kommen. Was hältst du davon, dass wir eine schöne Tasse Tee trinken und uns ein bisschen unterhalten? Dann bist du auch nicht allein im Haus, falls doch jemand auf dumme Gedanken kommt.«

Nach einem kurzen Blick in den dunklen Garten merkte Charlotte, dass sie Onnos Anwesenheit doch ganz beruhigend fände. Und bei der Gelegenheit konnte er auch endlich mal ausführlich von seinem zweiten Frühling und der siebten Wolke erzählen.

»Gute Idee«, stimmte sie deshalb zu. »Ich setze schon mal Wasser auf, bis gleich.«

Aus dem »gleich« wurde eine Dreiviertelstunde, was Charlotte wunderte, da Onno für den Weg von sich zu ihr maximal fünfzehn Minuten brauchte und er eigentlich ein Ausbund an Pünktlichkeit war. Gerade als ihre Unruhe stieg und sie bereits Bilder von zermalmten Mopeds oder einem im Wasser treibenden Onno in den Kopf bekam, klingelte es an der Haustür. Erleichtert stand Charlotte auf, um zu öffnen, und nahm sich ernsthaft vor, nie mehr im Leben ein Buch von Karl auszuleihen. Sie riss die Tür auf und sah ihn.

»Karl?«, fragte sie erstaunt. »Was machst du denn hier?« Ihr Blick fiel auf eine kleine Reisetasche, die er in der Hand trug.

»Ich warte auf Onno. Der stellt gerade sein Moped unter euren Carport«, antwortete er und drängte sich an ihr vorbei ins Haus. »Wir haben nur länger gebraucht, weil wir noch ein paar Sachen für die Nacht einpacken mussten.«

Erstaunt sah Charlotte erst ihm nach und dann Onno entgegen, der mit einem kleinen Rucksack zum Haus kam. »Es ist sicherer, wenn du nicht allein im Haus bist«, sagte er entschuldigend. »Und da ich es nicht für schicklich halte, nur mit dir hier zu übernachten, also gerade jetzt, auch wegen Helga, habe ich Karl erzählt, dass du jemanden im Garten gesehen hast. Und der hat natürlich sofort vorgeschlagen, dass wir beide dich hier beschützen.«

Kopfschüttelnd schloss Charlotte hinter ihm die Tür und folgte ihm ins Wohnzimmer, wo Karl schon auf dem Sofa saß. »Ich habe nicht konkret jemanden im Garten gesehen«, versuchte sie es nochmals. »Nur eine Bewegung.

Das kann auch ein Hase oder eine Katze gewesen sein. Und dafür macht ihr so einen Aufstand.«

»Es kann durchaus auch ein ›Jemand‹ gewesen sein, der schon mal den Tatort ausspäht«, korrigierte Karl. »So abwegig ist das ja angesichts der momentanen Gefahrenlage nicht. Vertraue einfach meinem Instinkt. Ich erwarte in den nächsten Tagen einiges. Du bist unser Lockvogel, ich habe dir gleich gesagt, dass das eine große Verantwortung bedeutet. Aber die musst du zum Glück nicht alleine tragen, wir sind ja ein Team. Hast du schon Abendbrot gegessen? Ich nämlich nicht.«

Onno war an der Tür stehen geblieben und sah Charlotte an. »Kann ich dir helfen? Groß kochen müssen wir ja vielleicht nicht, aber eine Kleinigkeit?«

Charlotte sah die beiden ausdruckslos an. »Gekocht wird um diese Zeit nur noch Tee. Aber ich mache ein paar Schnittchen. Onno, du kannst gern mit in die Küche kommen.«

»Geh ruhig, Onno«, rief Karl ihm zu und zog sich die Fernsehzeitung näher heran. »Und lasst euch Zeit, jetzt kommt nämlich gleich die Zusammenfassung vom Tennis, die möchte ich mir gern angucken. Und nicht so viel Käseschnittchen bitte, mehr Wurst.«

In der Küche lehnte Charlotte sich an die Arbeitsplatte und sah Onno an. »Ihr schlaft hier nur unter zwei Bedingungen.«

Er nickte. »Welche sind das?«

»Erstens: Ich will alles über Helga Simon und dich wissen, und zweitens: Du zeigst mir deine Tricks beim Sushimachen. Ich habe ja im Moment überhaupt keine Zeit, mich anständig vorzubereiten.«

»Okay.« Onno nickte und setzte sich an den Küchentisch. »Womit möchtest du anfangen?«

Charlotte lächelte. »Mit Helga Simon. Aber mit allen Details.«

Während Charlotte Brotscheiben mit Butter bestrich, schnitt Onno Tomaten und Gurken klein und schilderte den Moment, als er zum ersten Mal das kleine Grübchen auf Helgas linker Wange bemerkt hatte. »Bei jedem Lächeln hat sie das«, sagte er leise. »So was Schönes habe ich noch nie gesehen.«

Charlotte seufzte gerührt und legte die Schinkenscheiben doppelt aufs Brot.

Zwei Platten Schnittchen, eine Kanne Tee und sechs Gläser Eierlikör später war Charlotte auf dem neuesten Stand der wohl schönsten späten Liebesgeschichte der Welt, wie sie fand. Sie wusste nun, welche Filme Helga Simon mochte, welche Musik sie hörte, dass ihre Lieblingsfarbe Blau und ihre Lieblingsblumen Anemonen waren. Im nächsten Monat wollten die beiden nach Hamburg in die Oper fahren, in einer Oper war Onno noch nie gewesen, aber, davon war Charlotte nach seinen begeisterten Erzählungen überzeugt, für Helga Simon würde der sonst so zurückhaltende Onno so ziemlich alles ausprobieren. Der Mann war verliebt. Und Charlotte begeistert.

Karl hatte diese zu Herz gehende Geschichte fast komplett verschlafen. Er hatte sich im Verlauf der Spätnachrichten ein Kissen in den Nacken gestopft, seine Brille abgenommen und war eingenickt. Sein leises Schnarchen nahm Onnos Geschichten zwar ein bisschen von der Romantik, aber sie waren trotzdem wunderschön.

Irgendwann stand Charlotte auf. »So, ich muss ins Bett. Onno, weck mal Karl, wenn der die ganze Nacht so auf dem Sofa schläft, hat er morgen einen steifen Hals. Einer von euch kann in Christines altem Zimmer schlafen, der andere in Georgs. Die Betten sind bezogen. Das Badezimmer der Kinder ist auch oben. Gegenüber von Christines Zimmer. Handtücher liegen im Schrank.«

»Wir machen solche Umstände«, sagte Onno leise, während er sanft Karls Schulter schüttelte. »Geht das nicht auch anders?«

»Wie denn?« Erstaunt sah Charlotte ihn an. »Wir alle drei im Ehebett?«

»Ist doch nur für eine Nacht.« Karl war aufgewacht und hatte den Rest im Halbschlaf gehört. »Wir fassen dich schon nicht an.«

Langsam tippte sich Charlotte an die Schläfe. »Gute Nacht. Und achtet mal schön auf die Verbrecher im Garten.«

Die alte Kinderschaukel quietschte leise, während Maren mit einem Glas Rotwein in der Hand leicht vor- und zurückschwang. Es hatte immer schon gequietscht, wahrscheinlich taten das alle Schaukeln, dieses Geräusch gehörte zu Marens Kindheitserinnerungen – genau wie Rike: ihre Stimme, ihr Lachen, ihre gute Laune, ihre bedingungslose Freundschaft.

Maren stieß sich heftiger vom Boden ab und verschüttete dabei die Hälfte des Rotweins. Sie fühlte sich unglaublich elend. So elend, dass ihr schon auf dem Weg nach Hause im Auto die Tränen gekommen waren. Wie ein kleines Kind war sie heulend zu Onnos Tür gelaufen, ihr Vater war aber gar nicht da. Die Küche war aufgeräumt, das Moped fehlte, wahrscheinlich verbrachte er auch diesen Abend wieder bei seiner neuen Herzdame. Maren gönnte es ihm, sehr sogar, aber heute Abend hätte sie sich gern an seine Brust gelehnt und mindestens eine Stunde geheult. Onno hätte sie sanft geschaukelt und ihr ins Ohr geflüstert, dass schon alles wieder gut werden würde, und ganz sicher hätte er auch schon gewusst, wie. Dafür waren schließlich Väter da.

Maren hielt die Seile der Schaukel umklammert und sah in den Sternenhimmel. Es standen unzählige Lichter am Himmel, und jetzt, um diese Jahreszeit, waren doch sicher auch Sternschnuppen unterwegs. Maren hatte immer schon daran geglaubt, dass die Wünsche, die man hatte, wenn eine Sternschnuppe aus dem Himmel fiel, sich erfüllen würden. Oh ja, sie hatte Wünsche. Jetzt. Und die mussten einfach in Erfüllung gehen. Ganz unbedingt.

Aber da waren keine Sternschnuppen. Dafür hatte sie wieder die Bilder im Kopf: dieser gelassene Andreas von Wittenbrink. Und die enttäuschte Rike. Annas Fragen, von Wittenbrinks Antworten, ihre Ängste. Und dann auch noch Runge. Immer mehr Informationen, die auf den Tisch kamen. Maren wusste nicht mehr, was sie denken sollte. Sie wusste nur, dass sie unbedingt mit Rike reden musste. Es konnte doch nicht sein, dass alles kaputtging.

Sie schwang sich noch einmal auf, dann fing sie sich mit den Füßen ab, sprang von der Schaukel und ging ihr Handy suchen. Rikes Nummer war seit Jahren gespeichert – dabei kannte sie sie sogar auswendig. Sie tippte die Kurzwahl, ließ sich auf die Gartenbank sinken und wartete. Ihre Erleichterung, dass das Gespräch angenommen wurde, wich der Enttäuschung, dass es eine männliche Stimme war. »Ja? Von Wittenbrink am Apparat von Rike Brandt?«

»Sie?« Maren musste sich räuspern. »Hier ist Maren Thiele. Ich möchte Rike sprechen.«

»Hallo«, seine Stimme war weich, dunkel und seltsamerweise sehr freundlich. »Rike steht gerade unter der Dusche. Sie hat mich gebeten, das Gespräch anzunehmen.«

Im Hintergrund klappte eine Tür, plötzlich hörte Maren Rikes Stimme. »Wer ist es denn?«

»Deine Freundin Maren Thiele.«

Er hatte ihr das Telefon anscheinend hingehalten, Maren hörte seine Stimme nur noch im Hintergrund. Dafür hörte sie Rikes Stimme sehr deutlich. »Ich will sie

nicht sprechen.« Dann ein anderes Geräusch und das Be-
setztzeichen.

Mit geschlossenen Augen ließ Maren das Telefon
sinken. Sie hätte es sich denken können. Sie hatte Rike
schließlich verraten, was hatte sie denn gedacht, wie Rike
reagieren würde? Das Schlimmste war, dass sie an keinem
Punkt die Wahl gehabt hätte, sich anders zu verhalten,
sie konnte doch nichts dafür, dass Rike sich in einen Verdächtigen verliebt hatte. Maren hatte einen Job, es ging
hier nicht um Befindlichkeiten, Freundschaft oder Liebes-
romanzen, es ging hier um die Aufklärung eines unklaren
Todesfalls. Schließlich war noch immer nicht geklärt, was
genau an diesem Abend im Haus von Jutta Holler passiert
war.

Mitten in der Vernehmung war Anna Petersen einigermaßen überraschend aufgestanden und hatte Andreas
von Wittenbrink gesagt, dass er jetzt gehen könne. Peter
Runge hatte sie angestarrt, als hätte sie gerade Hannibal
Lecter auf freien Fuß gesetzt: Vermutlich hatte er schon
den Schlüssel für eine der Zellen in der Hosentasche
gehabt und war ganz heiß drauf gewesen, endlich mal
jemanden über Nacht im Polizeirevier wegschließen zu
können.

»Halten Sie sich bitte weiterhin zu unserer Verfügung«,
hatte Anna nur knapp gesagt. »Wir melden uns.«

Er überragte Anna um fast zwei Köpfe, sie öffnete die
Tür und ließ ihn hinaus.

»Bis dann«, sagte er lächelnd und nickte Maren kurz
zu, die ihm langsam folgte. »Einen schönen Feierabend.«

Noch im Flur zog er sein Handy aus der Tasche. »Ich
bin es«, seine Stimme war laut genug, damit Maren es
hören konnte. »Ich bin jetzt hier fertig, nehme mir ein

Taxi und komme zu dir. ... Das erzähle ich dir gleich alles in Ruhe. Ich freue mich auf dich.«

Er schob das Telefon zurück in die Tasche, drehte sich noch einmal zu Maren um und hob grüßend die Hand. Dann klappte die Ausgangstür hinter ihm zu.

Abrupt stand Maren auf und beschloss, ins Bett zu gehen. Was immer auch passiert war, sie würden es herausfinden. Sie zwang sich, Andreas von Wittenbrink zu diesem Zeitpunkt weder für schuldig noch für unschuldig zu halten. So viel Professionalität musste in ihrem Job einfach sein. Dass ihre beste Freundin ihn toll fand, war kein Beweis dafür, dass er mit dem Tod von Jutta Holler nichts zu tun hatte.

Karl trug einen Helm, auf dem ein Blaulicht befestigt war, das die ganze Umgebung zum Flackern brachte. Er saß angeschnallt auf einer Art Pilotensessel, Onno hinter ihm auf dem Moped mit den Armen um Karls Bauch. Onno brüllte: »Bahn frei, Bahn frei!«

Sie kamen genau auf Maren und Robert zugefahren, vielleicht sahen sie sie nicht? Robert begann hektisch, mit den Armen zu rudern, und riss Maren im letzten Moment zur Seite. Sie stürzten zusammen auf den Kiesweg, es tat weh, aber weder Onno noch Karl schien das zu kümmern, sie rasten einfach weiter. Dann spürte Maren Roberts Lippen auf ihrem Mund, bevor er ihr ins Ohr flüsterte: »Dabei habe ich ihnen den Tipp gegeben. Die Spielbank wird gerade ausgeraubt! Karl wird Rike und Andreas endlich stellen, dieses Grauen muss ein Ende haben. Für uns, für Helga Simon und für die Insel.«

Maren wollte endlich vom harten Kiesboden aufstehen, aber ihre Beine waren von Schlingpflanzen umwickelt, sie kam nicht hoch, und plötzlich konnte sie auch nicht mehr reden. Dabei wollte sie gerade sagen, dass Rike auf keinen Fall die Spielbank überfallen würde, sie spielte noch nicht mal Mau-Mau. Marens Hüfte tat so weh, sie sah Robert flehend an, der stand aber auf und sagte: »Onno war nicht angeschnallt«, und ging weg. Sie streckte ihre Hand nach ihm aus und stieß damit gegen eine Holzwand. Er hatte sie eingesperrt, damit sie Rike nicht helfen konnte! Mit aller Kraft trat sie gegen die Wand und schrie nach ihrem Vater. Davon wachte sie auf.

Stöhnend drehte Maren sich zur Seite. Sie lag vor ihrem Bett auf dem Boden, verheddert in ihre Bettdecke, mit schmerzender Hüfte und verdrehter Hand. Langsam befreite sie sich aus der Decke und setzte sich auf. Dann sah sie auf die Uhr. Es war halb sechs. Und Donnerstag. Sie schob die Decke zurück aufs Bett und unterdrückte beim Aufstehen nur mühsam einen Schmerzensschrei. Sie musste mit vollem Schwung auf ihre Hüfte gebrettert sein. Zu doof, um im eigenen Bett liegen zu bleiben. Sie streckte sich, bis es im Rücken knackte, und humpelte langsam ins Bad. Jetzt konnte sie auch aufbleiben, der Wecker hätte sowieso in einer halben Stunde geklingelt.

Als sie wenig später geduscht, aber noch im Bademantel, an ihrem Küchenfenster stand, hörte sie das Geräusch des herannahenden Mopeds. Sie beugte sich vor und sah Onno, der das Moped in den Schuppen schob. Maren lief mit dem Kaffeebecher in der Hand zur Tür und öffnete. »Papa?«

Sofort kam Onno aus dem Schuppen, nahm im Gehen den Helm ab und lächelte sie verlegen an. »Guten Morgen, Kind. Du bist ja schon wach.«

»Es ist sechs«, Maren hob den Becher. »Möchtest du Kaffee?«

»Och«, unsicher blieb Onno stehen. »Ich weiß nicht, ich müsste mal …«

»Papa«, Maren musste sich zusammennehmen, um nicht zu lachen. »Ich schimpfe doch gar nicht. Und ich habe dich auch nicht gefragt, ob du mal auf die Uhr gesehen hast oder wo du um diese Zeit überhaupt herkommst. Ich habe auch nicht geklagt, dass ich die ganze Nacht verrückt vor Angst am Fenster gestanden und schon überlegt habe, die Polizei anzurufen. Ich habe nur gefragt, ob du einen Kaffee möchtest.«

»Wieso solltest du auch die Polizei anrufen?« Onno grinste schief. »Du siehst sie doch gleich. Ich trinke morgens keinen Kaffee. Nur Tee. Also, lass mal, wir sehen uns bestimmt später.« Er wandte sich zu seinem Hauseingang, Maren trat einen Schritt vor und rief ihm hinterher: »Du sagst mir wirklich nicht, woher du jetzt kommst?«

»Du hast doch gar nicht gefragt.« Onno hob die Schultern. »Das hast du sogar extra betont. Schönen Tag noch.«

Hinter ihm klappte die Tür zu. Maren schloss ihren Mund. Es war ja völlig in Ordnung, dass Onno bei Helga Simon übernachtete. Aber warum um alles in der Welt fuhr er da so früh weg?

So«, Karl faltete den Bogen sorgfältig zusammen und schob ihn in seine Hemdtasche. »Das ist so weit klar. Sag mal, da Onno sich ja so früh vom Acker gemacht hat, kann ich sein Ei haben?«

Achselzuckend schob Charlotte es ihm vor seinen Teller. »Das wäre dein drittes. Meins hast du doch auch schon gegessen. Was hast du eigentlich für einen Cholesterinspiegel?«

Sanft klopfte Karl mit dem Eierlöffel auf die Schale. »An Tagen wie diesen, meine Liebe, sollte man körperliche Schwächen wirklich ganz hintanstellen. Heute brauche ich Kraft und Konzentration, nächste Woche lasse ich die Eier wieder weg. Noch mal zum Thema: Hast du noch irgendwelche Fragen? Oder ist dir der Ablauf klar?«

»Es ist alles klar«, entgegnete Charlotte und schob mit dem Finger die Eierschalen, die Karl abgepellt hatte, auf der Tischdecke zusammen. »Ich werde gegen halb zehn telefonieren, dann hole ich Inge ab. Währenddessen packen Onno und du alles Notwendige zusammen, und wir treffen uns anschließend wieder hier und bauen auf. Richtig?«

»Richtig.« Karl betrachtete sie stolz. »Du strahlst eine so professionelle Ruhe aus, Charlotte, das finde ich wirklich erstaunlich. Als wenn du so etwas seit dreißig Jahren machst. Respekt. Sehr gute Eier, übrigens, perfekt gekocht.«

»Das mache ich übrigens seit über dreißig Jahren.« Sie drehte den Kopf zur Seite, als hätte sie etwas gehört. »Ist das das Telefon? Ja. Entschuldige mich kurz.«

Sie riss die Tür zum Flur auf, sofort wurde das Klingeln lauter, und eilte mit wenigen Schritten zum Tisch. »Schmidt?«

»Na? Was macht der junge Tag?«

»Guten Morgen, Heinz.« Der junge Tag? In ihrem Esszimmer saß ein pensionierter Mann, der zum dritten Ei das vierte Brötchen aß, aber den meinte Heinz sicher nicht. Und die Erklärung dafür war Charlotte jetzt auch zu mühselig. »Der junge Tag ist hier noch nicht aufgetaucht. Und? Was gibt es bei euch Neues?«

»Ja …«, die Pause verhieß nichts Gutes. Charlotte warf einen Blick ins Esszimmer, Karl kaute konzentriert und las dabei die Zeitung. Wenn man schnell hinsah, könnte da auch Heinz sitzen. Seltsam, dass es so wenig Unterschiede gab. Beeindruckt von dieser Erkenntnis, verpasste sie den Anfang vom nächsten Satz. »… Missverständnis.«

»Wer hat ein Missverständnis?« Jetzt war sie wieder bei ihrem Mann. »Wenn du ›Missverständnis‹ sagst, heißt das doch, dass du dich wieder mit Christine gestritten hast. Was genau war da los?«

»Ach, nichts weiter«, Heinz gab sich Mühe, harmlos zu klingen. »Es gab nur eine kleine Diskussion mit einem Gast von Christine, der irgendwie nicht nach Hause wollte. Sie hat ja nur diesen einen Fernseher im Wohnzimmer. Und Walter und ich wollten gern die Tennisübertragung sehen. Aber diese jungen Leute haben ja kein Gespür für die Bedürfnisse anderer. Deshalb mussten wir ihm unser Tennisbedürfnis erklären. Er ging ja dann auch rechtzeitig. Aber nun ist Christine aus irgendeinem Grund verschnupft. Ist aber egal, wir wollten nur sagen, dass wir doch früher nach Hause kommen. Bis Samstag ist es vielleicht zu lang.«

Im Esszimmer fiel etwas scheppernd zu Boden, gefolgt von einem Fluch. Sofort fragte Heinz: »Was war das denn? Hast du Besuch? Um diese Zeit?«

»Natürlich nicht«, antwortete Charlotte. »Das war im Radio. Wann genau kommt ihr denn jetzt?«

»Wir wollten …«

»Charlotte«, Karl hatte entweder vergessen, dass sie telefonierte, oder es war ihm egal. »Hast du noch eine Zahnbürste?«

Er stand plötzlich direkt vor ihr, Charlotte fiel fast das Telefon aus der Hand. »Ich habe meine vergessen.« Sie schob ihn mit einem warnenden Blick zurück, drehte sich um und ging in die Küche. »Heinz? Bist du noch dran? Das Radio ist wohl kaputt, das wird von ganz allein lauter. Was hast du zuletzt gesagt?«

Die Antwort kam zögernd. »Da steht ein Mann neben dir, der eine Zahnbürste will? Kannst du mir das erklären?«

»Das Radio, Heinz, das habe ich doch gesagt. Es ist ein Hörspiel. Oh, ich muss Schluss machen, meine Kartoffeln kochen über.«

Sie drückte schnell die rote Taste und legte das Telefon zur Seite. »Karl, bist du bescheuert?«

Er stand immer noch im Flur. »Was denn? Putzt du dir nicht nach dem Frühstück die Zähne? Ich habe überall Ei kleben.«

»Du kannst doch warten, bis ich das Gespräch mit Heinz beendet habe.«

»Ach, das war Heinz?« Karl lächelte arglos. »Dann

hättest du ihn ja auch grüßen können. Hast du jetzt eine Zahnbürste?«

»Wenn Heinz heute Abend auf der Matte steht, ist das deine Schuld«, sagte sie wütend. »Ich glaube nicht, dass er mir das Hörspiel abgenommen hat. In dem die Heldin auch noch Charlotte heißt. Du machst ja totale Anfängerfehler!«

»Und du? Kartoffeln, die morgens um halb acht überkochen?«

Immer das letzte Wort, dachte Charlotte und verschränkte die Arme vor der Brust. Wie Heinz. »Pellkartoffeln«, sagte sie deshalb belehrend. »Für Kartoffelsalat. Die kocht man immer morgens, sonst werden die ja nicht kalt. So. Gästezahnbürsten liegen oben im Badezimmer. Zweite Schublade links. Ich ziehe jetzt die Betten ab.«

»Wir stecken fest.« Im Polizeirevier schob Anna zur selben Zeit ungeduldig die Protokolle der letzten Tage zusammen. »Es gibt keinen einzigen handfesten Beweis. Wir müssen alles noch mal gründlich durchgehen, vielleicht haben wir etwas übersehen.«

Sie hatte im Besprechungszimmer alle bisherigen Ergebnisse zusammengefasst. Den größten Teil hatte die Schilderung des Gesprächs mit Andreas von Wittenbrink eingenommen. Runge hatte sich eingemischt, kaum, dass Anna ihren Bericht beendet hatte. »Für mich ist das ein klares Motiv. Ein Heimkind, mit Wer-weiß-was-für-Genen, das seine Adoptivmutter verliert und ein paar Jahre von der bösen Stiefmutter in den Wald geschickt wird.«

»Ins Internat«, warf Maren ein. »Nicht in den Wald.«

»Habe ich doch gesagt«, Runge funkelte sie wütend an. »Jedenfalls hat sie sein Leben versaut, und dafür nimmt er jetzt Rache.«

»Er hat kein versautes Leben«, Anna schüttelte den Kopf. »Er ist ein erfolgreicher Architekt, wohlhabend, beliebt, ich sehe da keinen Grund.«

»Aber er hat eine kleinkriminelle Vergangenheit«, Runge fuchtelte mit dem Zeigefinger in ihre Richtung. »Ich habe mal ein paar Erkundigungen eingezogen. Andreas Holler war als Jugendlicher auf der Insel polizeibekannt. Diebstahl, Körperverletzung, Fahren ohne Führerschein, Drogen, Alkohol. Wer weiß denn schon, aus was für einem Stall so ein Heimkind kommt? Was sagen Sie jetzt?«

Anna sah ihn mit zusammengepressten Lippen an. »Ihre persönlichen Gedanken zu elternlosen Kindern stehen hier gar nicht zur Debatte. Und wieso sind die Delikte nicht dokumentiert? Woher haben Sie denn die Akten, Herr Runge?«

Selbstzufrieden lehnte Runge sich zurück. »Ich habe diese Informationen quasi erst in den letzten Stunden zusammengetragen. Ein guter Revierleiter hat eben nie Feierabend.«

Marens Blick fiel auf Benni, der die Augen verdrehte. Runge war wirklich ein Kotzbrocken. »Andreas Holler war kein Kleinkrimineller«, berichtigte sie ihn spontan. »Ich habe gehört, dass er einfach nur ein unglücklicher Jugendlicher war, der ab und zu pubertären Blödsinn gemacht hat. Es gab nie eine Strafanzeige.«

»Ach nein?« Runge lächelte ironisch. »Wer sagt das denn?«

»Mein Vater.« Runges Lächeln wurde breiter. Maren setzte nach. »Und der weiß es von Karl Sönnigsen, der damals hier Revierleiter war.« Runges Lächeln erstarb. »Sönnigsen«, knurrte er. »Als ob ...«

»Können wir bitte sachlich weitermachen«, Anna

klopfte mit einem Kugelschreiber auf den Tisch. »Da es offenbar damals keine Anzeigen gegen Andreas von Wittenbrink gab, spielt das für die jetzige Ermittlung keine Rolle.«

»Aber er hat ein Motiv«, bellte Runge dazwischen, der die Blickwechsel zwischen den Kollegen richtig gedeutet hatte. »Und was für eins. Ich wette ...«

»Andreas von Wittenbrink hat für die Zeit des Einbruchs ein Alibi«, unterbrach ihn Katja Lehmann, die gerade den Raum betreten hatte. »Sie sind übrigens bis auf den Flur zu hören, in dem Leute sitzen.«

»Haben Sie etwas Neues?« Anna hatte sofort hochgesehen und griff jetzt nach dem Blatt, das Katja Lehmann ihr hinhielt.

»Ja«, antwortete die mit einem seltsamen Blick auf Runge. »Ich habe diesen Henning Kruse angerufen, mit dem Andreas von Wittenbrink den Fußballabend verbrachte, an dem er sich das Knie verletzt hat. Kruse hat die Aussage bestätigt, wollte von Wittenbrink sogar ins Krankenhaus begleiten. Das wollte der aber nicht. Und dann hat er noch gesagt, dass sie sich ein zweites Mal getroffen haben. Das war am letzten Samstag am frühen Abend. Da waren sie gemeinsam essen. In Westerland. Und anschließend hat Herr Kruse von Wittenbrink zum Sommerfest gefahren. Er selbst hatte keine Lust und ist zurück ins Hotel. Von Wittenbrink hat ein Alibi für die Tatzeit.«

»Vermutlich gekauft.« Missfällig winkte Runge ab. »Ich verwette meinen Hintern, dass von Wittenbrink der Täter ist. Das sagt mir meine Nase.«

Maren hätte zu gern etwas entgegnet, rief sich aber ins Gedächtnis, dass dieser Kotzbrocken ihr Chef war und Anna Petersen nach diesem Fall wieder zurück nach

Flensburg gehen würde. Sie sollte sich besser bedeckt halten. Dafür stand Anna plötzlich auf.

»Maren, wir fahren noch mal los. Danke, Kollegen, für die Aufmerksamkeit, wir sehen uns später.«

Sie verließ so schnell den Raum, dass Maren Mühe hatte, ihr zu folgen. Erst am Auto sagte Anna: »Wir fahren zu Karl. Ich glaube, er kann uns helfen.«

Nach dem zweiten Klingeln trat Anna einen Schritt näher an die Tür und versuchte, durch die Scheibe zu sehen. »Er ist nicht da«, sagte sie enttäuscht. »Schade.«

Sie wandte sich zu Maren. »Dann lass uns ...«

In diesem Moment hörten sie hinter sich die Gartenpforte quietschen. »Moin, Moin.«

Mit einer Reisetasche in der Hand kam Karl aufs Haus zu. »Zu wem wollt ihr denn?«

»Zu dir, natürlich«, Maren blickte auf die Tasche und ging zur Seite, um ihn vorbeizulassen. »Gerda ist ja nicht da.«

»Richtig.« Karl tippte mit dem Zeigefinger in Marens Richtung und zog den Hausschlüssel aus der Hosentasche. »Ich wüsste gar nicht, was euch zu mir treiben könnte. Euer Desinteresse an meiner Unterstützung hat Anna mir ja neulich lang und breit bekundet. Dann habt ihr euch wohl bei der Adresse vertan.«

»Jetzt sei doch nicht so stur, Karl.« Anna wollte ihm die Tasche abnehmen, er ließ es nicht zu. »Warst du verreist?«

Inzwischen hatte er die Tür geöffnet und war eingetreten. Er machte keinerlei Anstalten, Maren und Anna hereinzubitten, sondern schob die Tür wieder ein Stück zu und sah die beiden freundlich an. »Ich habe leider im Moment keine Zeit für Gäste. Und auch nichts an Gebäck oder Ähnlichem da. Vielleicht ein anderes Mal, schönen Tag noch.«

»Karl.« Anna stellte ihren Fuß in die Tür und funkelte ihn wütend an. »Ich dachte nicht, dass du so nachtragend bist. Außerdem ging es nicht gegen dich. Vielleicht brauche ich doch deine Hilfe.«

»Tja, meine Liebe«, mit der Hand an der Tür und dem Blick auf Annas Fuß machte er eine vielsagende Pause. Schließlich hob er den Kopf und sah sie an. »Jetzt gerade ist es ganz schlecht. Wie gesagt. Wenn du möchtest, können wir ja morgen oder übermorgen zusammen Mittag essen. Du kannst dir ja Fragen ausdenken, bei denen ich dir helfen kann. Und bis dahin wendest du dich einfach an den großen Kriminologen Runge. Der hat doch Ahnung. Also, ihr beiden, tschüss dann.«

Langsam zog Anna ihren Fuß zurück. »Du bist so ein sturer Bock, Karl Sönnigsen.«

»Aber nein, Anna«, er lächelte. »Ich bin pensioniert. Und Zivilist. So einfach ist das.« Langsam schloss er die Tür.

Charlotte verfolgte den Sekundenzeiger ihrer Armbanduhr, bis er auf die Zwölf sprang. Dann begann sie, eine Nummer einzutippen. Gespannt wartete sie, bis ihr Gesprächspartner sich meldete. »Winter.«

»Guten Morgen, Herr Winter, hier ist Schmidt. Es geht um den Termin nachher.«

»Einen wunderschönen guten Morgen, Frau Schmidt. Ja, ich weiß, wir sind für halb elf verabredet. Meine Interessentin ist schon auf dem Weg.«

»Ja«, Charlotte legte ein Zögern in ihre Stimme. Sie war wieder in Form. »Es ist mir so peinlich, Herr Winter, aber ich muss den Termin leider kurzfristig absagen. Mein Mann hat heute Morgen angerufen, ich habe mich aus Versehen verplappert, und er ist ganz ungehalten geworden. Er hat gesagt, über so einen Entschluss muss man in Ruhe nachdenken, und nur weil ich von diesen Einbrüchen gehört habe, solle ich mal nicht hysterisch werden. Jedenfalls kommt er morgen zurück, und vorher wird hier gar nichts besichtigt. Es tut mir leid.«

»Aber Frau Schmidt«, Gero Winter hatte wirklich eine nette Stimme. »Das ist doch kein Problem. Dann verschieben wir es eben. Vielleicht Anfang nächster Woche?«

»Ach, Herr Winter«, Charlotte kniff ihre Augen so lange zusammen, bis sie tränten. »Es geht nicht ums Verschieben. Ich war zu voreilig. Ich glaube, mein Mann wird auf keinen Fall verkaufen. Er nimmt meine Ängste auch gar nicht ernst. Ich bin wirklich unglücklich. Ich muss immer daran denken, was hier alles passiert ist. Und dann auch noch die tote Frau Holler. Die wohnte neben meiner Schwägerin. Und dann sagt mein Mann, ich solle mich nicht so anstellen, unser Haus ist sicher. Ich …« Sie putzte sich lautstark die Nase. Was war sie wieder gut. »Entschuldigen Sie, ich wollte Sie nicht mit meinen Problemen belästigen. Vielleicht sollte ich mich einfach beruhigen und irgendwann später telefonieren wir noch mal. Wenn mein Mann mich vielleicht ein bisschen besser versteht.«

Gero Winters Stimme klang betroffen. »Frau Schmidt, ich mache mir gerade richtig Sorgen um Sie. Kann ich Ihnen helfen?«

»Nein.« Charlotte schluchzte oscarreif. »Nein, das können Sie nicht.«

»Sind Sie jetzt allein? Haben Sie niemanden, der Sie beruhigen könnte?«

»Nein. Ich bin allein. Mein Mann kommt ja erst morgen. Vielleicht kann ich heute Abend zu meiner Schwägerin gehen und dort auch übernachten. Wissen Sie, ich kann einfach nicht mehr. Ich muss auflegen. Danke für alles, Herr Winter.«

Ohne die Antwort abzuwarten, legte Charlotte auf. Hoffentlich hatte sie jetzt nicht zu dick aufgetragen. Sofort nahm sie den Hörer wieder in die Hand und rief Karl an. »So, geschafft.«

»Sehr gut«, Karl klang äußerst fröhlich. »Du hast dich an alle Vorgaben gehalten? Heinz kommt morgen, und du gehst vermutlich heute Abend zu Inge? Und er hat alles geschluckt?«

»Ich denke schon.« Charlotte stand auf. »Ich war ziemlich gut, Karl. Wenn es schiefgeht, liegt es bestimmt nicht an mir.«

»Gut.« Karl lachte leise. »Ich mochte immer schon selbstbewusste Frauen, Charlotte. Wusstest du das?«

»Natürlich. Gerda lässt sich doch auch nichts von dir sagen. Also, dann weiter im Plan, ich hole jetzt Inge ab, und wir treffen uns nachher hier. Bis später.«

Onno?« Karl drückte die Haustür auf und rief durch den Flur. »Wo steckst du denn? Ich bin da.«

»Schuppen.« Die Stimme kam aus dem Garten, Karl machte kehrt und betrat den rot angestrichenen Gartenschuppen, in dem Onno im Blaumann vor einem großen Karton stand. Als er Karl in der Tür stehen sah, lächelte er breit und sagte: »Ich habe sie gefunden. Es sind tatsächlich zwei.«

»Hast du sie auch ausprobiert?« Mit Skepsis musterte Karl den verblichenen Karton. »Nicht, dass die über die Jahre ihren Geist aufgegeben haben.« Er runzelte die Stirn. »Da steht ›neunzehnhundertzweiundachtzig‹ drauf.«

»Das ist nur der Karton.« Onno wischte den Staub von der Pappe. »Und ich habe sie selbstverständlich ausprobiert. Warum habe ich mich wohl so früh auf den Weg gemacht? Du hast doch bestimmt noch in aller Ruhe bei Charlotte gefrühstückt, oder?«

»Natürlich«, Karl sah sich neugierig im Schuppen um. »An Tagen wie diesem muss man mit seinen Kräften haushalten. Hast du genug Verlängerungskabel?«

Sofort deutete Onno auf drei Kabeltrommeln, die bereits neben der Schuppentür standen. »Schon bereit. Und ich habe noch etwas organisiert. Das wird dich begeistern, sieh mal.« Mit Stolz zog er zwei weitere Kartons unter der Werkbank hervor. »Was sagst du dazu?«

Ächzend ging Karl in die Knie, um die Aufschriften besser lesen zu können. Dann sah er zu Onno hoch und grinste breit. »Toll«, sagte er langsam. »Wo hast du das denn her?«

»Von Götz seinem Sohn. Der macht so was an den Wochenenden. Wir sollen bloß nichts kaputt machen, aber das haben wir ja auch nicht vor. Die Elektronik hat er mir erklärt, das kann man alles wunderbar zusammenschließen. Haben wir vorhin auch schon kurz ausprobiert. Eine Wucht sage ich dir.«

»Perfekt.« Karl streckte Onno eine Hand entgegen, damit der ihn wieder hochzog. »Wirklich perfekt. Dann kann es ja bald losgehen. Zeitvergleich?«

»Was?«

Karl tippte auf sein Handgelenk. »Das gehört dazu. Zeitvergleich.«

»Ich habe doch gar keine Uhr.«

»Dann nicht.« Achselzuckend setzte Karl sich in Bewegung. »Ist auch nicht so wichtig. Es reicht, wenn ich die Zeit im Blick habe. Und wir können vor dem Einladen noch eine Tasse Kaffee trinken. Charlottes Kaffee war ja so dünn.«

Auf dem Weg durch den Garten zum Haus zog Karl eine Liste aus seiner Jackentasche, die er im Gehen entfaltete. »Punkt eins abgehakt, Punkt zwei abgehakt, Punkt drei abgehakt«, sagte er leise und blieb plötzlich stehen. »Tauwerk. Was ist mit Tauwerk?«

»Ist bereits im Auto. Genauso wie Klebeband und Karabinerhaken.«

»Abgehakt, abgehakt, abgehakt«, Karl nickte zufrieden. »Letzter Punkt: Proviant.«

»Darum kümmern sich Inge und Helga. Wie abgesprochen.«

»Dann haben wir alles.« Karl schob die Liste zurück in die Tasche und klopfte Onno auf die Schulter. »Bestens.« Langsam setzten sie sich wieder in Bewegung. Nach einem friedlichen Moment der Stille sagte Onno: »Um was genau hast du dich eigentlich gekümmert?«

Entrüstet blieb Karl wieder stehen. »Um die Planung, mein Lieber. Ohne die wäre das alles nur ein Sammelsurium von Dingen in deinem Auto. Ich gebe unserem Plan ein Gesicht. Einer muss in unserer Gruppe die Verantwortung übernehmen, sonst endet alles in Chaos und Verderben. Aber letztlich spielt es überhaupt keine Rolle, wer was macht und warum. Wir sind ein Team, keiner muss alleine kämpfen. Denk doch nur mal an die gestrige Nacht. Was hättest du denn bei Charlotte gemacht, wenn es tatsächlich eine verdächtige Person oder einen Übergriff gegeben hätte?«

»Ich wäre rausgegangen und hätte die Person vertrieben«, antwortete Onno sofort. »Dasselbe hätte ich auch gestern machen müssen, weil du nämlich überhaupt nicht wach geworden wärst.«

»Unsinn«, widersprach Karl energisch. »Ich war hellwach, ich habe nur geruht.«

»Klar«, Onno hielt Karl die Haustür auf. »Du solltest dir mal so eine Schnarch-Maske besorgen. Charlotte und ich haben die halbe Nacht überlegt, wie Gerda diesen Lärm bloß aushält.«

»Macht euch mal keine Sorgen um Gerda«, antwortete Karl gut gelaunt. »Von ihrem Schnarchen wache nämlich ich auf. So, aber jetzt freue ich mich erst mal auf den Kaffee.«

Am Nachmittag,
im Haus der toten Jutta Holler

Sina riss ein Kleidungsstück nach dem anderen aus dem Schrank und warf die Sachen auf zwei verschiedene Haufen. Der linke war für die Altkleidersammlung, auf den rechten kamen die Stücke, für die man noch Geld bekommen könnte. Der linke Haufen wurde immer größer. Als sie mit der Schrankseite fertig war, ließ sie sich auf den unbequemen Designersessel fallen. Um die Möbel musste sie sich auch noch kümmern, genauso wie um die Massen an Geschirr und anderem Zeug, dieses Haus war von oben bis unten vollgestopft, Sina fühlte sich gerade maßlos überfordert. Am liebsten hätte sie eine Entrümpelungsfirma beauftragt, das Haus einfach leer zu räumen und den ganzen Scheiß zu verbrennen. Aber einige Sachen waren dann doch zu wertvoll. Und so lange das Haus nicht verkauft und das Geld nicht auf Sinas Konto war, konnte sie sich das Wegwerfen von teuren Dingen schlichtweg nicht leisten. Gestern um diese Zeit hätte sie einfach Torben angerufen und ihn überredet, ihr beim Ausräumen und Sortieren zu helfen. Vor diesem grauenhaften Abend. Der Abend, an dem sich ihr alter Freund Torben als das Superarschloch entpuppt hatte. Vor Wut stiegen ihr die Tränen in die Augen. Sie hatte die ganze Nacht wach gelegen, sich von einer Seite auf die andere gewälzt und fieberhaft überlegt, wie sie aus dieser Nummer rauskommen könnte. Sie hatte keinen Weg gefunden. Stattdessen musste sie diesen alten Kasten jetzt alleine ausmisten, die Beerdigung am Montag überstehen, den Hausverkauf über die Bühne bringen und wahrscheinlich auch noch vom Erlös des Hauses Torben die Hälfte abgeben. Es war so ungerecht.

Ihr Blick fiel auf das benutzte Weinglas, das sie gestern auf dem Tisch stehen lassen hatte. In der Flasche musste noch etwas sein, Sina stand auf, um sie zu holen. Es war doch egal, ob sie nüchtern oder alkoholisiert über ihr Dilemma nachdachte, es gab ohnehin keine Lösung. Das Telefonklingeln unterbrach ihre Überlegung.

»Frau Holler? Hier ist die Kanzlei Luetge, Zimmer am Apparat.«

»Na, endlich«, Sina ging langsam in die Küche und öffnete den Kühlschrank. »Ich hätte Sie auch gleich angerufen, die Papiere müssen doch schon lange da sein. Ich muss langsam mal an die Konten. Und ich muss zum Makler, um hier mal alles abwickeln zu können. Wann kann ich die Unterlagen holen?«

Sie hatte sich das Glas vollgeschenkt und nahm einen ordentlichen Schluck.

»Dr. Luetge möchte Sie morgen früh gegen zehn gern hier in der Kanzlei sehen. Er muss Ihnen einiges erläutern. Können Sie das einrichten?«

»Wozu brauchen wir einen Termin? Was will er mir denn erläutern? Ich brauche den Erbschein für die Bank, und zwar schnell. Der muss doch bei Ihnen liegen, dafür brauche ich keine Erläuterungen und schon gar keinen Termin. Ich komme nachher vorbei.«

»Dr. Luetge ist heute nicht im Büro. Deshalb sollte ich mit Ihnen den Termin ausmachen.«

»Habe ich mich nicht klar ausgedrückt? Ich brauche keinen Termin, sondern den Erbschein.« Sina merkte selbst, dass ihre Stimme hysterisch wurde. Sie konnte nichts dagegen tun. »Ihr Chef soll mich selbst anrufen und mir sagen, was er will. Ich habe keinen Bock, mit irgendwelchen Vorzimmertussen zu reden. Ich will den Erbschein, den können Sie mir auch zuschicken. Und morgen werde ich ganz sicher nicht um zehn bei Ihnen auf der Matte stehen. Schönen Tag noch.«

Sie legte wütend auf und trank das Glas in einem Zug aus. Das konnte doch alles nicht wahr sein! Das hatte sie echt nicht verdient. Nur weil der feige Uwe sich nicht von der blöden Alten trennen konnte, musste sie jetzt dieses Leben führen. Sie hatte immer nur Pech. Sie hatte keinen Mann, keinen tollen Job, ihre dunkle, kleine Wohnung lag zu weit von den angesagten Stadtteilen entfernt, ihre Klamotten kamen aus Secondhandläden und sahen nur teuer aus, sie ging nicht aus, fuhr nie in den Urlaub, sie hatte alles so satt, satt, satt. Und endlich war mal etwas passiert, sie stand so kurz davor, ein Haus auf Sylt verkaufen zu können, um ihr Leben zu drehen – und jetzt war schon wieder alles gegen sie! Und dann noch Torben, der anscheinend völlig durchgedreht war und sie so seltsam angesehen hatte. Mit seinen kalten blauen Fischaugen.

Sina holte aus und schmiss das leere Glas mit aller Kraft an die Wand. Ein Glas weniger zu entsorgen. Sie riss die Flasche aus dem Kühlschrank und trank direkt daraus. Sie musste mit Torben fertigwerden. Sie brauchte einen Plan. Und jemanden, der ihr dabei half. Wie hieß der Typ vom gestrigen Abend? Sina trank noch einen Schluck und überlegte. Dann fiel es ihr wieder ein: Gero Winter. Und irgendwie hatte Torben Angst vor ihm gehabt. Oder zumindest war er nicht sein größter Fan. Sie musste herausfinden, was Winter machte. Das konnte ja nicht so schwer sein. Ihr Handy lag noch im Wohnzimmer, der Typ war doch sicher übers Internet ausfindig zu machen.

Torben sollte sie besser nicht unterschätzen, sie würde nicht kampflos aufgeben.

Während Sina sich durchs Internet klickte und dabei die Weinflasche gleich in der Hand behielt, klingelte wieder das Telefon. Sie wollte jetzt nicht drangehen, stattdessen suchte sie mit zusammengepressten Lippen alle Einträge auf ihrem Display durch. Winter, Andreas, Winter, Bernd, Winter, Boris, Winter, Cäcilia …

Und plötzlich hörte sie Dr. Luetge auf den Anrufbeantworter sprechen. »Luetge, guten Tag, Frau Holler, meine Frau Zimmer hat mir gesagt, dass Sie etwas ungeduldig und aufgebracht waren. Nun, das tut mir leid, aber so schnell wird sich Ihr Fall wohl nicht klären lassen, deshalb gebe ich Ihnen den dringenden Rat, unseren Termin morgen früh in der Kanzlei wahrzunehmen …«

Sina war aufgesprungen und hatte den Hörer von der Station gerissen. »Ja? Hallo, sind Sie noch dran …?«

»… ich erbitte …«, Luetge unterbrach sofort, als er sie hörte. »Sie sind ja doch da. Guten Tag, Frau Holler.«

Ohne Zeit mit Höflichkeitsfloskeln zu verschwenden, fragte sie mit leicht verwaschener Stimme: »Was soll der Quatsch denn? Ich will die nötigen Papiere, um hier alles abzuwickeln, wieso kriegen Sie das denn nicht hin? Das kann doch nicht so schwer sein. Das macht doch jeder Dorfnotar.«

»Normalerweise ist es auch nicht schwer.« Dr. Luetge ging gar nicht auf Sinas beleidigenden Ton ein. Stattdessen sagte er nur sehr ruhig: »Wenn die Besitzverhältnisse eindeutig sind, ist es sogar nur eine Formalität. Aber in Ihrem Fall ist das leider nicht so. Und darüber würde ich Sie gern morgen früh in aller Ruhe aufklären und gegebenenfalls eine mögliche Vorgehensweise überlegen.«

Sina spürte plötzlich die Wirkung des Alkohols, um

sie herum begann sich alles zu drehen. »Ich verstehe kein Wort. Meine Mutter ist tot, sie hatte ein Haus, und das gehört jetzt mir. Ich bin das einzige Kind, es gibt keine anderen Erben, was sind denn daran keine eindeutigen Besitzverhältnisse? Ich will das jetzt wissen. Jetzt machen Sie doch nicht so ein Theater. Was ist Ihr Problem?«

»Ich habe kein Problem«, Luetge atmete tief aus. »Frau Holler, Sie haben ein Problem. Das Haus gehörte nicht Ihrer Mutter. Und deshalb ist es auch nicht Ihr Erbe. Und alles Weitere kann ich Ihnen gern morgen erklären, auf Wiederhören, Frau Holler.« Er legte auf.

Sina ließ das Telefon fallen und spürte, wie etwas in ihr explodierte. Dann ließ sie sich langsam an der Wand runterrutschen. Er musste sich irren, dieser trottelige Notar musste sich einfach irren, das konnte doch nicht sein, das war doch totaler Schwachsinn! *Sie* hatte dieses Haus geerbt, das ihr Vater gebaut hatte, das Haus, in dem sie aufgewachsen war. Alles andere war sicher ein Irrtum. Es würde sich klären, morgen würde sich das alles klären. Das Haus, ihr Erbe, der Erbschein, Torben, dieser Gero Winter, alles würde sich morgen aufklären und zurecht-rütteln. Jetzt würde sie sich betrinken. Um nicht mehr an Torbens kalte Augen zu denken. Morgen würde alles gut.

Stunden später, in Charlottes Garten,
bei einsetzender Dämmerung

Charlotte kam in den Gartenschuppen gehuscht, lehnte die Tür an und ging gebückt an den Tisch. »Jetzt kann's losgehen.«

»Pscht, nicht so laut«, Inge zog einen Klappstuhl vorsichtig neben sich: »Setz dich schnell. Von hier aus kannst du durchs Fenster sehen.«

»Hier ist dein Teebecher«, flüsterte Helga und schob ihn über den Tisch. »Sitzen die Männer schon in Position?«

Charlotte nickte und deutete durchs Fenster. »Einer rechts, einer links. Sie haben beide eine Taschenlampe, mit der geben sie Zeichen. Dreimal kurz heißt, dass gleich einer von ihnen reinkommt. Wegen Essen und so. Habt ihr den Kartoffelsalat schon probiert? Muss da nicht noch ein bisschen Salz dran?«

Inge schüttelte den Kopf. »Dass ihr jetzt essen könnt! Ich bin so aufgeregt, ich bekäme keinen Bissen herunter.«

»Das ist komisch«, erwiderte Charlotte und schob sich eine kleine Frikadelle in den Mund. »Aufregung macht mich immer hungrig. So unterschiedlich ist das.«

Nur ihr leises Kauen durchbrach die Stille.

Sie hatten die Aktion stundenlang vorbereitet. Während Onno meterweise Verlängerungskabel durch den Garten legte, lief Karl mit einer Liste hinter ihm her und gab Anweisungen. Er hatte eine sehr genaue Zeichnung gemacht, an welcher Stelle des Gartens die jeweiligen Requisiten aufgebaut werden sollten. Und es gab einen exakten Zeitplan. Sie hatten eine Punktlandung hingelegt. Die Technik war komplett fertig, im Gartenschuppen standen Kartoffelsalat, Frikadellen, ein Apfelkuchen, drei Kannen Tee und eine elektronische Schaltvorrichtung, die nur Onno bedienen durfte. Unter den Trauerweiden standen Klappstühle, jeder hatte ein stumm geschaltetes Handy in der Tasche, und zur Sicherheit hingen Regencapes und Wolldecken an der Schuppentür. Sogar daran hatte Inge gedacht, obwohl es in dieser lauen Sommernacht nicht die geringste Veranlassung dafür gab. Aber Inge fühlte sich so sicherer. Bei den Vorbereitungen hatten sie gut zusammengearbeitet, nur an einer Stelle hatte es geringfügigen Unmut gegeben: als nämlich Karl die Eierlikörflasche vom Schuppen wieder zurück ins Haus trug. Im Einsatz gäbe es keinen Alkohol, sagte er vielleicht eine Spur zu schroff. Aber so war er nun mal. Und Diskussionen mit ihm konnte man sich ja ohnehin sparen.

Das Haus war dunkel, nicht einmal die kleine Lampe über der Haustür war angeschaltet. Im Carport standen nur zwei Fahrräder und der Rasenmäher. Charlotte hatte ihren Wagen vorhin zu Inge gefahren, Karl hatte sie mit dem Moped wieder abgeholt, danach hatten sie Onnos Wagen auf den Parkplatz der Gemeinde gestellt und zum Schluss Karls Moped hinter die Hecke geschoben. Alles hier wirkte verlassen und vorübergehend unbewohnt.

Unter der Trauerweide blinkte es dreimal, kurz danach ging leise die Schuppentür auf und Karl steckte seinen Kopf herein. »Habt ihr das Zeichen gesehen?«

Alle drei nickten.

»Habt ihr mich auch gehört?«

»Nein«, flüsterte Inge. »Du schwebst über den Boden wie eine Elfe. Absolut lautlos.«

»Sehr gut.« Karl drückte die Tür ein Stück ran. »Ich wollte es nur mal ausprobieren. Aber wenn ich schon mal hier bin, kann ich ja auch ein bisschen Kartoffelsalat und eine kleine Frikadelle essen. Für die Zeit müsste eine von euch meine Position besetzen. Inge?«

Sofort stand sie auf und ging auf Zehenspitzen zur Tür. »Die Taschenlampe«, sagte sie und streckte die Hand aus. »Bis gleich.«

Sie verschwand im Garten, die anderen sahen ihr hinterher. »Wann glaubst du denn, ist es so weit?«, fragte Helga Simon etwas besorgt, weil sie sich wohl Sorgen um Onno machte, der jetzt nur von Inge unterstützt wurde. Karl zuckte kauend die Achseln. »Kann jetzt jeden Moment passieren. Aber ihr könnt ganz ruhig bleiben, wir sind so gut vorbereitet, da kann man nebenbei sogar was essen. Keine Sorge, Helga, wir haben das alles im Griff.«

Nach zwei Frikadellen und einem Berg Kartoffelsalat nahm er sich noch ein Stück Kuchen auf die Hand und stand auf. »Dem Kartoffelsalat fehlte eine Idee Salz«, sagte er zu Charlotte, bevor er ging. »Macht aber nichts. Bis später.«

Eine halbe Stunde später blinkte Onnos Taschenlampe. Auch er kam kurz danach in den Schuppen, um etwas zu essen, diesmal huschte Charlotte unter die Trauerweide. Mit großer Zufriedenheit bemerkte Inge die Blicke, die Onno und Helga sich währenddessen zuwarfen. Als Helga Onno auch noch Zucker in seinen Teebecher rührte, breitete sich eine wohlige Freude in Inge aus. Sie mochte Liebesgeschichten.

Als Charlotte wieder in den Schuppen kam, atmete sie erleichtert aus. »Ich bin froh, dass wir hier sicher sitzen«, sagte sie leise. »Irgendwie ist es gruselig, unter der Trauerweide auf dem Klappstuhl zu warten, dass was passiert. Ich habe Blutdruck bis in den Hals und mir ist ein bisschen schwindelig.«

»Kipp hier bloß nicht um.« Mit kritischem Blick musterte Inge ihre Schwägerin. »Das wäre jetzt ganz ungünstig. Brauchst du einen Eierlikör?«

»Das wäre schön«, Charlotte stützte ihr Kinn auf die Faust. »Aber den hat Karl ja verboten. So was Blödes.«

Inge lächelte und bückte sich zu ihrer Tasche. Sie holte einen silbernen Flachmann heraus und schraubte ihn auf. »Voilà«, sagte sie und reichte ihn Charlotte. »Den hat Walter mal beim Bingo gewonnen, jetzt kommt er endlich zum Einsatz. Da passt ganz schön was rein.«

Mit geschlossenen Augen nippte Charlotte am Eierlikör und reichte den Flachmann an Helga weiter. »Herrlich.«

Minute um Minute verging. Helga gähnte als Erste, Inge sah verstohlen auf die Uhr, Charlotte streckte sich und flüsterte. »Mir wird langsam langweilig. Ich hätte mein Strickzeug mitnehmen sollen.«

In diesem Moment blinkten beide Taschenlampen zweimal: Jetzt passierte etwas. Endlich. Die drei Frauen hielten den Atem an. Charlotte hörte das quietschende Gartentor, dann das Geräusch, auf das sie gewartet hatten. Jemand trat auf das lose Brett der Terrasse, das dabei knallend hochschlug. Es war Onnos Idee gewesen, die Schrauben zu lösen.

»Es geht los«, Inge faltete aufgeregt die Hände. »Gott, ist das aufregend!«

Aus dem Haus drang das Läuten des Telefons.

Zur selben Zeit,
in einem Lokal in der Nähe des Polizeireviers

O kay.« Anna sah auf ihre Uhr und dann Maren an. »Ich glaube, ich zahle mal und dann brechen wir die Zelte ab. Heute wird ja nicht mehr viel passieren.«

»Ja, wahrscheinlich hast du recht.« Maren trank ihren Tee aus und streckte sich. »Ich muss auch mal ins Bett. Danke, dass du mir zugehört hast.«

Anna lächelte. Sie hatte Maren zum Essen eingeladen und sie, noch bevor sie etwas bestellt hatten, gefragt, was ihr so auf der Seele liege. Und Maren hatte ohne Umschweife alles erzählt. Von ihrer langen Freundschaft mit Rike, von ihrem unfreiwilligen Verrat und dem schlechten Gewissen, von der Befürchtung, dass womöglich ein Mann, der es nicht ehrlich mit ihr meinte, Rikes Herz brechen würde – und von ihrer eigenen Hilflosigkeit. Anna hatte die ganze Zeit verständnisvoll zugehört. Sie hatten lange geredet, und jetzt fühlte Maren sich tatsächlich ein bisschen erleichtert und war froh, dass Anna sie ermutigt hatte, ihr alles zu offenbaren.

»Ich bin froh, dass du mich eingeweiht hast«, sagte Anna und stützte ihr Kinn auf die Hand. »Sag mal, noch was ganz anderes: Robert und du, seid ihr eigentlich ein Paar?«

Maren fühlte, dass sie rot wurde, und fragte sich, wie sie das jetzt beantworten sollte. Sie hatte keine Ahnung. Annas Handyton verschaffte ihr Zeit zu überlegen.

»Petersen«, Anna hielt das freie Ohr zu und runzelte die Stirn. »Wer spricht denn da?«

Sie hörte angestrengt zu, dann gab sie Maren ein Zeichen, ihr nach draußen zu folgen. »Moment bitte, ich kann Sie ganz schlecht verstehen, ich gehe schnell vor die Tür. Reden Sie weiter.«

Anna und Maren bahnten sich einen Weg durch das Lokal, Anna trat ein paar Schritte neben den Eingang und stellte dann den Lautsprecher an. Tief über das Handy gebeugt, hörten sie eine eindeutig alkoholisierte, weibliche Stimme.

»Eine Aussage, ich will eine Aussage machen. Wegen der toten Jutta Holler. Sie sollten sich Torben ansehen, Torben Gerlach, er ist nicht ganz koscher, er ist ein Drecksack, er hat was damit zu tun. Und mit anderen Sachen auch, da bin ich sicher.«

Maren sah Anna irritiert an. Die sprach ganz ruhig ins Telefon. »Vielen Dank für den Hinweis. Mit wem spreche ich denn? Können Sie mir Ihren Namen und Ihre Adresse sagen? Sollen wir uns treffen?«

»Treffen?« Die Frau fing an zu lachen, dann hustete sie und lallte: »Ihr wisst jetzt Bescheid. Ich will mit dem ganzen Scheiß nichts zu tun haben. Torben Gerlach. Und mich lasst ihr in Ruhe.« Dann legte sie auf.

Anna ließ das Handy sinken. »Torben Gerlach? Sagt dir das was?« Sie sah Maren an. »Was war denn das jetzt?«

»Das war Sina Holler.« Maren war sich sicher. »Ich habe ihre Stimme erkannt. Das ist sehr seltsam. Wie spät ist es denn jetzt?«

Anna wandte sich wieder zurück zum Eingang. »Halb zehn. Ich gehe schnell bezahlen, und dann fahren wir mal kurz bei Herrn Gerlach vorbei. Nur aus Interesse.«

Das Haus, in dem Toben Gerlach wohnte, lag am Ende einer Sackgasse. Maren war die Straße langsam entlanggefahren und hielt auf dem Wendeplatz. »Nummer neunzehn«, sagte sie. »Hier muss es sein.«

Sie folgte Anna, die zielstrebig auf den Eingang zulief, und wunderte sich, dass Torben Gerlach hier wohnte. Irgendwie hatte sie sich ein größeres, moderneres Haus vorgestellt, nicht so eine Hausscheibe aus den Dreißigerjahren.

Anna stand schon an der Tür und klingelte. Nur Sekunden später öffnete Heike Gerlach die Tür. »Ja?« Unsicher blickte sie von Anna zu Maren und wieder zurück. »Ist … ist was passiert?«

Mit einem beruhigenden Lächeln zückte Anna ihren Ausweis und hielt ihn Heike hin. »Mein Name ist Anna Petersen, Kripo Flensburg«, sagte sie. »Wir würden gern Ihren Mann sprechen. Ist er da?«

»Mein Mann?« Heike wurde blass. »Worum geht es denn? Was ist denn …?« Hilfesuchend sah sie Maren an. »Ach, du bist doch die Freundin von Rike. Torben hat dir beim Umzug geholfen. Ist ihm …, ich meine: Ist was …?«

»Ja, genau, Maren Thiele. Nein, keine Sorge, Frau Petersen wollte ihn nur etwas fragen. Ist er denn zu Hause?«

»Nein«, Heike schüttelte heftig den Kopf. »Er arbeitet noch. Eine Kundin hat angerufen, dass ihr Waschmaschinenschlauch abgesprungen ist. Torben soll das reparieren. Ich weiß nicht, wann er wiederkommt.«

»Wie heißt denn die Kundin?«, fragte Anna. »Dann fahren wir da einfach hin.«

»Ich weiß es nicht.« Heike sah aus, als würde sie gleich in Tränen ausbrechen. »Mein Mann redet mit mir nicht über seine Arbeit. Ich kann Ihnen nicht helfen.«

Nach einem kurzen Moment griff Anna in ihre Jackentasche und zog eine Visitenkarte hervor, die sie Heike reichte. »Ihr Mann soll mich bitte anrufen, wenn er wieder zu Hause ist«, sagte sie ruhig. »Auch wenn es später wird. Auf Wiedersehen.«

Sie trat zurück und wollte zum Auto gehen, als ihr offenbar noch etwas einfiel. »Ach, Frau Gerlach«, sagte sie leichthin. »Hatte Ihr Mann eigentlich Streit mit Sina Holler? Wissen Sie das zufällig?«

Heikes Gesicht erstarrte. Keine Spur mehr von Verunsicherung darin, stattdessen presste sie wütend die Lippen aufeinander und zischte: »Ganz im Gegenteil. Aber das sollten Sie die Schlampe vielleicht besser selber fragen.« Dann schlug sie ihnen die Haustür vor der Nase zu.

Anna sah Maren an. »Oh«, meinte sie leise. »Treffer, versenkt. Dann lass uns doch mal fahren.«

»Wohin zuerst?« Maren folgte Anna, die mit langen Schritten zurück zum Auto lief.

»Na, zur Schlampe.« Anna sah Maren an, die den Wagen entriegelte und die Fahrertür öffnete. »Wir fragen Sina Holler mal, warum sie mich eigentlich angerufen hat. Falls sie noch reden kann. Ansonsten können wir sie vielleicht vor einer Alkoholvergiftung retten.«

Eins, zwei, drei«, zählte Inge mit aufgeregter Stimme und deutete auf die Taschenlampensignale aus der Gartenecke. »Jetzt!«

Die drei standen gleichzeitig auf, zogen sich ihre Kapuzen über und stellten sich ans Fenster. Onno kam geduckt über den Rasen, drückte die Tür des Gartenhauses vorsichtig auf und trat ein. »Zugriff«, flüsterte er. »Jeder auf seine Position. Viel Glück.« Mit hochkonzentrierter Miene setzte er sich vor die Schaltvorrichtung und ließ seine Hand darüberschweben.

Sie nickten ihm zu und huschten nacheinander durch den Garten. Helga lief auf Onnos verlassenen Platz unter die Trauerweide, Inge und Charlotte kauerten sich auf die Schaumstoffkissen unter dem Flieder. Inge tippte Charlotte an: »Du musst dich richtig auf das Kissen knien«, wisperte sie. »Schont die Gelenke. Hab ich mir für die Gartenarbeiten im Beet bestellt. Ich bin so aufgeregt!«

»Pst.« Charlotte warf ihr einen warnenden Blick zu. »Reiß dich zusammen.«

Inge gab ein gurgelndes Geräusch von sich. Sie hatte Angst, vor lauter Aufregung wieder einen Lachkoller zu bekommen. Sie zog den Flachmann aus der Jackentasche. »'Tschuldigung.« Nach einem kleinen Schluck ging es besser.

Das Telefonklingeln zerriss die angespannte Stille. Einmal, zweimal, dreimal, viermal, jetzt sprang der Anrufbeantworter an. Nach ein paar Sekunden setzte das Klingeln wieder ein.

»Wer ruft denn da schon wieder an?«, flüsterte Inge. »Der ist aber hartnäckig.«

»Garantiert Heinz«, Charlotte streckte die Hand nach dem Flachmann aus. »Allerdings ist das gar nicht seine Zeit. Was will er denn bloß?«

Bevor sie noch einen Schluck nehmen konnte, hörten sie ein leises Scheppern aus dem Haus. Sofort beugte Charlotte sich nach vorn. »Oh, nein«, stöhnte sie leise. »Der macht mir da ja alles kaputt! Wenn das die neue Lampe war, kriege ich einen Anfall.«

Tröstend drückte Inge ihren Arm. »Pst, pst. Ist ja gleich vorbei.«

Wie gebannt warteten sie in der Dunkelheit. Es herrschte Totenstille, bis das Telefon erneut klingelte, dann folgte ein gedämpftes Klirren. Nur wenn man wusste, dass jemand im Haus war, konnte man es sich erklären. »Ich glaube, das war mein Geschirr«, Charlotte ballte die Faust. »Dem werde ich was …«

Eine Bewegung auf dem Rasen ließ sie sofort innehalten. Karls Gesicht tauchte zwischen den Fliederbüschen auf. »Haltet ihr einen Plausch?« Obwohl er flüsterte, klang seine Stimme empört. »Ihr solltet euch besser konzentrieren.«

»Karl, der zerdeppert mein Geschirr«, zischte ihn Charlotte so leise wie möglich an. »Darüber reden wir aber noch.«

»Ja, ja«, er winkte ab, ohne das Haus aus den Augen zu lassen. »Schwund ist immer. Was ist das denn?«

Im oberen Stockwerk ging in diesem Moment die Beleuchtung an. Nur für einen Moment, dann ging sie wieder aus. »Macht der sich Licht an?«

»Bewegungsmelder«, Charlotte kniff die Augen zusammen. »Hat Heinz sich eingebaut, damit er nachts nicht im Dunkeln aufs Klo muss.«

»Gute Idee«, Karl nickte. »Darüber reden wir auch später. Jetzt kommt gleich der große Moment. Also, absolute Konzentration. Handy in Bereitschaft?«

Statt einer Antwort bekam er nur ein zweifaches Nicken. »Alles klar. Viel Erfolg!«

Er verschwand durch den Flieder, Inge wartete einen Moment und zog den Flachmann wieder unter dem Kissen hervor. »So«, sagte sie leise, aber entschlossen. »Jetzt komm raus. Ist ja jetzt auch mal gut. Ich kann gar nicht mehr knien.« Plötzlich stieß sie Charlotte in die Rippen. »Er kommt! Ich habe das lose Brett gehört.«

Tatsächlich sahen sie jetzt eine Bewegung auf der Terrasse, gefolgt von einem Blinken aus der Trauerweide. Sofort griff Inge nach dem Bündel, das hinter ihnen lag, und nickte Charlotte zu. Die erhob sich langsam, hob irgendwas Zusammengerolltes hoch und atmete tief durch. Zentimeter für Zentimeter schoben sie sich an den Fliederbüschen vorbei. Charlotte warf einen Blick zur Trauerweide und sah die Schatten von Helga und Karl, die sich parallel zu ihnen durch den Garten bewegten. Und genau im richtigen Moment legte Onno im Gartenhaus den Schalter um.

»Nichts«, Anna trat einen Schritt zurück und betrachtete das Haus, das ruhig und still vor ihr lag. Sie drückte noch einmal auf die Klingel und wartete mit schräg gelegtem Kopf. »Entweder ist sie nicht da, oder sie ist zu betrunken, um die Tür zu öffnen.«

Maren blieb erst unschlüssig stehen, dann sagte sie: »Ich gehe mal ums Haus. Vielleicht kann ich was durch die Terrassentür sehen.« Sie durchquerte langsam den Garten, es herrschte eine friedliche Ruhe, niemand war zu sehen. Auch bei Inge Müller nebenan war nichts los, kein Licht, keine Stimmen, alles wirkte wie ausgestorben. Auf der Terrasse standen Kartons und Mülltüten, Sina hatte anscheinend angefangen, ihr Erbe zu ordnen –, das ja vermutlich nur aus den Habseligkeiten ihrer Mutter bestand. Maren fragte sich, ob sie das überhaupt schon wusste. Mit der armen Sina wollte man wirklich nicht tauschen. Vielleicht hatte sie es auch heute erfahren und sich deshalb so betrunken.

Maren trat an die Terrassentür und spähte hinein. Ihre Augen mussten sich erst an das Halbdunkel gewöhnen, bevor sie etwas erkennen konnte. Innen herrschte ein heilloses Durcheinander. Der Boden war übersät mit Papieren, überall lagen Klamotten auf Haufen, halb leere Kartons standen zwischen vollen, auf dem Tisch standen benutzte Gläser und leere Weinflaschen. Das hier war wohl die Stätte von Sinas Besäufnis gewesen, nur von Sina selbst keine Spur. Maren klopfte mit den Fingerknöcheln an die Scheibe: keine Reaktion. Resigniert wandte sie sich wieder um und ging zurück. Anna kam ihr an der Ecke entgegen. »Und?«

Maren schüttelte den Kopf. »Nichts. Und was machen wir …?«

Der laute Klingelton von Annas Handy unterbrach sie, Anna meldete sich knapp. »Ja? Petersen.«

Sie hörte erst stumm zu, dann runzelte sie ihre Stirn und hob eine Hand. »Langsam, langsam. Wie bitte!? Wo? … Und sie hat *was* gesagt? … Das glaube ich alles nicht … Wir sind unterwegs!«

Ungläubig ließ sie das Handy sinken und sah Maren an. »Charlotte Schmidt hat in der Wache angerufen. In ihr Haus wurde eingebrochen, offenbar von diesem Serientäter, aber sie haben ihn überwältigt! Karl hat die Sache im Griff, weil er den Täter mit einer Waffe in Schach hält. Aber wir müssen sofort hin und den Mann festnehmen.« Maren starrte zurück. »Großer Gott«, stöhnte sie. »Sind sie etwa alle dabei? Na, dann mal los, schnell!«

Kurz hinter Kampen schlug Maren wütend mit der Hand aufs Lenkrad. »Mensch, jetzt fahr doch, du Trottel.«

Das Taxi vor ihnen fuhr höchstens sechzig, obwohl sie das Ortsausgangsschild längst passiert hatten. Wegen des Gegenverkehrs konnte Maren nicht überholen, sie war versucht, ihre Hupe einzusetzen, ließ es aber. Sie war Polizistin.

»Du fährst zu dicht auf«, sagte Anna, die zwischendurch mit Robert auf dem Revier telefoniert hatte. »Überhol doch einfach.«

»Wie denn?«, schnaubte Maren. »Taxifahrer. Die Nummer merk ich mir, der wird morgen garantiert kontrolliert.«

Endlich entstand im Gegenverkehr eine Lücke, Maren scherte aus und konnte sich gerade noch beherrschen, keine unflätige Geste zu machen. Das machten dafür die hinten sitzenden Fahrgäste. Zwei ältere Männer, von denen ihr einer den ausgestreckten Mittelfinger zeigte. Jetzt musste sie doch hupen.

Bevor sie Charlottes Haus erreicht hatten, sahen sie schon die Blaulichter der ankommenden Einsatzfahrzeuge. Maren fuhr an ihnen vorbei, hielt mitten auf der Straße, Anna sprang aus dem Auto und rannte zum Haus, Maren folgte ihr und fragte sich, woher dieses ganze Licht kam. Und dann sahen sie es: Mitten auf der Terrasse lag eine Person, eingewickelt in ein Fischernetz und verschnürt mit Tauen und Klebeband. Das ganze Grundstück war in gleißendes Licht getaucht, und nach einigen Momenten hatte Maren die Quellen ausgemacht. Auf dem Rasen und auf dem Dach des Gartenhauses standen große Suchscheinwerfer, die auf die Terrasse gerichtet waren. In den Bäumen hingen rote, blaue und grüne Lampen, die alles in zuckendes Licht tauchten, und genau über der Terrasse drehte sich eine silberne Discokugel. Das verschnürte Bündel auf der Terrasse bewegte sich, plötzlich sah Maren, wer da unter dem Netz lag. In sicherer Entfernung standen Charlotte und Helga Simon. Beide trugen dunkle Regenjacken mit Kapuzen, Helga lächelte Charlotte an. An die Hauswand gelehnt, beobachtete Onno interessiert die Ankunft der Einsatzkräfte, als er Maren entdeckte, hob er aufmunternd die Hand. Nur ein paar Meter daneben stand Karl. Er hatte den Täter fest im Blick und richtete eine goldene Pistole auf ihn.

Als Anna endlich bei ihm angelangt war, hob er den Blick und ließ die Pistole sinken. »Über zehn Minuten«, sagte er tadelnd. »Vom Anruf bis zur Ankunft der Polizei. Das ist einfach zu lange. Es hätte auch jemand tot sein können.«

»Was ... was macht ihr hier?« Anna rang sichtbar um Fassung. »Und wieso hast du noch eine Waffe?«

»Was ich hier mache!? Euren Job!«, antwortete Karl und schob die Pistole in seine Jackentasche. »Ihr habt das ja nicht auf die Reihe gekriegt. Da hast du übrigens deinen Täter. Torben Gerlach. So. Und jetzt brauche ich was zu trinken. Inge?«

Mit dem Flachmann in der Hand krabbelte Inge aus

der Hecke. »Prost, Karl. Guter Job. Und die Pistole hat so schön golden im Licht gefunkelt. Es war wie im Film.« Stolz lächelte sie ihn an und strich ihm über die Wange. Es war genau der Moment, in dem ein Taxi vor dem Haus hielt und zwei Fahrgäste aussteigen ließ. Maren drehte den Kopf und erkannte die Nummer des viel zu langsamen Fahrers wieder. Sie wollte gerade ihren Blick wieder abwenden, als sie sah, dass die beiden ausgestiegenen Männer ungläubig auf den beleuchteten Garten starrten. Dann kamen sie langsam auf das Haus zu, der Taxifahrer folgte ihnen zögernd mit den Koffern in der Hand, in seinem Gesicht stand ein großes Fragezeichen. Und dann drehte Charlotte sich um und schlug die Hand vor den Mund. »Ach Gott, Heinz. Was wollt ihr denn schon hier?«

Heinz blieb neben Maren stehen und sah erst seine Frau und dann die vielen umstehenden Menschen an. »Wir haben angerufen, aber keiner ging ran. Ihr hattet wohl zu tun.«

Ihr hättet uns in die Ermittlungen einbeziehen müssen«, Heinz musterte skeptisch einen Brotaufstrich, den Onno aus Frischkäse und Kräutern gemacht hatte. »Wir haben uns doch intensiv mit dem Thema Immobilien beschäftigt, wir wären gleich auf den Makler gekommen. Kann man das so aufs Brot schmieren oder muss da Butter unter?«

»Ohne Butter«, antwortete Charlotte sofort. »Da ist genug Fett drin. Es war aber nicht nur der Makler. Sondern Torben Gerlach. Stell dir mal vor, der hilfsbereite Torben Gerlach. Der hat dir doch auch beim Umzug geholfen, Maren, oder? Dass du da gar nichts geahnt hast.«

Maren war gerade in Onnos Küche gekommen und hatte verblüfft die große Runde am Tisch angesehen. Alle Beteiligten des gestrigen Abends saßen in Onnos Küche und sahen Maren erwartungsvoll entgegen. Sie schüttelte den Kopf und blieb stehen. »Guten Morgen. Was habe ich nicht geahnt?«

»Dass es Torben war«, half Inge nach und wehrte Walters Gabel ab, die auf ihren Teller zusteuerte. »Schneid dir selbst Käse ab. Hat er denn jetzt gestanden? Erzähl doch mal, du warst doch bis zum Schluss im Revier.«

Maren hatte das, was gestern geschehen war, noch immer nicht ganz begriffen. Erst um halb vier war sie völlig erschöpft in ihr Bett gefallen. Als sie nach Hause gekommen war, hatte ihr Vater im Schlafanzug freudig an der Tür gestanden und ihr angeboten, einen heißen Kakao zu machen. »Ich will jetzt nicht mit dir reden, Papa«, hatte sie nur knapp gesagt. »Und keine Erklärungen mehr hören. Und keine Fragen beantworten. Alles morgen. Gute Nacht.«

Onnos enttäuschten Blick hatte sie gar nicht mehr wahrgenommen.

Jetzt stand er auf und holte die Kaffeekanne. »Setz dich, Kind«, sagte er munter. »Trink erst mal einen Kaffee, bevor du alles erzählst.«

Maren ließ sich resigniert auf den freien Stuhl neben Walter sinken. »Ich will gar nichts erzählen«, antwortete sie. »Ich möchte viel lieber hören, was euch geritten hat, so ein Feuerwerk abzufackeln. Ihr hättet eure Erkenntnisse auch einfach Anna mitteilen können. Das ist Sache der Polizei, keine von Hobbydetektiven.«

»Jetzt mach mal einen Punkt«, widersprach Karl. »Ich habe ja weiß Gott genug Angebote gemacht. Aber da wird man als Zivilist beschimpft und bekommt fast Hausverbot, nur weil man vorausschauend und systematisch an einen Sachverhalt geht. Nein, nein, liebes Kind, für mich, oder besser für uns, gab es genau zwei Möglichkeiten: entweder den Dingen ihren Lauf zu lassen und sich damit abzufinden, dass hier ein Haus nach dem anderen ausgeraubt wird, weil ihr, ja, ich sage *ihr*, kein Talent für die Ermittlungen bewiesen habt, oder, Möglichkeit zwei, unsere Bürgerpflicht wahrzunehmen und dem Ganzen ein Ende zu setzen. Du musst zugeben, dass diese zweite Möglichkeit gestern zum vollen Erfolg geführt hat.«

Walter sah, dass Maren die Augen verdrehte, und schaltete sich ein. »Hör mal, Maren, wir, also Heinz und ich, sind ja sozusagen nur Zaungäste gewesen, aber ich muss

Karl da jetzt recht geben. Bürgerpflicht und Zivilcourage sind die Stichworte. Wenn wir hier gewesen wären, hätten wir uns auch sofort eingeschaltet. Vermutlich wären wir schneller auf die Rolle des Maklers gekommen, wir sind da ja gerade im Thema. Immobilienspekulation als Gewinnmöglichkeit. Klappt oft. Machen viele. Oder, Heinz? Für so viel Geld vergisst man auch gern mal den Anstand.«

Heinz nickte vielsagend und strich Butter auf den Frischkäse. »Stimmt.« Er biss ab und betrachtete das Brötchen. »Ohne Butter ist dieses Zeug ein bisschen trocken.«

Helga Simons Blicke gingen von einem zum anderen, bevor sie fragte: »Welcher Makler denn? Meint ihr Gero Winter? Der ist doch gar kein Makler. Der ist bei der Bank.« Helga genoss es ganz offensichtlich, neben Onno zu sitzen und Teil dieser skurrilen Runde zu sein.

Maren sah sie an. Sie war wirklich eine zauberhafte Person. Und den Blicken nach zu urteilen, mit denen Onno sie betrachtete, fand der das auch. Da bahnte sich tatsächlich etwas an. Ihr zuliebe verstieß Maren denn auch zum ersten Mal gegen ihren Grundsatz, Dienstgeheimnisse zu bewahren. Bei Rike hatte sie sich daran gehalten und es war schiefgegangen.

»Torben hat im Auftrag von Gero Winter gearbeitet«, sagte sie deshalb. »Winter kannte die Hausbesitzer. Er hat ihnen vorgeschlagen zu verkaufen. Wenn sie dazu bereit waren, hat er ihnen eine Bekannte vorbeigeschickt. Die hat eine Firma auf dem Festland, hat die Häuser günstig erworben, sie in kurzer Zeit aufgehübscht und für wesentlich mehr Geld wieder verkauft. Den Gewinn haben sie sich geteilt. Wenn die Hausbesitzer nicht verkaufen wollten, hat Torben dafür gesorgt, dass sie ihre Meinung ändern. Er kommt ja als Hausmeister ziemlich rum. Manchmal hat er ihnen einfach gesagt, dass seiner Einschätzung nach binnen kürzester Zeit erhebliche Renovierungskosten auf sie zukämen, er kannte sich ja aus. Diejenigen, denen das Geld dafür fehlte, konnte Torben gut an Gero Winter verweisen. Aber in der letzten Zeit wurde es zäher, und nach einem Einbruch ändert man ganz schnell seine Meinung. Das war der Deal.«

»Und warum hat der Gerlach da mitgemacht? Der ist doch eigentlich ganz nett.« Helga Simon konnte es noch immer nicht fassen.

»Geld«, antwortete Maren. »Torben hatte Schulden bei Gero Winter. Er hat jahrelang gezockt und Winter hat ihm Geld geliehen. Das hat er auf diese Weise abgearbeitet.«

»Ach?« Mit großen Augen sah Helga in die Runde. »Das hat er euch erzählt? Das ist ja nicht zu fassen.«

Karl beugte sich nach vorn, um besser an den Brotkorb zu kommen. »Das hätte ich euch auch erzählen können«, sagte er leichthin. »Bei mir hat es geklingelt, als ich von der gestohlenen Stange Zigaretten für den Hausmeister bei der Johanna Roth gehört habe. Da war mir der Zusammenhang klar. Torben Gerlach hat bei allen Opfern gearbeitet, bei allen. Und dann habe ich ihn ein bisschen beschattet. Und mit wem hat er dann im Auto auf dem Parkplatz am Sendeturm gesessen? Richtig, mit Winter. Und da kann ein alter Kriminalist wie ich natürlich eins und eins zusammenzählen. Gib mir mal die Butter, Helga.«

»Du hättest das sagen müssen«, Maren schüttelte verärgert den Kopf. »Das muss ich dir doch nicht erzählen. Anna ist übrigens auch sauer auf dich. Sie kommt nachher noch vorbei. Allein schon, um mit dir über deinen Waffenschein zu sprechen. Da kommt ein bisschen Ärger auf dich zu, fürchte ich.«

433

Karl lächelte sie an. »Dann soll sie mal vorbeikommen. Ich freue mich immer, wenn ich Anna sehe.«

»Interessiert sich auch mal jemand für unser Seminar?« Heinz hatte sich mit der Serviette den Mund abgetupft und seinen Teller zurückgeschoben. »Wir könnten bestimmt auch noch Details zur Erklärung dieser unschönen Sache beitragen.«

»Später«, wehrte Charlotte ihn sofort ab. »Aber was ist denn jetzt eigentlich bei Jutta Holler passiert? Wisst ihr das auch schon? Ist Torben da ausgeflippt oder war das aus Versehen? Erzähl doch mal.«

Maren schob den Stuhl zurück und stand auf. »Nein. Fragt Anna Petersen, wenn sie nachher kommt, vielleicht will sie es euch sagen. Ich gehe dann jetzt mal …«

Ein ungeduldiges Klingeln an der Haustür unterbrach sie, es musste etwas Dringendes sein.

»… zur Tür«, vollendete sie den Satz und ging, um dem neuen Besucher zu öffnen.

»Ist er hier?« Peter Runge stand kurzatmig und mit hochrotem Kopf vor Maren. Erschrocken trat sie einen Schritt zurück, was er sofort nutzte, um sich an ihr vorbeizuschieben. Dicht hinter ihm hielt sich Benni, der Maren achselzuckend ansah. »Er platzt gleich«, flüsterte er ihr zu. »Er will Karls Waffe, die hat der nämlich gestern nicht abgegeben. Ich glaube, jetzt ist Karl fällig. Armer Kerl.«

Maren schloss eilig die Tür und beeilte sich, hinterherzukommen. In der Küche standen sich Runge und Karl gegenüber, der eine kurz vor einem Wutanfall, der andere mit einem süffisanten Lächeln und vor der Brust verschränkten Armen.

»Sie haben keinen gültigen Waffenschein«, brüllte Runge jetzt. »Wo haben Sie die Waffe überhaupt her?

Sie händigen sie mir jetzt sofort aus, sonst muss ich Sie festnehmen.«

Gut gelaunt wippte Karl auf den Fußspitzen, dann riss er sich los und ging zum Stuhl. An der Lehne hing eine Tüte. Langsam griff er hinein und zog die goldene Pistole von gestern hervor. Sie war auf eine glänzende Holzplatte montiert. Vorsichtig legte er sie auf den Tisch und tippte auf das Messingschild.

KARL SÖNNIGSEN.
MIT GROSSEM DANK DES POLIZEIREVIERS
WESTERLAND

»Die habe ich von den Kollegen bekommen«, antwortete Karl stolz. »Mein Abschiedsgeschenk zur Pensionierung. Ein vergoldeter Nachbau meiner Dienstwaffe. Es waren nur vier kleine Schrauben zu lösen. Sieht doch aus wie echt? Musste man nur abschrauben. Und hinterher wieder drauf.«

Die nachfolgende Stille hielt nur wenige Sekunden. Ausgerechnet Helga Simon prustete los. Runge löste seinen Blick von der funkelnden Waffe, drehte sich auf dem Absatz um und knallte die Haustür mit solcher Wucht hinter sich zu, dass das Altglas im Flur nur so klirrte.

Nach einem anstrengenden Tag,
endlich bei ruhiger Abendsonne

Bis später«, Maren knotete sich ihren Pulli um die Hüfte und winkte ihrem Vater und Helga Simon zu. Die beiden saßen mit einem Glas Wein auf der Bank im Garten. Sie hoben beide die Hand, es sah aus wie einstudiert.

Aufatmend schlug Maren den Weg zum Deich ein. Was war das für ein Tag gewesen? Sie musste jetzt laufen und danach aufs Wasser sehen, um die ganzen Bilder, Gedanken und Sätze in ihrem Kopf zu sortieren.

Kurz nach Runges Abgang war Anna in Roberts Begleitung gekommen. Sie hatte sich erst vor Karl aufgebaut und ihm ihre Meinung gesagt, bevor sie ihn in den Arm genommen und gemeint hatte, dass sie so froh sei, dass niemandem etwas passiert war. Karl hatte abgewinkt. Später hatte er verkündet, er wolle jetzt seinen alten Zögling Andreas Holler, oder wie er jetzt hieß, von Wittenbrink, besuchen, um zu sehen, ob der durch die verheerende Polizeiarbeit Schaden genommen hätte.

Irgendwann hatten sich alle verabschiedet. Fast alle, Robert und Helga Simon waren geblieben und hatten geholfen, Onnos Küche wieder in den Urzustand zu versetzen. Zeitweise hatte es darin wie in einer Begegnungsstätte ausgesehen.

Maren zog das Tempo an, als sie an Robert dachte. Als sie einen Moment allein gewesen waren, hatte sie ihn gefragt, ob er noch einmal mit Andreas von Wittenbrink oder Rike gesprochen hätte.

»Von Wittenbrink war noch mal auf dem Revier«, hatte Robert geantwortet. »Er musste das Protokoll unterschreiben.«

»Und? Wie war er?«

»Erstaunlich gelassen«, Robert hatte gelächelt. »Er hat gemeint, es wäre unser Job gewesen. Und er lässt dich grüßen.«

Dann hatte Robert sie in den Arm genommen. »Maren, das wird sich wieder einrenken. Du konntest es nicht anders machen. Hör jetzt auf mit den Selbstvorwürfen, bitte.«

Er hatte leicht reden. Er hatte ja niemanden verraten. Maren verlangsamte das Tempo, um ihre Atmung zu kontrollieren. Ihr Puls war viel zu schnell, sie lief mit letzter Luft den Deich hoch und blieb schwer atmend stehen. Vor ihr lag das Wasser, ruhig, beständig, mit roten Lichtreflexen von der Abendsonne. Den Blick in die Ferne gerichtet, ging sie langsam weiter bis zu einer Bank. Das war Gretas Lieblingsplatz gewesen. Maren hatte sich seit ihrem Tod nicht mehr hierher getraut. Heute konnte sie es. Mit den Fingern tastete sie an der Rückenlehne entlang. Da war es. Ungeschickt eingeritzt: Gretas bester Platz der Welt. Maren hatte Monate dafür gebraucht, sie war als Kind nicht das größte Schnitztalent gewesen.

»Na, Mama?«, sagte sie jetzt leise. »Das ist doch verrückt, was hier alles passiert ist, oder?« Eine Möwe flog kreischend vorbei. Maren nahm das als Antwort und lächelte. Sie ließ sich auf die Bank sinken, lehnte sich zurück, streckte die Beine aus und schloss die Augen. Wirklich verrückt.

»Hey«, die Stimme kam so aus dem Nichts, dass Maren

zusammenzuckte. Rike stand vor ihr, eine Flasche Wein und zwei Gläser in der Hand und sah sie an. »Rutsch mal.«

Maren war baff und starrte Rike an wie eine Erscheinung. »Was machst …, woher wusstest du, dass ich hier …?«

»Jetzt rutsch doch mal«, als Rikes Worte Marens Hirn endlich erreicht hatten, setzte sie sich neben sie. »Ich komme gerade von deinem Vater.« Sie stellte die Weingläser auf den Boden, fingerte einen Korkenzieher aus ihrer Jackentasche und begann, die Weinflasche zu öffnen. »Er hat gesagt, ich soll nachsehen, ob du auf Gretas bestem Platz der Welt bist. Er hätte so ein Gefühl, dass ich dich heute hier finde.«

Maren nickte und wartete ab, während Rike weitersprach. »Sie sind ein Paar, dein Vater und Helga Simon, oder? Sie saßen Hand in Hand im Garten. Echt süß.«

Maren nickte wieder, jetzt sah Rike sie an. »Du musst aber auch was sagen. Ich habe mich nicht auf den Weg gemacht, damit du vor dich hin schweigst.«

»Rike, es war furchtbar: Ich hatte keine Wahl, und ich hab mich gefühlt wie eine Verräterin, das musst du mir glauben. Aber ich saß wie ein Kaninchen in der Falle: Ich wollte dich nicht aushorchen und ich wollte auch nicht, dass Andreas …, vielleicht hätte ich mich einfach als befangen erklären sollen, ich kann aber verstehen, dass du sauer auf mich bist, aber es …«

Rike hielt ihr ein gefülltes Weinglas hin. »Weißt du, dass das unser erster Streit war? Das erste Mal nach zweiunddreißig Jahren! Und ich gebe zu, dass ich es überhaupt nicht geschafft habe, mich in dich hineinzuversetzen. Aber ich hab's ja kapiert. Robert hat mich angerufen. Und Andreas meinte auch, es kann doch nicht sein, dass wir uns deswegen streiten. Maren, lass uns das bloß ganz schnell vergessen. Okay?«

Ohne den Blick abzuwenden, nahm Maren das Glas. »Robert hat dich angerufen?«

Rike nickte. Sie tranken und sahen dabei aufs Meer. Dann räusperte Maren sich. »Es ... es tut mir wirklich von Herzen leid.«

»Das sagtest du schon. Aber jetzt ist es auch mal gut.«

Maren lächelte. »Ich wollte eigentlich sagen, dass es mir leidtut, wie wir Andreas behandelt haben. Er war dafür extrem souverän.«

»Er ist ja auch einfach ein guter Typ«, Rike lächelte. »Er hat mir seine ganze Geschichte schon am ersten Abend erzählt, es gab nur keine Gelegenheit, dass ich dir das hätte sagen können. Vielleicht wäre es dann gar nicht zu diesem Verhör gekommen. So musstet ihr ja glauben, dass er ein Motiv hat. An seiner Stelle hätte ich die blöde Holler schon vor Jahren erwürgt. Verdient hatte sie es.«

»Rike. Bitte.«

Rike wischte den Einwand weg. »Nein, ernsthaft. Sie hat ihm seine Kindheit und Jugend schon ganz schön versaut. Aber egal, er ist großherzig, dann sollte ich es ja wohl erst recht sein.«

»Hat er auch was von Sina erzählt?«

»Ja«, Rike nickte nachdenklich. »Er war bei ihr. Heute Morgen. Sie war in einem katastrophalen Zustand, total verkatert und panisch, das Haus sieht aus, als hätte eine Bombe eingeschlagen. Andreas hat ewig gebraucht, um sie zu beruhigen. Und danach ausführlich mit ihr gesprochen.«

»Und was passiert jetzt? Mit Sina und dem Haus?«

»Andreas hat ihr vorgeschlagen, dass er es renoviert und sie erst mal da wohnen kann. Anscheinend sieht ihr

Leben in Hamburg auch völlig anders aus, als wir dachten. Sie hat wohl bei einem Ex-Liebhaber Schulden, arbeitet gar nicht in einem Hotel, sondern in einer ziemlich abgewrackten Pension, wo man ihr gerade gekündigt hat, und ihre Wohnung ist ein Loch. Die gute Sina hat ein ganz kleines, verkorkstes Leben. Hätte ich nie gedacht.«

Maren war verblüfft. »Und warum macht Andreas das?«

»Weil er, wie gesagt, ein ziemlich guter Typ ist.« Rike lächelte. »Und sie ist …, ja, was eigentlich? Seine Adoptiv-Stiefschwester. Er hat ja sonst keine Familie. Aber ein großes Herz.«

Sie schwiegen. Und Maren merkte, wie das schlechte Gefühl der letzten Tage sich langsam im Sonnenuntergang auflöste. Sie saß hier auf dem Lieblingsplatz ihrer Mutter. Zusammen mit ihrer besten Freundin. Und gemeinsam würden sie gleich zurück zu ihrem Vater gehen, der mit seiner neuen Liebe Händchen haltend im Garten saß und ein spätes, schönes Glück gefunden hatte. Und sie selbst bekam Herzklopfen, wenn sie an jemanden Besonderen dachte. Anscheinend so laut, dass ihre beste Freundin das merkte. Und mit leiser Stimme fragte: »Und du und Robert? Ist er immer noch zu jung?«

»Vielleicht.« Maren lächelte. Vielleicht aber auch nicht. Jetzt kam erst mal der Sommer. Und über alles Weitere würde sie später nachdenken. Nur nicht jetzt. Jetzt sah sie in die untergehende Sonne mit all ihren Farben und fand das Leben schön.

Ein halbes Jahr später,
in Zahlen

Anzahl der Begegnungen verschiedener Paare:

Maren und Robert
Die ersten drei Monate bis September 72 Mal, berufliche
Zusammenarbeit nicht mitgerechnet, nach dem Ende des
Bädereinsatzdiensts 8 Mal (dienstfreie Wochenenden)

Rike und Andreas
96 Mal, mit dem Vorsatz, es öfter zu schaffen

Helga und Onno
142 Mal, Tendenz steigend, da Helgas Haus verkauft
wurde und der Einzug bei Onno unmittelbar bevorsteht

Benni Schröder und Katja Lehmann
Seit dem Polizeifest 39 Mal, außerhalb der Dienstzeiten.
Tendenz ebenfalls steigend

Charlotte und Heinz
Wieder täglich

Inge und Walter
Wieder täglich

Karl und Gerda
Täglich, nach leichten Eingewöhnungsschwierigkeiten

Torben und Heike
Nach Antritt der Haftstrafe 6 Mal

Karl und Onno
51 Mal ohne Chor, dazu noch 24 Mal mit Chor

Karl und Peter Runge
Null

Anzahl der verkauften Karten für das Chorkonzert
300

Anzahl der Verhöre von Sina, bevor das Verfahren gegen sie eingestellt wurde
4

Anzahl der Sonnenstunden
707

Anzahl der Straftaten auf der Insel Sylt
22

Anzahl der Tage, an denen Heinz und Walter damit gehadert haben, nicht an der Aufklärung des Falls beteiligt gewesen zu sein
21

Anzahl der Gewinner im Sushi-Wettbewerb des Kochclubs
2 (punktgleich Onno Thiele und Charlotte Schmidt)

Ähnlichkeiten zwischen dem blöden Runge und dem echten Revierleiter der Polizei Westerland
  Null

Ich bedanke mich:

Bei meinem Agenten Joachim Jessen, Meister des Plots und des Timings, der mir viel Geduld und Disziplin beigebracht hat und immer noch daran arbeitet.

Bei Bianca Dombrowa für eine so unkomplizierte, leichte und knackige Zusammenarbeit.

Und zum Schluss, aber ganz besonders, bei meinem Verleger Wolfgang Balk, der jetzt das Revier, sorry, den Verlag verlassen hat, um in den Ruhestand zu gehen, was mich für ihn freut, aber auch wehmütig macht, der aber die Größe und die Zufriedenheit besitzt, niemals mit Brötchen in sein altes Revier kommen zu wollen, um nach dem Rechten zu sehen. Weil er es nicht braucht. Danke für die herzliche Zusammenarbeit.

Dora Heldt im dtv

»Freuen Sie sich auf ein Lesevergnügen, das Sie zum Lachen,
zum Weinen und zum Nachdenken bringen wird.«

Ausgeliebt
Roman
ISBN 978-3-423-**21410**-0
ISBN 978-3-423-**25347**-5
(großdruck)
Nach 10 Jahren Ehe mit fast
40 per Telefon verlassen zu
werden – ein Schock. Zum
Glück ist Frau nicht alleine…

Unzertrennlich
Roman
ISBN 978-3-423-**21133**-8
Christine glaubt auch ohne
beste Freundin auszukom-
men. Dabei verpasst sie eine
Menge, findet ihre Kollegin
Ruth und plant für Christines
44. Geburtstag eine grandiose
Überraschung…

**Bei Hitze ist es wenigstens
nicht kalt**
Roman
ISBN 978-3-423-**21437**-7
ISBN 978-3-423-**24857**-0
(dtv premium)
ISBN 978-3-423-**25359**-8
(großdruck)
Bloß nicht den 50. Geburtstag
mit der Familie feiern! Doris
ergreift die Flucht und lädt
zwei alte Schulfreundinnen zu
einem Wellness-Wochenende

ein. Zu Schulzeiten waren die
Erwartungen der drei ans
Leben hoch. Aber wer gibt
schon gerne zu, dass nicht alles nach Wunsch gelaufen ist?

Jetzt mal unter uns
Das Geheimnis schwarzer
Strickjacken und andere wich-
tige Erkenntnisse
ISBN 978-3-423-**21509**-1
ISBN 978-3-423-**25367**-3
(großdruck)
Es gibt vieles, was Frauen Tag
für Tag beschäftigt, wundert,
ärgert oder auch schmunzeln
lässt. Dora Heldts ›Für Sie‹-
Kolumnen jetzt in einem
Band versammelt!

**Wind aus West mit
starken Böen**
Roman
ISBN 978-3-423-**21617**-3
Was passiert, wenn man mit
Ende 40 den Mann trifft, der
mit Anfang 20 die große Liebe
war? Als Katharina wegen
eines Rechercheauftrags nach
20 Jahren wieder auf ihre
Heimatinsel Sylt zurückkehrt,
trifft sie mit voller Wucht auf
ihre Vergangenheit…

Alle Titel auch als eBook!

Bitte besuchen Sie uns im Internet: www.dtv.de

Dora Heldts Papa-Romane <u>dtv</u>

»Da bleibt beim Lesen kein Auge trocken.«
LovelyBooks

Urlaub mit Papa
Roman
ISBN 978-3-423-21143-7

Eigentlich hatte Christine für Norderney andere Pläne. Doch ihre Mutter verdonnert sie dazu, ihren Vater Heinz (73) mitzunehmen – eine Nervenprobe.

Tante Inge haut ab
Roman
ISBN 978-3-423-21209-0

Freudig begrüßt Christine am Bahnhof ihren Johann, doch das Unheil naht: Hinter ihr steht Tante Inge (64), Papas jüngere Schwester. Was macht sie allein auf Sylt? Noch dazu mit so vielen Koffern?

Kein Wort zu Papa
Roman
ISBN 978-3-423-21362-2
ISBN 978-3-423-24814-3
(dtv premium)

Christine und Ines müssen für ein paar Tage eine Pension auf Norderney übernehmen – ein Job, von dem die Schwestern keine Ahnung haben!

Herzlichen Glückwunsch, Sie haben gewonnen!
Roman
ISBN 978-3-423-21529-9

Papa Heinz und Onkel Walter gewinnen eine Luxusreise an die Schlei, doch die entpuppt sich als dubiose Verkaufsfahrt.

Alle Titel auch als eBook!

Bitte besuchen Sie uns im Internet: www.dtv.de

Die Superbestseller von Dora Heldt
im <u>dtv</u> großdruck

»Diese Frau ist Deutschlands Roman-Autorin Nr. 1!«
Bild

ISBN 978-3-423-**25347**-5

ISBN 978-3-423-**25359**-8

ISBN 978-3-423-**25367**-3

Alle Titel auch als eBook!

Bitte besuchen Sie uns im Internet: www.dtv.de